10652993

JOHA

DE NARCOSE

Van Iris Johansen zijn verschenen:

Lelijk eendje*
Ver na middernacht*
Het laatste uur*
Gezicht van de dood*
Dodelijk spel*
De speurtocht*
De winddanser*
Een kern van leugens*
Verraderlijke trouw*
De schok*
De vloed*
De brand*
De klopjacht*
De opgraving
De sirocco
De narcose

*In POEMA-POCKET verschenen

IRIS JOHANSEN

De narcose

SIJTHOFF

02. 09. 2008

© 2006 by Johansen Publishing LLLP
All rights reserved
© 2008 Nederlandse vertaling
Uitgeverij Luitingh ~ Sijthoff B.V., Amsterdam
Alle rechten voorbehouden
Oorspronkelijke titel: *Killer Dreams*
Vertaling: Els van Son
Omslagontwerp: Studio Jan de Boer
Omslagfotografie: Getty Images BV

ISBN 978 90 218 0098 1
NUR 332

www.boekenwereld.com

Proloog

'Ik zei toch dat dit een geweldige plek is.' Corbin Dunston hield glimmend van trots de forel omhoog die hij net aan de haak had geslagen. 'Kijk eens wat een kanjer, ik denk dat-ie wel drie pond weegt.'

'Niet te geloven.' Sophie stond grinnikend op. 'Kunnen we nu dan terug naar het restaurant om te lunchen, pap? Michael en mam zitten op ons te wachten.'

'Michael had met ons mee moeten gaan, in plaats van in dat restaurant te blijven hangen. Zo'n jongen moet de buitenlucht in. En bovendien had ik indruk op hem willen maken door te demonstreren wat voor enorme vissen zijn opa uit het water haalt. Dat is nou eenmaal een voorrecht dat bij grootvader zijn hoort.'

'Een andere keer. Ik vertelde toch dat hij verkouden is. Dan is het niet goed om hier op de pier nog eens helemaal te verkleumen van de kou.'

'Ach, daar gaat hij heus niet dood van. Michael is niet van suiker. Het is een flinke, sterke kerel.'

'Maar wél pas acht. Laat me hem nou gewoon nog een beetje in de watten leggen. En zo heeft mam hem ook eens voor zichzelf. Jij hebt al genoeg mannen-onder-elkaartijd met hem.'

'Tja, dat is wel zo. En bovendien zit ze dan misschien niet de hele dag met klanten te bellen. Ze had net zo goed op kantoor kunnen blijven.'

Haar vader gooide de vis in het mandje, ging rechtop staan en rekte zich even uit. Toen begon hij de pier af te lopen. 'Ja, het is eigenlijk wel beter zo. En onder het kletsen met Michael zal ze wel met iedere serveerster uit het restaurant een praatje maken en ook nog tijd vinden om een paar telefoontjes te plegen, zodat ze zich niet schuldig voelt.' Hij haalde zijn schouders op. 'Ik heb haar gezegd dat ze, net zoals ik, met pensioen moet gaan, maar ze zei dat ze dan gillend gek zou worden.' Hij schudde zijn hoofd. 'Jij zult het wel van háár hebben geërfd. Het zou veel beter voor jullie allebei zijn als jullie een beetje ontspanden en van het leven genoten.'

'Maar ik geniet heus wel van het leven. Ik hou alleen niet van vissen. En ik wou dat je nu eens ophield met te proberen me te bekeren. Al sinds mijn zesde sleep je me mee naar allerlei meren en plassen.'

'Ja, en je bent altijd zonder morren meegegaan.' Sophies vader gaf haar een klap op haar schouder. 'En meestal klaag je ook nergens over. Ik weet heus wel dat je denkt dat ik liever een jongen had gehad en dat is misschien wel waar. Maar er is niemand die beter gezelschap voor me had kunnen zijn in al die jaren dan jij. Bedankt, Sophie.'

Ze moest even een brok in haar keel wegslikken. 'Maar nú klaag ik wel, pap. Ik zit midden in een megagroot project.' Ze glimlachte. 'Dat moet jij toch begrijpen. Als ik me goed herinner was je zelf ook regelmatig enorm gestrest.'

'Verleden tijd.' Corbin staarde naar de horizon. 'Jezus, moet je die zonsondergang zien. Is het niet prachtig?'

'Prachtig,' stemde Sophie in.

'En de moeite waard om hier te zijn en je kostbare project even achter te laten?'

'Nee,' zei ze glimlachend. 'Maar jíj bent dat wel.'

'Dat is dan tenminste iets,' grinnikte Corbin. 'En je hebt gelijk. Ik ben het waard. Ik heb humor en ben slim en heb het geheim van het leven ontdekt. Wie zou er nou níét in mijn gezelschap willen verkeren?'

'Ik zou het echt niet weten,' antwoordde Sophie en ze nam hem nog eens goed in zich op. Corbin had een door de zon gebruinde kop en het gespierde lichaam van iemand die een stuk jonger was dan zijn achtenzestig jaar. En ja, hij zag er gelukkig uit, dacht Sophie. Ontspannen en uitgerust. 'Daarom heb ik ook de boel de boel gelaten en ben ik hierheen gesneld.' Ze was even stil. 'Ik heb je gemist. Ik had deze maand langs willen komen, maar ik had gewoon te weinig tijd.'

'Zo gaat dat altijd. Daarom ben ik vijf jaar geleden uit die ratrace gestapt. Mensen zijn veel belangrijker dan projecten. En elke dag zou een avontuur moeten zijn, geen tredmolen.' Hij zuchtte en maakte zijn ogen met moeite los van de ondergaande zon. 'Je moeder en ik gaan volgende maand op een cruise naar de Bahama's. Ik zou graag willen dat Michael en jij met ons meegaan.'

'Dat kan n...' De woorden bleven in haar keel steken bij het zien van de blik in zijn ogen. Wat maakte het eigenlijk ook uit? Als ze heel hard werkte, kon ze haar bureau tegen die tijd best leeg hebben. Haar ouders werden er niet jonger op, en Corbin had gelijk. Mensen zijn belangrijker dan projecten, zeker als je van die mensen houdt. 'Hoe lang?'

'Twee weken.'

'Zonder vissen?'

'Misschien een klein beetje diepzeevissen. Dat heb ik nog nooit gedaan met Michael.'

Sophie zuchtte. 'Zolang je het niet erg vindt dat mam en ik luierend op het dek margarita's liggen te drinken, terwijl jullie twee druk zijn met dat soort mannendingen.'

'Geen probleem.' En na een korte pauze zei Corbin: 'Neem Dave ook mee, als hij tenminste vrij kan nemen. Hij kan ook wel een vakantie gebruiken.'

'Ik zal het hem vragen. Maar hij is bezig met een grote zaak en hij werkt zich een slag in de rondte. Er valt flink wat geld te verdienen.'

'Ook al zo'n workaholic.' Hij vertrok zijn gezicht tot een grimas. 'Hoe jullie ooit tijd hebben gevonden om Michael te maken, is mij een raadsel.'

Ze grinnikte. 'Je hebt altijd de lunchpauzes nog.'

'Dat zou me inderdaad niets verbazen.' Hij versnelde zijn pas. 'Daar zijn je moeder en Michael. Ik kan niet wachten om ze over die cruise te vertellen.' Hij zwaaide naar Mary Dunston en Michael, die net naar buiten waren gekomen en naar hen stonden te zwaaien. 'Ze zal het heerlijk vinden dat jullie meegaan. We hebben gewed dat het me niet zou lukken om je over te halen.' Hij trok een gezicht. 'Als het me niet zou lukken, had ik beloofd met haar naar een van die beautyfarms te gaan. Ze wil een paar kilo afvallen.'

'Dat is nergens voor nodig.'

'Dat weet ik. Ze ziet er fantastisch uit.' Corbins gezicht verzachtte, terwijl hij naar zijn vrouw keek. 'Hoe ouder ze wordt, hoe mooier. Ik zeg steeds dat ik niet begrijp hoe ik op haar heb kunnen vallen toen ze twintig was. Alleen maar gladde huid zonder één rimpeltje en nog niet eens een spóór van wijsheid in haar ogen. En dan zegt ze dat ik haar niet voor de gek moet houden. Maar dat doe ik helemaal niet, Sophie.'

'Dat weet ik.' De liefde tussen haar ouders was haar hele jeugd een vaststaand feit voor haar geweest. 'En zij ook.'

Michael kwam naar hen toe hollen. 'Opa, kunnen we op de terugweg stoppen bij de winkels? Ik wil je het nieuwe videospelletje dat ik heb ontdekt laten zien.'

'Ik zou niet weten waarom niet. Als we nog genoeg tijd hebben na het eten.'

'Eindelijk.' Mary Dunston had Michael ingehaald. 'Ik ben uitgehongerd, Corbin. Heb je nog iets gevangen?'

'Ja, natuurlijk,' antwoordde Corbin. 'Twee gigantische forellen.'

'Bíjna gigantisch,' corrigeerde Sophie.

'Bijna dan,' zei Corbin schouderophalend. 'Maar in ieder geval zijn het flinke. Ben je klaar met bellen, Mary?'

Ze knikte. 'Ik krijg die klus in Palmaire misschien.' Ze gaf hem een snelle kus. 'Kom op, eten.'

'Straks.' Hij opende zijn vismandje.

'Ik wil die rotvissen van jou helemaal niet zien,' zei Mary. 'Ik geloof je op je woord. Gigantisch. Enorm.'

Corbin stak zijn hand in het mandje. 'Nee, ik wil je die vissen ook helemaal niet laten zien, Mary.'

Hij haalde een .38-revolver tevoorschijn en schoot haar door het hoofd.

'Pap?' Sophie keek als verlamd toe hoe de schedel van haar moeder uit elkaar spatte. Nee, dit kon niet. Het moest de een of andere belachelijke grap zijn. Het kón niet...

Maar het was geen grap. Haar moeder sloeg tegen de grond.

Corbin draaide zich om en richtte de revolver op Michael.

'Nee!' Op het moment dat haar vader de trekker voor de tweede keer overhaalde, wierp Sophie zich tussen hen in.

Een vlammende pijn in haar borst.

Michael gilde.

Duisternis.

1

Twee jaar later
Fentway Universiteitsziekenhuis
Baltimore, Maryland

'Wat is er aan de hand? Jij hoort hier helemaal niet te zijn.'

Sophie Dunston keek op van de status en zag Kathy VanBoskirk, de hoofdzuster, in de deuropening staan. 'Een nachtelijk-apneu-onderzoek.'

'Je hebt de hele dag gewerkt en nu ga je nog een nachtelijk-apneu-onderzoek doen?' Kathy kwam de kamer binnen en wierp een blik op het bed aan de andere kant van de glazen wand. 'Ah, een baby. Ik begin het te begrijpen.'

'Niet echt een baby meer. Elspeth is veertien maanden,' zei Sophie. 'Drie maanden geleden was ze van haar nachtelijke problemen af, maar nu zijn ze toch weer terug. Ze houdt midden in de nacht gewoon op met ademen en haar arts kan er geen enkele verklaring voor vinden. Haar moeder is gewoon ziek van bezorgdheid.'

'En waar is die moeder dan?'

'Ze werkt 's nachts.'

'Jij ook. Overdag én 's nachts.' Kathy staarde naar de slapende baby. 'Mijn god, wat een schatje. Ik hóór mijn biologische klok gewoon tikken. Mijn zoon is nu vijftien en er is niets liefs meer aan hem te ontdekken. Ik hoop dat hij over een jaar of zes weer terugverandert in een menselijk wezen. Denk je dat daar kans op is?'

'Don is gewoon een typische puber. Hij wordt echt wel weer normaal.' Sophie wreef in haar ogen. Het leek wel of er zand in zat. Maar het liep tegen vijf uur en het slaaponderzoek was bijna ten einde. Dan zou ze gauw die boodschap doen die boven aan haar lijstje stond en in bed kruipen om een paar uurtjes te slapen, voor ze hier weer terug moest zijn vanwege haar afspraak van één uur: de eerste sessie met het Cartwright-kind. 'En vorige week, toen hij met je mee was gekomen naar kantoor, bood hij zelfs aan om mijn auto te wassen.'

'Ach, hij zag misschien een kans om hem te jatten.' Kathy vertrok haar gezicht in een grimas. 'Of misschien wilde hij scoren bij een oudere vrouw. Hij vindt dat je er cool uitziet.'

'Ja, vast.' Op dit ogenblik voelde Sophie zich oud, uitgewrongen en hartstikke lelijk. Ze concentreerde zich weer op de status en bestudeerde het verloop van Elspeths nacht. Ze had rond een uur of één een apneu-aanval gehad, en sinds die tijd was er niets meer gebeurd. Misschien was er iets wat haar kon helpen om...

'Er ligt een boodschap voor je op het verpleegsterskantoortje.'

Sophie verstijfde. 'Van thuis?'

Haastig schudde Kathy haar hoofd. 'Nee. Jezus, sorry, ik wou je niet ongerust maken. Ik dacht er niet bij na. Die boodschap kwam om zeven uur binnen, precies op het moment dat de dagdienst door de nachtdienst wordt afgelost, en daarom zijn ze vergeten om hem aan je door te geven.' Even was het stil. 'Hoe gaat het met Michael?'

'Soms heel slecht. Soms oké.' Ze glimlachte een beetje verdrietig. 'Maar hij is altijd fantastisch.'

Kathy knikte. 'Ja, dat is-ie.'

'Maar over vijf jaar trek ik misschien de haren uit mijn hoofd, net als jij nu.' Ze veranderde van onderwerp. 'Van wie was die boodschap?'

'Weer van Gerald Kennett. Ga je hem niet terugbellen?'

'Nee.' Ze liep Elspeths medicatie na. Allergie?

'Sophie, het kan geen kwaad om met hem te praten. Hij heeft je een baan aangeboden waarmee je in één maand meer verdient dan hier in een jaar. En misschien verhoogt hij je salaris nog wel, omdat hij maar achter je aan blijft zitten. Ik zou een gat in de lucht springen bij zo'n kans.'

'Nou, dan bel jíj hem terug. Ik hou van mijn werk hier en van de mensen met wie ik werk. Ik heb geen zin om verantwoording af te moeten leggen aan een farmaceutisch bedrijf.'

'Je hebt toch al eerder voor zo'n bedrijf gewerkt.'

'Ja, toen ik net mijn studie had afgerond. En dat was een grote vergissing. Ik had gedacht dat ze me de tijd zouden gunnen om fulltime onderzoek te verrichten. Maar dat was helemaal niet het geval. Ik ben veel beter af als ik in mijn vrije tijd onderzoek doe.' Ze omcirkelde een van de medicijnen die op Elspeths status vermeld stonden. 'En ik heb hier meer geleerd door met mensen te werken, dan ik ooit zou kunnen op een lab.'

'Zoals Elspeth.' Kathy's blik was op de baby gericht. 'Ze wordt wakker.'

'Ja, de laatste vijf minuten is ze in NREM-slaap. Ze is bijna wakker.' Sophie legde de status neer en liep naar de deur van de onderzoekkamer. 'Ik moet nu naar binnen en die draden losmaken, voordat ze echt wakker is. Anders wordt ze bang, als ze haar ogen opendoet en dan in haar eentje is.'

'Wanneer zou haar moeder hier weer zijn?'

'Om zes uur.'

'Dat is tegen de regels. Ouders horen hun kinderen meteen als de sessie is beëindigd op te halen en deze sessie eindigt om halfzes.'

'Ach, hou op met die regels. Ze geeft tenminste genoeg om dat kind om het te laten onderzoeken. En ik vind het niet erg om wat langer te blijven.'

'Dat weet ik,' zei Kathy. 'Maar jíj bent degene die last gaat krijgen van nachtmerries, als je niet ophoudt om jezelf zo uit te putten.'

Sophie maakte het gebaar dat boze geesten afweert. 'Niet over praten. Stuur Elspeths moeder maar hiernaartoe zodra ze binnen is, oké?'

Kathy grijnsde. 'Daar schrok je even van, hè?'

'Ja. Er is niets ergers dan nachtmerries. En ik kan het weten, geloof me.' Ze ging Elspeths kamer in en liep naar het wiegje. Na een paar minuten had ze alle draden verwijderd. Wat een schatje was het toch: net zulk donker haar als haar moeder en met een blosje van het slapen op haar olijfkleurige, zijdeachtige wangetjes. Sophie vond haar heel vertederend. 'Elspeth,' riep ze zachtjes. 'Wakker worden, liefje. Je zult er geen spijt van krijgen. We gaan lekker kletsen en ik lees je een verhaaltje voor, terwijl we wachten op je mama...'

Ik moet weer aan het werk, dacht Kathy, terwijl ze door het raam naar Elspeth en Sophie stond te kijken. Sophie had de baby opgepakt, haar in een deken gewikkeld en zat nu met het kind op schoot in een schommelstoel. De uitdrukking op haar gezicht was teder, stralend en vol liefde terwijl ze tegen het baby'tje praatte en haar zachtjes wiegde.

Kathy had Sophie door andere artsen horen beschrijven als briljant en begiftigd met een fantastische intuïtie. Met haar studies medicijnen en scheikunde was ze een van de beste slaaptherapeuten in het land. Maar Kathy voelde zich het meest aangesproken door déze Sophie. De Sophie die in staat was om zonder enige moeite een hand naar de patiënten uit te steken en ze warmte te geven. Zelfs Kathy's eigen zoon, Don, had die keer dat hij haar had ontmoet, gereageerd op die warmte. En Don was niet iemand die zich makkelijk liet charmeren. Natuurlijk droeg het feit dat Sophie blond, lang en slank was en óók nog een klein beetje op Kate Hudson leek, een behoorlijk stuk bij aan zijn bewondering. Don had niets met madonnatypes. Tenzij het natuurlijk om de Madonna ging die cd-covers sierde.

Sophie leek echter niet in het minst op Madonna, net zomin als ze iets weg had van de Heilige Maagd. Op dit ogenblik was ze heel menselijk en vol liefde.

En kracht. Dat kon ook niet anders, gezien de hel waar ze de afgelopen jaren doorheen had gemoeten. Ze verdiende het om eens echt te kunnen ontspannen. Nam ze nou die Kennett-baan maar aan, dan kon ze het grote geld binnenhalen en al die zware verantwoordelijkheden achter zich laten.

Maar toen ze de uitdrukking op Sophies gezicht zag, schudde ze haar hoofd. Sophie kon die verantwoordelijkheden niet zomaar achter zich laten, niet wat betreft dit baby'tje en niet wat betreft Michael. Zo zat ze nu eenmaal in elkaar.

En verdomd, misschien had ze ook gewoon gelijk. Misschien was dat geld wel niet zo belangrijk als de dankbaarheid die ze nu van dat kindje kreeg.

'Dag, Kathy.' Sophie, op weg naar de lift, zwaaide naar haar. 'Tot gauw.'

'Niet als je verstandig bent. Ik heb de hele maand nachtdienst. Heb je nog iets gevonden wat betreft die apneu?'

'Ik vervang een van haar medicijnen. Op Elspeths leeftijd is het meestal gewoon een kwestie van uitproberen.' Toen de liftdeur openging, stapte ze naar binnen. 'We moeten haar gewoon goed in de gaten houden tot ze eroverheen groeit.'

Toen de deur eenmaal gesloten was, leunde ze tegen de wand van de lift en sloot haar ogen. Ze was echt té moe. Eigenlijk kon ze beter gewoon naar huis gaan en Sanborne vergeten voor dit moment.

Doe niet zo laf. Niet naar huis. Gewoon doorgaan.

Een paar minuten later opende ze de deur van het busje. Met opzet vermeed ze het om een blik te werpen op de koffer, met daarin het Springfield-geweer, die in de achterbak van de Toyota lag. Voordat ze die erin had gelegd, had ze al gecheckt of alles in orde was. Niet dat dat nou echt nodig was. Jock liet haar echt niet op pad gaan met een wapen dat niet goed functioneerde. Daar was hij veel te professioneel voor.

Kon ze datzelfde maar over zichzelf zeggen. De hele nacht had ze de gedachte aan Sanborne uit haar hoofd weten te bannen, maar nu trilde ze als een riet. Even legde ze haar hoofd op het stuur. Kom op. Het is normaal dat je zenuwachtig bent. Iemand doden was natuurlijk een afschuwelijke daad. En dat gold zelfs in het geval van slechteriken zoals Sanborne.

Sophie ging weer rechtop zitten, haalde diep adem en startte het busje.

Sanborne zou om zeven uur aankomen.

En zij moest er dan zijn om hem op te wachten.

Rennen.

Achter haar hoorde ze geschreeuw.

Met grote sprongen en half glijdend haastte ze zich de heuvel af, viel, stond snel weer op en holde verder naar beneden in de richting van het water.

Boven haar hoofd hoorde ze het gefluit van een kogel.

'Stop!'

Rennen. Blijven rennen.

Er klonk een hevig gekraak uit de struiken boven aan de heuvel.

Met hoeveel waren ze?

Duik weg in de bosjes. Ongeveer vijfhonderd meter verderop stond het busje. Vóór ze daar was, moest ze ze kwijt zien te raken. De takken sloegen in haar gezicht terwijl ze door de struiken racete.

Nu hoorde ze niets meer.

Ja, toch. Maar verder weg. Misschien waren ze wel een andere kant op gegaan.

Het busje. Ze was er.

Snel sprong ze erin, gooide het geweer op de achterbank en scheurde weg.

Haar voet stampte op het gaspedaal.

Weg hier. Misschien had ze het nog niet verpest. Misschien hadden ze haar niet goed kunnen zien.

En waren ze niet dichtbij genoeg om een kogel door haar kop te jagen.

Toen Sophie een uur later haar huis binnenging, hoorde ze meteen het gegil van Michael.

Shit. Shit. Shit.

Snel gooide ze haar tas op de grond en rende naar hem toe.

'Het is goed.' Jock Gavin keek op toen ze de kamer in kwam rennen. 'Ik heb hem meteen toen de sensor afging wakker gemaakt. Het heeft maar kort geduurd.'

'Lang genoeg.'

Michael zat rechtop en hijgde, zijn magere borstkas ging snel op en neer. Ze vloog naar het bed en nam hem in haar armen. 'Rustig maar, lieverd, het is voorbij,' fluisterde ze. Troostend wiegde ze hem heen en weer. 'Het is allemaal voorbij.'

Even knelden Michaels armen zich wanhopig om haar heen, voordat hij haar van zich af duwde. 'Ik weet wel dat het oké is,' zei hij een beetje narrig. Hij haalde diep adem. 'Ik wou dat je me niet als een klein kind behandelde, mam. Dat is stom.'

'Sorry.' Ze had zichzelf ingeprent niet te emotioneel te reageren, maar dit keer had ze er niet bij stilgestaan. Ze kuchte.

'Ik zal erop letten.' Ze glimlachte een beetje bibberig. 'En er zijn mensen die je nog een kind zouden vinden. Ongelofelijk, toch?'

'Ik zal een ontbijt voor je maken, Michael,' zei Jock en liep naar de deur. 'Maak maar een beetje haast, het is al halfacht.'

'Ja.' Michael kwam zijn bed uit. 'Ik moet opschieten, anders mis ik de bus.'

'Doe maar rustig aan. Als je de bus mist, breng ik je wel naar school.'

'Nee, jij bent moe. Ik haal het wel.' Hij keek over zijn schouder. 'Hoe gaat het met dat baby'tje?'

'Eén aanval. Ik denk dat het te maken heeft met een van de medicijnen die ze krijgt. Ik ga iets anders proberen.'

'Mooi.' Hij verdween in de badkamer.

Zodra de deur dicht was, zou hij waarschijnlijk even tegen de wasbak aanleunen om over de misselijkheid heen te komen die de angst had veroorzaakt. Dat had hij van háár geleerd. Maar de laatste tijd wilde hij dan alleen zijn. Een normale reactie voor een jongen van tien en ze hoefde zich daar dus niet gekrenkt door te voelen. Nee, ze mocht van geluk spreken dat ze nog zo close met elkaar waren.

'Mam.' Michael stak zijn hoofd om de deur; er lag een grijns op zijn magere gezicht. 'Ik heb gelogen. Ik vind het eigenlijk niet echt stom. Ik dacht meer dat ik het eigenlijk stom hóór te vinden.'

En weg was hij alweer.

Op weg naar de keuken stroomde er plotseling een overweldigend gevoel van warmte en liefde door haar heen.

Jock stond tegen het aanrecht geleund. 'Het is een leuk jong én hij heeft lef,' merkte hij op toen ze binnenkwam.

Ze knikte. 'Dat heeft ie zeker. Is er vannacht nog vaker iets gebeurd?"

'Volgens jouw meetapparatuur niet. Tot een paar minuten geleden was er geen significante verhoging van het hartritme te zien.' Jock draaide zich om. 'Zeg even tegen Michael dat ik toast en jus d'orange voor hem heb gemaakt. Ik moet een telefoontje plegen. Het is tijd om me te melden bij MacDuff.'

Er verscheen een glimlach op haar lippen. 'De eerste keer dat je die naam noemde dacht ik dat het over je reclasseringsambtenaar ging, in plaats van over een Schotse landheer, een *laird*.'

'Dat is hij ook op een bepaalde manier,' zei hij met twinkelende ogen. 'Als ik me niet regelmatig bij hem meldde, zou hij me op mijn huid zitten om na te gaan of ik wel deed wat ik moet doen. We hebben een afspraak.'

'Maar het feit dat je bent opgegroeid in een dorpje op zijn landgoed, betekent nog niet dat hij het recht heeft om je te vertellen wat je moet doen.'

'Maar hij vindt van wél. Hij is opgevoed met veel verantwoordelijkheidsgevoel ten opzichte van iedereen uit ons dorp. Hij beschouwt ons allemaal als familie.' Hij lachte. 'En soms denk ik er precies hetzelfde over. En dan is hij ook nog een vriend van me en vrienden vertel je nou eenmaal niet dat ze op kunnen hoepelen.' Toen hij haar aankeek, verdween zijn glimlach. 'Je hebt een kras op je wang.'

Haar hand vloog niet meteen naar haar wang; ze kon zich nog net inhouden. Onderweg had ze zich wel proberen op te frissen bij een benzinestation, maar een schram kreeg je natuurlijk niet weg. En natuurlijk had ze kunnen weten dat Jock dat zou zien. Die zag altijd alles. 'O, het is niets.'

Met een doordringende blik keek hij haar aan. 'Ik had je een uur geleden al verwacht. Waar zat je?'

'Als er een probleem met Michael was geweest, had je me kunnen bereiken,' ontweek ze zijn vraag.

'Waar zat je?' vroeg hij opnieuw. 'Op het terrein?'

Ze wilde niet tegen hem liegen en knikte haperend. 'Maar hij was er niet. De laatste drie weken kwam hij er iedere dinsdag om een uur of zeven. Maar vandaag niet. Ik snap niet waarom.' Haar handen balden zich tot vuisten. 'Verdomme, ik was er klaar voor, Jock. Ik ging het echt doen.'

'Voor zoiets zul je nooit klaar zijn.'

'Jij hebt het me geleerd. Ik ben er klaar voor.'

'Je kunt hem dan misschien vermoorden, maar het zal je altijd blijven verscheuren.'

'Moorden heeft jou niet verscheurd.'

Hij vertrok zijn gezicht in een grimas. 'Had je me een paar jaar geleden moeten zien. Toen kon je me opvegen.'

'Des te meer reden om Sanborne te vermoorden,' antwoordde Sophie. 'Hij verdient het niet om te leven.'

'Daar ben ik het mee eens, maar dan hoef jíj nog niet degene te zijn die hem doodt.' Het was even stil. 'Jij hebt Michael, die heeft je nodig.'

'Dat weet ik wel. En ik heb met Michaels vader geregeld dat hij voor hem zal zorgen, mocht dat nodig zijn. Dave houdt van hem, maar dat eerste jaar trok hij gewoon niet. Maar ondertussen gaat het al veel beter met Michael.'

'Maar hij heeft jóú nodig.'

'Hou op, Jock. Hoe kan ik...' Ze wreef over haar pijnlijke slapen en fluisterde: 'Het is míjn schuld. En het gaat maar door. Het moet ophouden.'

'MacDuff kent heel veel invloedrijke personen. Ik kan hem vragen iemand van de Amerikaanse regering te bellen.'

'Je weet dat ik het al via die weg heb geprobeerd. Ik heb werkelijk iedereen gebeld die ik ken. Het enige wat ze deden was me een aai over m'n bol geven en zeggen dat ik, heel begrijpelijk natuurlijk, over mijn toeren was. Sanborne is een gerespecteerd zakenman en er bestaat geen enkel bewijs dat hij inderdaad zo'n monster is als ik beweer.' Ze vertrok haar mond. 'En tegen de tijd dat ik bij bureaucratische senator nummer vijf was aangeland, was ik dan ook écht hysterisch. Ik kon gewoon niet geloven dat ze me niet geloofden. Maar uiteindelijk moest ik wel. Omkoperij. Langs de hele linie.' Mistroostig schudde ze haar hoofd. 'Jouw MacDuff zou tegen dezelfde muur oplopen. Nee, dit is de enige manier.' Haar lippen werden een streep. 'En je hebt het fout; het zou me echt niet verscheuren. Ik laat me door Sanborne niet méér pijn doen dan hij me al heeft berokkend.'

'Laat míj hem dan voor je vermoorden. Dat is een veel betere oplossing.'

Jock klonk nonchalant en zijn gezicht was bijna zonder uitdrukking. 'Omdat het jou niets uit zou maken? Dat is niet waar. Het zou je wél iets doen. Zo harteloos ben je niet.'

'O, nee? Weet je hoeveel mensen ik heb gedood?'

'Nee, en dat weet je zelf ook niet. Dat is de reden dat je hier bent.' Ze zette het koffieapparaat aan en bleef tegen het aanrecht leunen. 'Een van die bewakers heeft me gezien, denk ik, misschien zelfs wel meer dan een. Ik weet het niet.'

Hij verstijfde. 'Dat is slecht nieuws. Ben je te zien op de beveiligingsvideo?'

Ze schudde haar hoofd. 'Bovendien had ik een lange jas aan en zat mijn haar weggestopt onder een muts. Ik weet zeker dat niemand me heeft gezien totdat ik wegging. En dat was ook nog maar heel kort. Misschien is er wel niets aan de hand.'

Hij schudde zijn hoofd.

'Jawel, er mág niets aan de hand zijn. Het móét gewoon lukken. En er zal heus niemand de politie bellen. Sanborne wil de aandacht niet vestigen op alles wat er daar gebeurt.'

'Maar de bewaking zal nu wel extra oplettend zijn.'

Dat kon ze niet ontkennen. 'Dan zal ik extra voorzichtig zijn.'

Jock schudde zijn hoofd. 'Dat kan ik echt niet goedvinden,' zei hij vriendelijk. 'Misschien is dat verantwoordelijkheidsgevoel van MacDuff wel besmettelijk. Mijn eigen demonen heb ik al jaren geleden gedood, maar ik heb je wel op het spoor gezet om de jouwe te vinden, zodat jij met ze af kunt rekenen. In je eentje zou je Sanborne nooit hebben gevonden.'

'Ik zou hem wél gevonden hebben. Het had me alleen meer tijd gekost. Sanborne Pharmaceutical heeft vestigingen over de hele wereld. Ik zou iedere fabriek zijn afgegaan.'

'En alleen om zover te komen, heb je al anderhalf jaar nodig gehad.'

'Ik kón het gewoon niet geloven. Of misschien kon ik het gewoon niet accepteren. Het is zo afschuwelijk.'

'Ja, het leven kan afschuwelijk zijn. Mensen kunnen afschuwelijk zijn.'

Maar Jock was niet afschuwelijk, dacht ze, terwijl ze naar hem keek. Hij was zelfs misschien wel het mooiste menselijke wezen dat ze ooit had ontmoet. Slank, begin twintig, blond, en uitzonderlijk knap. Hij had niets verwijfds, integendeel, hij was juist uitermate mannelijk en toch was zijn gezicht echt... mooi. Er was gewoon geen andere manier om het te beschrijven.

'Waarom sta je me zo aan te staren?' vroeg Jock.

'Dat wil je niet weten. Je zou je aangetast voelen in die Schotse mannelijke trots van je.' Ze schonk een kop koffie in. 'Ik had gisteravond een patiëntje dat Elspeth heet. Dat is toch een Schotse naam?'

Hij knikte. 'En ging het goed met haar?'

'Ik denk het wel. Ik hoop het. Het is een lief klein meisje.'

'En jij bent een lieve vrouw.' Even was het stil. 'Die een woordenwisseling probeert te voorkomen door op een ander onderwerp over te gaan.'

'Ik wil er geen ruzie over maken. Dit is míjn strijd. Ik heb je erbij betrokken om me te helpen, maar ik wil niet dat je ook maar enig risico loopt of je ergens schuldig over gaat voelen.'

'Schuldig? Jezus, als je daar beter over had nagedacht, zou je weten hoe belachelijk dat is. Mijn ziel moet zo onderhand pikzwart zijn.'

'Nee, Jock.' Ze schudde haar hoofd en beet op haar onderlip. Verdomme, ze wilde dit eigenlijk helemaal niet zeggen. 'Ik waardeer heel erg wat je voor me hebt gedaan, Jock, maar misschien is het nu tijd om hier weg te gaan.'

'Absoluut niet. We praten er later nog wel over. Dag, Sophie.' Hij liep naar de deur. 'Ik heb Michael beloofd hem op te halen van zijn voetbalwedstrijd vanmiddag, dus als jij het druk hebt hoef jij er niet te zijn. Duik je bed in en probeer wat slaap in te halen. Je hebt toch om één uur weer een afspraak?'

'Jock.'

Glimlachend keek over zijn schouder. 'Het is te laat om nog te proberen je van mij te ontdoen. Ik kan het me niet veroorloven dat jij gedood wordt. En dat heeft een zelfzuchtige reden. Ik heb maar weinig vrienden in deze wereld. Daar heb ik blijkbaar de flair voor verloren. Het zou me veel verdriet doen als ik jou kwijtraak.'

De deur sloeg achter hem dicht.

Verdomme, deze reactie kon ze helemaal niet gebruiken. Had ze haar mond nou maar gehouden over die bewaker die haar had gezien. Ze wist toch hoe beschermend hij kon zijn. En hij bleef maar zeuren dat zij hém die moord moest laten plegen. Toen hij eenmaal doorhad dat ze dat pertinent zou blijven weigeren, had hij het op zich genomen om haar de veiligste en beste manier te leren om te doen wat ze moest doen. De afgelopen maanden was hij bij haar gebleven om haar te beschermen en in haar buurt te zijn, voor het geval ze van gedachten veranderde. Maar ze had hem, zodra hij haar alles had geleerd wat nodig was, weg moeten sturen. Misschien vond hij zichzelf zelfzuchtig, maar in wezen was zíj degene die zich egoïstisch gedroeg. Alleen al het feit dat hij een oogje op Michael kon houden op de avonden dat zij laat moest werken was een zegen geweest. En daarbij had ze zich zo vreselijk alleen gevoeld en Jock was daarin een troost voor haar geweest. Maar nu moest ze hem echt dwingen om te gaan.

Michael kwam de keuken binnenstormen. 'Ik heb nog maar vijf minuten, geen tijd voor ontbijt.' Hij klokte een glas sinaasappelsap naar binnen, greep zijn boekentas en haastte zich naar de deur. In het voorbijgaan gaf hij haar een snelle kus op haar wang. 'Ik ben pas om zes uur thuis. Voetbal.'

'Ja, dat weet ik. Jock zei het.' Ze gaf hem een knuffel. 'Ik zie je wel bij de wedstrijd.'

Zijn gezicht lichtte op. 'Kun je komen dan?'

'Een beetje te laat, maar ik kom zeker.'

Hij lachte. 'Super.' Bij het weggaan draaide hij zich nog even om. 'Maak je geen zorgen, mam. Het gaat goed met me. We krijgen het beter onder controle. Het is deze week maar drie keer gebeurd.'

Drie keer dat zijn hartslag verdriedubbelde en dat hij gillend wakker werd. Drie keer dat hij dood had kunnen zijn, ware het niet dat zij hem aan de monitor had gelegd. Maar hij probeerde haar zich geen zorgen te laten maken. Met moeite toverde ze een glimlach tevoorschijn. 'Dat weet ik. Je gaat vooruit. Ik ben gewoon een overbezorgde moeder. Dat hebben moeders nou eenmaal.' Ze gaf hem een duwtje in de richting van de deur. 'Neem maar een reep als je geen tijd hebt om te ontbijten.'

Hij pakte de reep van haar aan en was verdwenen.

En nu maar hopen dat hij eraan zou denken om hem ook op te eten. Dat joch was veel te mager. Na zo'n aanval had hij altijd moeite om voedsel binnen te houden, maar ondanks dat stond hij erop om te hardlopen en voetballen. Het mocht dan wel goed voor hem zijn om bezig te zijn en ze wilde ongelofelijk graag dat hij zo'n normaal mogelijk leven leidde, maar het was

duidelijk dat de kilo's eraf vlogen door dat vele sporten.
Haar mobiele telefoon ging.
Toen ze de naam op het schermpje las, verstrakte ze even. Dave Edmunds. Jezus, ze had helemaal geen zin om nu haar ex-echtgenoot te spreken. 'Hallo, Dave.'
'Ik hoopte al dat ik je zou kunnen bereiken, voordat je naar je werk ging.' Hij wachtte even. 'Jean en ik nemen zaterdag-avond het vliegtuig naar Detroit, dus moet ik Michael vroeg terugbrengen. Is dat goed?'
'Nee. Maar het zal wel moeten, denk ik.' Ze greep de hoorn steviger vast. 'Verdomme, het is de eerste keer in zes maanden dat je Michael een weekendje hebt. Denk je dat hij niet doorheeft waarom je hem geen nacht bij je laat slapen? Hij is niet dom.'
'Natuurlijk niet.' Even was het stil. 'Het zijn al die verdomde draden, Sophie. Ik ben bang om iets verkeerd te doen. Hij kan beter bij jou zijn.'
'Dat is ook zo, maar ik heb je toch laten zien hoe je die monitor aan moet sluiten. Alleen die draad om zijn wijsvinger en de band om zijn borstkas als back-up. Michael kan het al zélf tegenwoordig. Jij hoeft alleen maar te controleren of de monitor goed werkt. Jij bent zijn vader en ik laat hem niet voor de gek houden. Mijn god, hij heeft de pest niet. Hij is beschadigd.'
'Ja, dat weet ik,' zei Dave. 'Ik doe mijn best, maar het jaagt me angst aan, Sophie.'
'Zet jezelf daar maar overheen. Hij heeft je nodig.' Ze hing op, knipperend met haar ogen om de tranen tegen te houden. Ze had gehoopt dat Dave op het laatste moment nog bij zou draaien, maar het leek er niet op. De veilige haven die ze voor Michael bij zijn vader dacht te hebben gecreëerd, was onder haar ogen aan het instorten. Ze moest iets anders verzinnen, iets anders regelen. Vóór die afschuwelijke dag waren er al problemen geweest in hun huwelijk, maar toen had ze nog gehoopt dat ze het samen zouden redden. Maar zo was het niet gelopen. Na haar ontslag uit het ziekenhuis hadden ze samen nog maar nauwelijks zes maanden gehaald.
Maar, godverdomme, hij móést er zijn wanneer Michael hem nodig had. Dat móést gewoon.
Kalm blijven. Nu kon ze in ieder geval niets doen. Ze zou wel

een manier vinden om Michael te beschermen. Ga naar bed en pak wat slaap. En dan terug naar het ziekenhuis om datgene te doen waarvoor ze was opgeleid: mensen helpen, in plaats van plannen te maken om ze te vermoorden.

'Ik moet je vragen om mijn belofte te mogen verbreken,' zei Jock Gavin, toen MacDuff de telefoon oppakte. 'Het kan zijn dat ik iemand moet doden.' Hij bleef geduldig wachten tot de laird uitgevloekt was aan de andere kant van de lijn. Toen zei hij: 'Het is een heel slecht mens, die het verdient om te sterven.'

'Maar niet door jouw hand, verdomme, dat is allemaal voorbij.'

Maar écht voorbij kon het nooit zijn, dacht Jock. Dat wíst hij, al wist de laird dat blijkbaar niet. MacDuff wilde gewoon zó graag dat alles voorbij was, dat de wens de vader van de gedachte was. 'Als ik het niet doe, gaat Sophie Sanborne vermoorden. En dat kan ik niet laten gebeuren. Ze is al veel te veel gekwetst. En zelfs als ze er niet voor wordt gepakt, zal het toch zijn sporen nalaten.'

'Waarschijnlijk zal ze wel terugkrabbelen. Jij zei zelf dat ze niet de juiste mentaliteit heeft om iemand te doden.'

'Maar ze heeft nu wel de kennis en de kunde. Dat heb ik haar geleerd. En daarbij zit ze vol haat en is ze ervan overtuigd dat ze iets slechts moet doen om het goede te bereiken. En dat trekt haar over de streep.'

'Láát het haar dan doen en maak dat je wegkomt daar.'

'Dat kan ik niet. Ik moet haar helpen.'

MacDuff was even stil. 'Hoezo? Hoe zit het met je gevoelens voor haar, Jock?'

Jock grinnikte. 'Maak je geen zorgen, geen seks en ook geen liefde. Nou, misschien eigenlijk toch wel. Vriendschap is ook een vorm van liefde. Ik vind haar en dat manneke aardig. En ik voel een verbondenheid door de dingen die ze heeft meegemaakt. Die ze nog steeds meemaakt.'

'Dat is genoeg voor mij om me zorgen te maken dat je weer in je oude gewoonten gaat vervallen. Ik wil dat je nu terugkomt naar MacDuffs Run.'

'Nee. Ontsla me van mijn belofte.'

'Voor geen goud. Ik heb je een hele tijd met rust gelaten, zodat je je eigen weg kon vinden. Dat heeft me enorm veel moeite gekost. Het enige wat ik je heb gevraagd is om contact te houden én dat er geen doden zouden vallen.'

'En dat is ook niet gebeurd.'

'Tot nu toe, ja.'

'Er is niets gebeurd... nog niet.'

'Jock, waag het niet...' MacDuff brak zijn zin af en haalde diep adem. 'Laat me even nadenken.' Een paar minuten bleef het stil en Jock kon de radertjes in de hersenen van de laird bijna horen, terwijl de ene mogelijkheid na de andere werd overwogen. 'Wat zou ervoor zorgen dat je terugkomt naar de Run?'

'Ik wil niet dat zíj Sanborne moet vermoorden.'

'Kunnen we de FBI of onze eigen geheime dienst er niet op zetten?'

'Ze zegt dat ze dat allemaal al heeft geprobeerd. Volgens haar is er omkoperij in het spel.'

'Dat is best mogelijk. Sanborne heeft zowat evenveel geld als Bill Gates en die potentie kon voor een aantal politici wel eens té verleidelijk blijken. Hoe zit het met de media?'

'Sophie heeft na de moorden drie maanden in een psychiatrische inrichting gezeten, omdat ze geestelijk was ingestort. Dat is een van de redenen waarom ze het niet voor elkaar krijgt dat er iemand naar haar luistert.'

'Shit.'

'Ontsla me van mijn belofte,' bleef Jock geduldig herhalen.

'Geen sprake van,' antwoordde MacDuff kortaf. 'Jij wilt niet dat zíj degene is die Sanborne vermoordt? Dan zorgen we toch voor iemand anders die dat doet.'

'Als ze míj niet toestaat om dat te doen, dan heeft iemand anders helemaal geen kans. Ze zegt dat ze zich verantwoordelijk voelt.'

'En door wie zou ze dat te weten komen? We zorgen er gewoon voor dat die lul van het toneel verdwijnt.'

Jock grinnikte. 'Daar ga je met die uitspraken van je dat er geen doden meer mogen vallen. Het is haast of ik mezelf hoor praten, MacDuff.'

'Ik heb er geen bezwaar tegen om een kakkerlak te vermorzelen. Ik wil alleen niet dat jíj het doet. Wat vind je ervan om Royd erbij te halen?'

Jock was even stil. 'Royd?'

'Je hebt me zelf verteld dat hij op jacht is. Twijfel je eraan of hij, als hij de kans krijgt, de leiding zal nemen en het tot een goed einde zal brengen?'

'Nee, absoluut niet. Hij is een kanjer. Ik zou me er alleen zorgen over moeten maken of hij Sophie niet op de vlucht jaagt.'

'Dat zou alleen maar goed zijn als ze daardoor in veiligheid is.'

'Ja, maar Sophie zou daar heel anders over denken,' zei Jock droog. 'Ze zou hem gewoon opsporen, net zoals ze dat bij mij heeft gedaan.'

'Bel Royd en kom dan naar huis.'

'Nee.'

Stilte. 'Alsjeblieft.'

'Maar ik wil niet...' Hij zuchtte. Beloofd was beloofd en hij was MacDuff meer schuldig dan hij in zijn hele leven terug zou kunnen betalen. 'Ik zal erover nadenken. Het kan wel even duren voordat ik weet waar hij zit. Hij kan wel dood zijn. Het laatste wat ik over hem heb gehoord is dat hij ergens in Colombia zat. Ik zal proberen hem te pakken te krijgen.'

'Als je hulp nodig hebt, laat maar weten. Zorg dat hij daarheen komt en stap dan meteen op het vliegtuig. Ik kom je ophalen in Aberdeen.' Hij hing op.

Jock drukte langzaam het knopje in dat de verbinding verbrak. MacDuffs antwoord kwam niet onverwacht, maar hij was toch teleurgesteld. Hij wilde zo snel en efficiënt mogelijk een einde maken aan Sophies kwelling en er was niemand beter in het uitvoeren van de taak die ze zichzelf had gesteld dan hijzelf.

Behalve Royd misschien.

Zoals hij net al tegen MacDuff had gezegd: Royd was een kanjer. Hij had destijds, toen Royd een jaar geleden contact met hem opnam, zijn achtergrond door MacDuff laten natrekken. De man leek te zijn vervuld van passie en verbittering, maar Jock had te vaak leugens en bedrog meegemaakt om het risico te lopen opnieuw belazerd te worden. Royd was slim en meedogenloos en bracht uiterst ingewikkelde en zelfs onmogelijk lijkende opdrachten tot een goed einde.

En hij had een goede reden voor alle passie en verbittering die hij Jock had laten zien. Het leed geen twijfel dat hij zich zou focussen op Sanborne en REM-4, zodra hij wist waar het terrein lag.

Maar verdomme, Jock vond het vervelend dat hij niet in de buurt zou zijn om Royds acties te sturen. Hij móćht Sophie Dunston en Michael, en een gevoelvolle emotie was iets wat maar zelden voorkwam in zijn leven en dus uiterst kostbaar was. Hij had opnieuw moeten leren hoe hij op sympathie moest reageren en dat was iets om te koesteren en te beschermen.

Hij lachte vreugdeloos bij die laatste gedachte. Het was bizar om over sympathie te zitten peinzen, terwijl hij er tegelijkertijd voor pleitte om de vreselijkste van alle zonden te mogen begaan, uit naam van die sympathie.

En die mogelijkheid bestond nog steeds. Stel dat Royd zijn interesse in de jacht was verloren.

Maar dat zat er verdomme niet in.

2

'Zou zij het kunnen zijn?' vroeg Robert Sanborne, toen hij opkeek van het rapport op zijn bureau.

'Sophie Dunston?' Gerald Kennett haalde zijn schouders op. 'Ja, dat zou kunnen. Je hebt het rapport van de bewaker gelezen. Hij heeft alleen maar een glimp van de indringer op kunnen vangen. Het geslacht is onbekend. Gemiddelde grootte, slank, bruine jas, tweed muts en een geweer. Er zullen wel voetafdrukken zijn. Wilt u dat ik er via via voor zorg dat de politie hier een sporenonderzoek komt verrichten?'

'Wat een idioot voorstel. We kunnen hier zelfs geen politie in de búúrt gebruiken. Stuur maar een paar van onze eigen mensen om er eens rond te kijken.'

Gerald probeerde voor Sanborne te verbergen dat hij baalde van de minachtende manier waarop hij dat had gezegd. Hoe meer hij met Sanborne te maken had, hoe meer de man hem irriteerde. Die zak dacht dat hij God was en deed alleen fatsoenlijk tegen mensen als het hem voordeel opleverde. Nou, hij moest maar lekker blijven denken dat Gerald een minderwaardig schepsel was. Eerst zou hij zoveel mogelijk uit die klootzak zien te halen en er dan gewoon vantussen gaan. 'Gelooft u echt dat ze zou proberen u neer te schieten?'

'Ja, absoluut.' Sanborne wierp nog eens een blik in het rapport. 'Als ze me op geen andere manier te pakken kan krijgen. Ik verwacht al een actie van haar sinds senator Tipton weigerde naar haar te luisteren. Ze moet onderhand wanhopig zijn.'

'Dus wat gaat u nu dan doen?' vroeg Gerald vlug. 'Ik ben hier niet komen werken om in gewelddadige zaken verstrikt te raken. Ik heb er alleen mee ingestemd om haar naar u toe te brengen, zodra ze mij wilde ontmoeten.'

'Maar Gerald, het is Sophie Dunston die gewelddadig wordt,' zei Sanborne flemerig. 'Maar dat kun je natuurlijk ook verwachten van iemand met zo'n achtergrond. Je zou eigenlijk medelijden moeten hebben met dat mens. Zoveel problemen, het zou me niet verbazen als ze zelfmoord zou plegen.'

Gerald keek hem behoedzaam aan. 'Zelfmoord?'

'Ik weet zeker dat haar collega's zouden bevestigen dat ze veel spanningen heeft. Die arme zoon van haar, weet je.'

'Wat probeert u nou eigenlijk te zeggen?'

'Ik zeg je dat het tijd wordt om je van die trut te ontdoen. Ik heb tot nog toe niets ondernomen omdat het te verdacht zou zijn, zolang ze zo om aandacht zeurde bij zowel de FBI als bij allerlei politici. Bovendien hoopte ik bepaalde informatie die ik nodig heb, van haar te kunnen krijgen.' Hij tikte met zijn vinger op het rapport. 'Maar hierdoor ga ik me ongemakkelijk voelen. Dus kan ik mijn plannen beter aanpassen. Die gekkin zou de volgende keer meer geluk kunnen hebben, als die idiote beveiliging hier niet efficiënter gaat werken. Ik ben niet al zover gekomen met dit project om het door Sophie Dunston alsnog in het water te laten vallen.'

Gerald trok zijn wenkbrauwen op. 'Ik begrijp dat ze een groot ongemak is.'

Sanbornes ogen werden tot spleetjes. 'Sarcasme, Gerald?'

'Nee, natuurlijk niet,' antwoordde Gerald vlug. 'Ik zou alleen niet weten hoe...'

'Natuurlijk weet je dat niet. Dat is niet jouw probleem, denk je. Jij hoopt alleen maar de winst van onze deal binnen te halen en wilt je handen niet vuilmaken,' zei Sanborne. 'Maar ik wed dat je wel bereid bent om de andere kant op te kijken als Caprio vuile handen krijgt.'

Caprio. Gerald had de man nog maar één keer ontmoet sinds hij voor Sanborne werkte, maar alleen al het noemen van zijn naam zorgde bij hem voor kippenvel. En waarschijnlijk was hij niet de enige als het Caprio betrof. 'Misschien.'

'Caprio vindt het niet erg om een beetje vuil te worden. Hij vindt het juist wel prettig.' En Sanborne voegde eraan toe: 'En jij bént natuurlijk al smerig. Je hebt je bedrijf voor meer dan vijfhonderdduizend dollar opgelicht en je zou nu met je reet in de gevangenis zitten, als ik je niet het geld had gegeven om die som weer terug te storten.'

'Dat geld zou ik ook wel ergens anders gevonden hebben.'

'Waar? Als cadeautje van de Kerstman?'

'Ik heb contacten.' Gerald likte langs zijn lippen. 'Ik was niet bang om gepakt te worden. Ik ben naar jou toe gekomen, omdat jij me een aanbod deed dat ik niet kon weigeren.'

'Die deal is nog steeds van kracht. Ik zou alles misschien nóg wel aantrekkelijker kunnen maken als jij me Sophie Dunston binnen één week levert. Ondertussen ga ik zelf ook wat initiatieven ontplooien.' Meteen pakte hij de telefoon en toetste een nummer in. 'Lawrence, de grond wordt me heter onder de voeten. We moeten er wat haast achter zetten.' Hij pauzeerde even. 'Zeg Caprio dat ik hem wil spreken.'

Kettingen die in zijn schouders sneden.

Ik moet weg. Ik moet vrij zien te komen.

O, god.

Bloed!

Royd schoot rechtop in bed, zijn ogen vlogen open. Zijn hart hamerde in zijn keel en zijn lijf was overdekt met zweet.

Hij schudde zijn hoofd om de droom uit zijn hoofd te verjagen en zwaaide zijn voeten uit bed. Gewoon weer zo'n klotenachtmerrie. Negeren. Todd kreeg hij er niet mee terug en hij werd er alleen maar angstig en gefrustreerd van.

Snel stond hij op, pakte zijn thermoskan en ging de tent uit. Buiten gooide hij water in zijn gezicht en haalde diep adem. Het werd bijna licht en dus was het tijd om achter Fredericks aan te gaan. Als de rebellen tenminste niet hadden besloten om hem als voorbeeld te gebruiken en zijn kop eraf te schieten.

Hij hoopte met heel zijn hart dat dat niet was gebeurd. Van wat hij had gehoord van Soldono, zijn contact bij de CIA, moest Fredericks een heel fatsoenlijke man zijn voor een directeur van een bedrijf. Wat in deze wereld helemaal niets betekende. Het was een machtsspel en de goeien eindigden het slechtst, als ze niet de middelen hadden om zichzelf te beschermen. Fredericks had die middelen wel, maar zijn bodyguards waren óf erg inefficiënt geweest, óf hadden zich om laten kopen door...

Zijn mobiele telefoon ging. Soldono om hem mede te delen dat de reddingsoperatie niet meer nodig was?

'Royd.'

'Nate Kelly. Sorry dat ik je zo vroeg bel, maar ik kom net terug van het terrein en ik denk dat ik het te pakken heb. Heb je even tijd?'

Hij verstrakte. 'Zeg het maar, maar wel snel. Ik moet over een paar minuten aan de slag.'

'Het duurt niet langer dan een paar minuten. Ik heb de eerste experimentele REM-4-gegevens gevonden. Geen formules. Die moeten ze ergens anders hebben. Maar wel drie namen. Sanborne, jouw favoriet, generaal Boch en nog een.'

'Wie?'

'Dokter Sophie Dunston.'

'Een vrouw? Wie mag dat dan wel zijn?'

'Dat weet ik nog niet. Ik heb nog geen tijd gehad om dat verder te onderzoeken. Ik heb je meteen gebeld. Maar haar dossier verwees naar een nieuw dossier. Ik was ermee bezig, maar toen moest ik maken dat ik wegkwam uit het archief.'

'Dan moet ze er nog steeds bij betrokken zijn.'

'Dat lijkt mij ook.'

'Ik wil alles over haar weten.'

'Ik zal mijn best doen. Maar ze halen alles weg uit het gebouw deze week en ik weet niet hoe lang ik nog in de archiefruimte kan.'

Shit. 'Een wéék?'

'Dat is het gerucht.'

'Ik móét die informatie hebben. Ik kan Boch en Sanborne niets maken als ik die REM-4-onderzoeken niet heb. Ik moet ze echt allebei hebben. Misschien is anders die vrouw een oplossing, als ik haar te pakken krijg.'

'En wat ga je dan met haar doen?'

'Alles wat ze maar weet uit haar zien te krijgen.'

'En dan?'

'Wat denk je? Geloof je nou echt dat ik haar zou laten gaan, alleen maar omdat het een vrouw is?'

Kelly was even stil. 'Nee, ik vermoed van niet.'

'Dat komt omdat je geen idioot bent. Kun je de informatie over haar nog te pakken krijgen, voordat ze er met de dossiers vandoor gaan?'

'Als ik snel te werk ga en ze me niet betrappen.'

'Doe het.' Hij praatte langzaam en overdreven duidelijk. 'Ik heb niet vier jaar lang gezocht naar REM-4 om nu de kous op de kop te krijgen. Ik wil alles over die Sophie Dunston weten. Ik heb haar nodig. En ik zal haar krijgen.'

'Ik ga vanavond terug. En dan kan ik je morgen ontmoeten op het vliegveld van Washington, met alles wat ik bij elkaar heb kunnen verzamelen.'

'Het lukt me niet om daar morgen te zijn.' Hij dacht even na. De verleiding was groot om zijn opdracht terug te geven aan de CIA, maar daar was het eigenlijk al te laat voor. Tegen de tijd dat ze uit het heen-en-weergeklets dat daarbij hoorde zouden zijn, had Fredericks het loodje al gelegd. 'Geef me een week.'

'Ik kan je niet beloven dat ze dan nog steeds in de buurt is. Als Boch en Sanborne vertrekken, kan het zijn dat zij ze ergens gaat ontmoeten.'

Royd vloekte binnensmonds. 'Twee dagen. Ik heb op zijn minst twee dagen nodig. Zorg dat je haar vindt en bel me als het ernaar uitziet dat ze ervandoor gaat. En hou haar dan vast tot ik er ben.'

'Suggereer je nou dat ik haar moet ontvoeren?'

'Maakt niet uit wat je ervoor moet doen.'

'Ik zal het in overweging nemen. Twee dagen. Bel me als je in het vliegtuig naar Washington stapt.' Hij hing op.

REM-4.

Vol frustratie drukte Royd de toets in die de verbinding verbrak. Jezus. Hij was dicht in de buurt, maar dit was de eerste echte doorbraak die hij in drie jaar had gehad. En precies op het moment dat hij vastzat aan Fredericks.

Twee dagen.

Snel trok hij zijn kleren aan. Zorg dat je Fredericks hier weg krijgt en spring op het vliegtuig. Geen fouten maken nu. Geen tijd voor spelletjes. Vandaag zou hij Fredericks bevrijden uit handen van de rebellen, al moest hij zich daarvoor met napalm een weg door het oerwoud naar Bogota banen.

En hij zou verdomme nog sneller in Washington zijn dan in de twee dagen die hij had beloofd.

Zorg dat ze er niet vandoor gaat, Kelly.

Het gegil van Michael verscheurde de stilte en op hetzelfde moment ging de monitor op Sophies nachtkastje af.

In een paar seconden was ze uit bed en rende naar zijn slaapkamer.

Hij gilde nog een keer en toen stond ze naast zijn bed.

'Michael, het is goed.' Ze ging op de rand van zijn bed zitten en schudde hem zachtjes door elkaar. Langzaam opende hij zijn ogen en keek verdwaasd de wereld in. Ze trok hem tegen zich aan. 'Het is oké, je bent veilig.' Maar het was niet oké. Het was nooit oké. Ze kon zijn hart voelen bonken, onregelmatig. Hij zat te bibberen alsof hij aan malaria leed. 'Het is voorbij.'

'Mam?'

'Ja.' Ze hield hem nog steviger vast. 'Gaat het?'

Even gaf hij geen antwoord. Hij had altijd een paar minuten nodig om bij te komen, zelfs als ze de verschrikkingen al konden stoppen, voor hij er diep in wegzonk. 'Tuurlijk.' Zijn stem beefde. 'Het spijt me dat je... Ik zou sterker moeten zijn, hè?'

'Nee, lieverd, je bent echt heel, heel erg sterk. Ik ken volwassen mannen die dit soort nachtmerries hebben en jij doet het veel beter dan zij.' Ze hield hem een stukje van zich af en streek de haren uit zijn gezicht. Er stroomden tranen over zijn wangen, maar ze probeerde ze niet weg te vegen. Ze had geleerd dat ze beter net kon doen alsof ze niets zag om hem niet in verlegenheid te brengen. Het was maar iets kleins, maar het was alles wat ze kon doen om zijn trots niet te krenken op een moment dat hij zo afhankelijk was van haar. 'Ik heb je steeds verteld dat het niets te maken heeft met zwakheid. Het is een ziekte die genezen moet worden. Ik weet hoeveel pijn het doet en ik ben heel trots op je.' Ze wachtte even. 'Er is maar één ding dat me nog trotser zou maken. Als je er met me over zou praten...'

Hij keek van haar weg. 'Ik herinner me niets.'

Dat was een leugen en daar waren ze zich allebei van bewust. Het mocht dan wel zo zijn dat slachtoffers van nachtmerries zich vaak de inhoud van hun dromen niet meer konden herinneren, maar die van Michael stonden rechtstreeks in verband met de gebeurtenissen die dag op de pier. Alleen al de manier waarop hij zich gedroeg als ze hem ernaar vroeg, gaf aan dat hij ze zich wél herinnerde. 'Het zou je helpen, Michael.'

Hij schudde zijn hoofd.

'Oké, misschien de volgende keer dan.' Ze stond op. 'Wil je een kop warme chocolademelk?'

'Het is halfvier. Jij moet toch werken vandaag?'

'Ik heb al genoeg slaap gehad.' Ze liep naar de deur. 'Als jij je gezicht even wast, maak ik een kop chocola.' Hij zag bleek en deze keer was het waarschijnlijk een heel nare droom geweest. Ze hoopte maar dat hij niet zou overgeven. 'In de keuken, over tien minuten. Goed?'

'Goed.'

Toen hij vijf minuten later bij haar aan tafel kwam zitten, had hij alweer wat meer kleur. 'Papa heeft me gistermiddag gebeld.'

'O, leuk.' Ze schonk de hete chocolademelk in twee mokken en legde er een marshmallow bovenop. 'Hoe gaat het met hem?'

'Best goed, denk ik.' Hij nam een slok. 'Ik kom zaterdagavond al naar huis. Hij en Jean gaan de stad uit. Ik heb hem gezegd dat het mij niet uitmaakte. Ik ben trouwens toch liever hier thuis met jou.'

'Gelukkig. Ik mis je als je er niet bent.' Ze ging zitten en sloeg haar handen om de warme mok. 'Maar hoe komt dat? Je vindt Jean toch aardig, is het niet?'

'Jawel. Ze is leuk. Maar volgens mij zijn papa en zij liever met zijn tweeën. Dat is toch zo bij mensen die net zijn getrouwd?'

'Soms. Maar ze zijn nu al zes maanden getrouwd en ik weet zeker dat er genoeg plaats in hun leven is voor jou.'

'Misschien.' Hij nam nog een slok en keek naar beneden naar zijn chocolademelk. 'Is het mijn schuld, mam?'

'Is wat jouw schuld?'

'Papa en jij.'

Op die vraag zat ze al te wachten sinds het moment dat Dave en zij gescheiden waren. Ze was blij dat hij hem nu eindelijk gesteld had. 'De scheiding? Absoluut niet. We waren gewoon veel te verschillend. We trouwden met elkaar toen we nog studeerden en eigenlijk nog kinderen waren en toen we ouder werden veranderden we allebei nogal. Dat gebeurt bij een heleboel mensen die met elkaar getrouwd zijn.'

'Maar jullie hebben heel veel ruziegemaakt over mij. Ik kon jullie horen.'

'Ja, dat is waar. Maar we maakten over bijna alles ruzie. Dus we waren toch wel uit elkaar gegaan.'

'Echt waar?'

Ze stak haar hand uit en pakte de zijne. 'Echt waar.'

'En is het oké dat ik Jean wel leuk vind?'

'Natuurlijk. Dat vind ik juist fijn. En ze maakt je vader heel gelukkig, dat is ook belangrijk.' Ze pakte een servetje en veegde de gesmolten marsmallowresten van zijn mond. 'En ze is aardig voor jou. Dat is nog belangrijker.'

Een tijdje keek hij stil voor zich uit. 'Papa zegt dat Jean nerveus wordt van mijn nachtmerries. Ik denk dat ze daarom niet willen dat ik blijf slapen.'

De zak. Hij gaf Jean gewoon de schuld, zodat hij vrijuit ging. Ze forceerde een glimlach. 'Ze went er wel aan. En verdomd, misschien hoeft dat wel helemaal niet. Het is zoals je zei, je hebt er allang niet meer elke nacht last van. Het gaat beter en beter met je.'

Michael knikte en was weer even stil. 'Hij vroeg me ook dingen over Jock.'

Ze nam een slokje. 'Echt? Heb je hem over Jock verteld?'

'Ja, natuurlijk. Ik heb het de laatste keer dat papa en ik naar de film zijn geweest, een paar keer over hem gehad.'

'En wat wilde hij weten?'

Hij grinnikte. 'Hij vroeg wat hij de hele tijd hier in huis deed. Ik denk dat hij dacht dat er iets aan de gang was.'

'En wat heb jij toen geantwoord?'

'Ik vertelde hem gewoon hoe het zit. Dat Jock je neef is en hier in de stad naar een baan zoekt.'

En dat was ook de waarheid, voor zover Michael wist. Ze had een plausibel verhaal moeten verzinnen toen Jock in hun leven kwam. 'En daar hadden we geluk mee, vind je niet? Jock heeft ons enorm geholpen. Je vindt hem aardig, toch?'

Zijn glimlach vervaagde, terwijl hij ja knikte. 'Weet je, ik schaam me een beetje als ik die dromen heb als er een vreemde in de buurt is. Maar niet bij Jock. Het lijkt wel of... hij het echt snapt.'

En dat deed Jock ook. Er was niemand die zo'n kwelling beter kende. 'Misschien is dat ook wel zo. Jock is een gevoelig mens.' Ze stond op. 'Heb je het op? Dan was ik je beker even af.'

'Dat doe ik wel.' Michael stond op, pakte allebei de mokken en liep naar de gootsteen. 'Jij hebt de chocolademelk gemaakt. Eerlijk is eerlijk.'

Maar er was niets eerlijks aan alles wat Michael moest doormaken, dacht ze bitter. 'Ja, dat klopt. Dankjewel. Ben je er klaar voor om weer terug je bed in te kruipen?'

'Ik denk het wel.'

Ze keek hem eens goed aan. 'Niet ik dénk het wel. Als je er nog niet aan toe bent, gaan we hier gewoon zitten en een beetje kletsen. Of we kunnen een dvd'tje kijken.'

'Ik ben er klaar voor.' Hij lachte naar haar. 'Ga jij maar naar bed, dan maak ik mezelf wel vast aan de monitor.' Hij vertrok zijn gezicht in een grimas. 'Ik zal blij zijn als ik daarvanaf ben. Ik voel me net iemand uit een sciencefictionfilm.'

Ze verstrakte. 'Het is noodzakelijk, Michael. Je kunt niet zonder. Misschien kunnen we over een paar weken de sensor op je wijsvinger weglaten.'

Hij knikte en keek van haar weg, terwijl hij naar de deur liep. 'Dat weet ik wel. Ik zei gewoon maar wat. Ik zou nog niet zonder willen. Dat vind ik nogal eng. Welterusten, mam.'

Ze keek hem na toen hij door de gang naar zijn slaapkamer liep. Hij zag er zo klein en kwetsbaar uit in dat blauwe flanellen pyjamaatje.

En hij wás ook kwetsbaar.

Kwetsbaar voor pijn en verschrikkingen en zelfs de dood.

Nogal eng?

Angstaanjagend.

En dat jochie was in staat om met al die vreselijke dingen om te gaan en te overleven. Ze had tegen hem gezegd dat ze trots op hem was, maar dat was zwak uitgedrukt. Hij vocht tegen de verwarring, de dreiging van de dood en alle afschuwelijke gebeurtenissen, met een dapperheid die haar versteld deed staan. Elk ander jongetje zou volkomen van slag zijn, er kapot van zijn en volkomen vernietigd worden door de kwelling die Michael nu moest ondergaan.

God, ze hoopte dat die nachtmerries vannacht verder wegbleven.

'Je ziet er moe uit,' zei Kelly, toen hij Royd op het vliegveld van Washington door de douane heen zag komen. 'Heb ik je te veel opgejaagd?'

'Ik heb mezelf opgejaagd,' antwoordde Royd kortaf. 'En ja, verdomme, ik ben doodmoe. Ik heb denk ik maar drie uur geslapen in de laatste twee dagen.'

En daar zag hij ook naar uit, dacht Kelly. Royds brede gezicht met die hoge jukbeenderen had dan wel een alerte, wakkere uitdrukking, maar zijn donkere ogen stonden vermoeid en dof en zijn mond was een gespannen streep. Zijn grote, krachtige lichaam, in versleten jeans met een kaki hemd erop, leek eerder dat van een houthakker. 'Het blijkt dat ze toch niet zo snel vertrekken als ik dacht,' zei Kelly. 'Je had er best wat langer over kunnen doen.'

'Nee, dat kon ik niet. Ik word er gestoord van.' Royd vroeg: 'Wat ben je over haar te weten gekomen?'

'Niet zoveel. Iedereen daar werkt in ploegendiensten van twaalf uur om alles op tijd klaar te hebben voor de verhuizing en ik had maar één keer de gelegenheid om het archief in te duiken. Ze is slaaptherapeute en werkt in het Fentway-ziekenhuis.'

'Slaaptherapeute.' Zijn mond verstrakte. 'Ja, dat zou kunnen kloppen. Heb je haar adres?'

Kelly knikte. 'Ze heeft een huis in een buitenwijk van Baltimore. Vlak bij het ziekenhuis.'

'En vlak bij het terrein?

'Ja.' Even was hij stil. 'Je weet zeker dat je achter haar aangaat?'

'Dat heb ik je toch gezegd. Ben je nog meer te weten gekomen?'

'Niet echt. Ze is gescheiden en heeft een zoontje van tien.'

'En woont er verder nog iemand in dat huis?'

Kelly haalde zijn schouders op. 'Ik zei al dat mijn informatie nogal oppervlakkig is. Ik heb het tot nu toe te druk gehad om haar te volgen. Het zou beter zijn als je wacht tot ik heb uitgevonden...'

'En het risico nemen dat de vogel is gevlogen?' Hij schudde zijn hoofd. 'Ik onderneem nú actie. Heb je een foto van haar?'

'Een oude uit de personeelsdossiers.' Kelly stak zijn hand in zijn zak en haalde er een fotokopie uit, die hij aan Royd overhandigde. 'Ziet er goed uit.'

Royd wierp een blik op de foto. 'Ja. Weet je of ze met Sanborne naar bed gaat?'

'Ik zei toch dat ik nog niet de kans heb gehad om...'

'Ja, ja, ik weet het. Het kwam gewoon even in me op. Als je haar doen en laten onderzoekt, moet je dat in ieder geval niet vergeten.' Kelly bleef naast een auto staan en Royd staarde nog eens naar de foto, terwijl Kelly het portier opendeed. 'Misschien ook wel niet. Ze ziet er niet uit alsof ze makkelijk met zich laat sollen en hij houdt van seksuele machtsspelletjes. Een paar jaar geleden heeft hij een hoer gedood in Tokio.'

'Charmant. Weet je dat zeker?'

'Jazeker. Er is niet veel wat ik níét weet over Sanborne. Ga het in ieder geval na.' Royd ging in de auto zitten. 'Ga jij terug naar het terrein?'

Kelly knikte. 'Daar betaal je me voor. Het is een beetje chaotisch door die verhuizing, dus misschien krijg ik een kans.'

'Of misschien gaat je kop eraf.'

'Goh, ik ben geroerd door je bezorgdheid.'

Royd was even stil. 'Ik bén bezorgd. Ik wil niet dat er door Sanbornes schuld nog meer levens worden opgeofferd dan er al zijn gevallen.'

Kelly grijnsde. 'En buiten dat vind je me natuurlijk ontzettend aardig.'

'Soms.'

'Nou, dát is een concessie. Voor jou.' En Kelly voegde eraan toe: 'Zeker gezien het feit dat ik pas een jaar mijn leven voor jou waag.' Hij vertrok zijn gezicht in een grimas. 'Het gaat wel goed. Ik ben heel voorzichtig geweest en dit zou wel eens de laatste kans kunnen zijn om die formules in handen te krijgen. Weet je zeker dat er geen kopieën van bestaan?'

'Dat risico zou Sanborne nooit nemen. De waarde van REM-4 ligt in de exclusiviteit. Toen ik voor hem werkte was hij enorm fanatiek in het geheimhouden en controleren van het totale proces. Maar misschien kunnen we ze ook wel via dat Dunston-mens in handen krijgen.' Royds lippen verstrakten. 'Dat weet ik vanavond.'

'Ga je er meteen heen?'

'Ik neem het risico niet dat ze door mijn vingers glipt.'

'Je zou tenminste kunnen wachten tot ik iets meer over haar te weten ben gekomen.'

'Ik heb al te lang gewacht. Jij hebt me verteld dat ze een sleutelfiguur was bij de eerste experimenten. Dan bestaat er een goede kans dat ze ook weet waar die dossiers zijn opgeborgen. Dat is alles wat ik moet weten om verder te kunnen.'

'Wil je dat ik met je meega?'

'Jij doet waar jij goed in bent en ik waar ik goed in ben.' Zijn mond vertrok. 'Dankzij Sanborne.'

'En misschien die Sophie Dunston.'

'Zoals ik al zei: ze past in het plaatje. Ik bel je wel als ik denk dat je kunt stoppen met het zoeken naar die dossiers.'

'Als je haar aan het praten krijgt.'

Royds antwoord was slechts een ijskoude blik, maar dat was voldoende. Dat was een stomme opmerking van hem geweest, dacht Kelly. Buiten het feit dat Royd een van de dodelijkste klootzakken was op deze aardbol, was hij ook nog een gedreven man. Het stond als een paal boven water dat hij zou doen wat hij moest doen.

En de hemel sta Sophie Dunston bij.

3

'De laatste twee dagen heb ik MacDuff twee keer gesproken,' vertelde Jock, toen Sophie de telefoon opnam. 'Hij wil dat ik naar huis kom.'

Ze probeerde de vlaag van teleurstelling die ze voelde te onderdrukken. Dit was toch wat ze had gewild, tenslotte. 'Ga dan. Ik heb je niet nodig. Ik hoopte al dat je naar me had geluisterd, toen ik niets meer van je hoorde.'

'Hou nou eens op met te proberen van me af te komen. Ik heb tegen MacDuff gezegd dat ik terugkom zodra er een paar dingen zijn opgelost. En dat is nog niet zo. Wat ben je toch koppig. Hoe gaat het met Michael?'

'Hij had gisteravond weer een nachtmerrie, maar ik kon hem gelukkig snel wakker maken.'

'Hè, verdomme. Het wordt ook niet makkelijker. Zeg maar tegen hem dat ik morgen langskom om hem mee te nemen naar dat nieuwe sciencefictionding waar hij naartoe wilde, of we kunnen ook naar Chuck E. Cheese als hij wil.'

'Jock, daar neem ik hem wel mee naartoe. Hij heeft echt geen oudere broer nodig. Ga naar huis.' Ze was even stil. 'Zijn vader heeft vragen over je gesteld.'

'Mooi. Een beetje competitie om de aanhankelijkheid van dat joch port hem misschien een beetje op. Ik bewonder je keuze in echtgenoten niet. Het is een wonder dat Michael zo'n fantastisch mannetje is geworden.'

'Dave heeft een heleboel kwaliteiten.'

'Maar het is me toch opgevallen dat het net lijkt of hij liever tijd besteedt aan veel geld verdienen dan aan Michael.'

'Geld is inderdaad belangrijk voor Dave, maar Michael ook.'

'Ach, we gaan er geen ruzie om maken.' Hij wachtte even. 'Ik ben naar het terrein geweest. Ze zijn druk bezig met alles wat niet vastgespijkerd of -geschroefd zit in die verhuiswagens te laden. Misschien heb je Sanborne wel een beetje zenuwachtig gemaakt. En zenuwachtige mensen zijn onvoorspelbaar. We moeten nog eens praten. Nodig me maar uit voor een kop thee als ik Michael heb thuisgebracht.'

'Voor geen goud.'

'Bij nader inzien is het toch beter als ik nu naar je toekom. Ik moet meteen beginnen met je te bewerken. Je wordt almaar koppiger met het verstrijken van de tijd.'

'Ik doe godverdomme de deur op slot. Ga terug naar Schotland.'

Terwijl ze ophing hoorde hem grinniken.

Hoofdschuddend stond ze op. Eigenlijk mocht ze zich niet zo opgelucht voelen. Het was gewoon niet eerlijk ten opzichte van Jock om hem hier te houden en dat zou ze ook niet doen. Ze moest MacDuff eens bellen en zeggen dat hij Jock meer onder druk moest zetten. Naar háár luisterde hij toch niet.

Morgen.

Het was al laat en ze had om acht uur alweer een afspraak.

Ze liep naar Michaels kamer en checkte of alles goed was met hem.

Alsjeblieft, slaap maar lekker en diep, schatje. Elke goede nacht is een cadeautje.

Zachtjes deed ze de deur weer dicht en liep naar de keuken om alvast koffie in het apparaat te doen voor de volgende ochtend. Tegenwoordig had ze alle cafeïne die ze maar kon krijgen nodig om de dag door te komen.

Daarna liep ze haar slaapkamer in en stak haar hand uit om het licht aan te doen.

Plotseling werd er een arm om haar keel geslagen!

'Als je gaat gillen breek ik je nek, kutwijf.'

Jezus.

In een reflex stootte ze haar elleboog keihard in zijn maag en trapte tegelijkertijd tegen zijn scheenbeen. Zonder een geluid uit te brengen.

Ze hoorde hem grommen en even voelde ze zijn greep verslappen.

Snel rukte ze zich los en rende naar het nachtkastje waar ze het pistool bewaarde dat Jock haar had gegeven.

Maar halverwege haalde hij haar onderuit en viel ze op haar knieën. Meteen was hij boven op haar, zijn handen wurgend om haar keel.

Pijn.

Ze kon niet ademen.

Haar handen rukten aan zijn vingers.

Jezus, ze kon niet dood gaan.

Michael...

Ze spuugde in zijn gezicht.

'Trut!' Hij maakte één hand los om haar in het gezicht te slaan.

Maar ze kon haar hoofd opzij draaien en beet zo hard ze kon in zijn hand.

De ijzerachtige smaak van bloed. Hij gilde het uit van woede en pijn.

Vlug probeerde ze onder hem vandaan te komen, maar zijn hand had haar haar al vast, voordat ze op haar knieën kon gaan zitten.

De glinstering van metaal in zijn hand.

Een mes.

Dood.

Nee!

Terwijl ze vocht om weg te komen zag ze zijn verwrongen gezicht boven haar. Afschuwelijk. Zo afschuwelijk.

'Bang?' hijgde hij. 'Dat moet je ook zijn. Het zou makkelijker voor je zijn als...' Zijn ogen sperden zich open en zijn lichaam kromde zich. 'Wat is...'

Ze zag de punt van een dolk uit zijn borstkas komen.

Zijn ogen werden glazig en hij begon voorover in elkaar te zakken. De man die achter hem bleek te staan duwde hem opzij. Jock? vroeg ze zich wazig af.

'Heeft hij je verwond?'

Nee, Jock niet, realiseerde ze zich. Groot, gespierd, kortgeknipt donker haar en zijn stem klonk net zo uitdrukkingsloos als zijn gezicht eruitzag.

'Heeft hij je verwond?' vroeg hij nogmaals. 'Je zit onder het bloed.'

Ze keek naar beneden, naar haar bloes die inderdaad rood van het bloed was. 'Nee, ik denk dat het zíjn bloed is.'

Even keek hij naar de man die nu levenloos op de grond lag. 'Dat denk ik ook. Wie is het?'

Ze moest zichzelf dwingen om goed naar haar aanvaller te kijken. Dunner wordend bruin haar, wijd open grijze ogen in een driehoekig gezicht. 'Ik weet het niet,' fluisterde ze. 'Ik heb hem nog nooit gezien.'

'O, hij kwam gewoon even langs om je keel door te snijden?' vroeg de man met het donkere haar sceptisch.

Opeens besefte ze dat ze zat te beven. Ze voelde zich zwak en kwetsbaar en boos. 'Wie ben jij in godsnaam?'

'Matt Royd. Je herkent de naam misschien.'

'Nee.'

Hij haalde zijn schouders op. 'Tja, er waren er ook zóveel, hè?'

'Ik heb geen idee waar je het over hebt.'

'De kamer van je zoon is aan de andere kant van de gang, toch?' Hij draaide zich om naar de deur.

Ze sprong op. 'Hoe weet je dat? Waag het eens om naar hem toe te gaan.'

'Voor ik je vriend het raam zag forceren, heb ik een beetje rondgekeken. Wie het dan ook is bij wie je zoveel woede hebt losgemaakt, diegene kan net zo goed bedacht hebben om...'

'Ik was net nog bij Michael.' Maar natuurlijk kon er best iemand anders zijn kamer binnen zijn gegaan, toen zij hier lag te vechten voor haar leven, besefte ze opeens in paniek. Ze duwde Royd opzij, rende de gang in en gooide Michaels deur open. In het zachte schijnsel van het nachtlampje zag ze dat hij veilig in zijn bed lag.

Of toch niet?

Was dat echt zo? Zachtjes liep ze de kamer in. Hij was diep in slaap en ademde regelmatig. Nee, toch niet zó diep in slaap. Slaapdronken opende hij zijn ogen. 'Mam? Is er iets?'

'Hoi,' zei ze zachtjes. 'Nee, alles in orde. Ik controleerde gewoon even. Ga maar weer lekker slapen.'

'Oké...' Zijn ogen vielen weer dicht. 'Ben je aan het koken? Er zit allemaal ketchup op je bloes.'

Ze was dat bloed helemaal vergeten. 'Pastasaus. Spaghetti voor morgenavond. Ik heb er een zooitje van gemaakt. Welterusten, Michael.'

'Welterusten, mam...'

Ze draaide zich om en liep de kamer weer uit.

Royd stond in de gang. 'Hij lijkt in orde.'

Ze knikte houterig en deed de deur dicht. 'Hoe ben je hier binnengekomen?'

'De achterdeur.'

'Die zat op slot.'

'Ja, en met een redelijk goed slot ook. Ik had een paar minuten nodig om het open te krijgen.'

'Ben je een dief?'

Zijn mond vertrok. 'Als ik dat opgedragen krijg. Ik heb van alles gedaan en vaak waren dat dezelfde soort dingen als de man die net je keel probeerde door te snijden deed. Voor mij was dat het eenvoudigste. Vóór REM-4 ben ik daarin getraind en ik heb er ook ervaring in opgedaan.'

Ze verstijfde. 'Wat?'

'REM-4.' Hij keek haar doordringend aan. 'Doe nou maar niet net of je niet weet waar ik het over heb. Ik heb op dit moment nogal een kort lontje. Er is niet veel voor nodig om me woedend te maken.'

'Mijn huis uit,' zei ze met bevende stem.

'Geen dankjewel dat ik je leven hebt gered? Wat onbeleefd.' Zijn lippen werden een streep. 'Als jij meewerkt, kan ik er misschien voor zorgen dat die dooie uit je slaapkamer verdwijnt. In dat soort dingen ben ik heel goed.'

'Waarom zou ik de politie niet bellen? Hij is mijn huis binnengedrongen.' Ze keek hem recht aan. 'Net als jij.'

'Dreigementen?' vroeg hij op zachte toon. 'Daar houd ik niet van.'

Een ijskoud gevoel overviel haar. Mijn god, deze man joeg haar meer angst aan dan die maniak daarnet in haar slaapkamer. Ze likte langs haar lippen. 'Jíj bent degene die me bedreigt. Jíj bent mijn huis binnengedrongen. Misschien had jíj me wel aangevallen, als die andere vent het niet had gedaan.'

'Ja, wie weet. En misschien doe ik het straks alsnog. Ik ben enorm in de verleiding. Maar ik probeer me in te houden. Als jij me geeft wat ik wil, heb je kans om dit te overleven.'

Haar hart klopte zó hard, dat ze bijna geen adem meer kon halen. Vlug zocht ze steun door met haar rug tegen de muur te leunen. 'Rot op.'

'Je bent bang.' Hij deed een stap naar haar toe en zette zijn handen tegen de muur, aan beide kanten van haar gezicht. 'Dat zou ik ook maar zijn. Het zou toch heel jammer zijn als je zoon zijn moeder verliest, omdat zij zo stom is om de verkeerde beslissing te nemen.'

Hij was nu heel dicht bij haar, zijn gezicht maar een paar centimeter van het hare en zijn armen sloten haar in, ze voelde zich een gevangene. Glinsterende donkerblauwe ogen keken op haar neer. Hard en koud, ijskoud. 'Door wie ben je gestuurd?'

Hij glimlachte. 'Hoezo? Dat heb jij gedaan.'

'Geen sprake van.' Hard stootte ze haar knie in z'n ballen en dook weg onder zijn arm. Hij klapte dubbel van de pijn. Ze rende naar de voordeur. Wegwezen. Hulp halen. Geen tijd om na te denken.

Op het moment dat ze de voordeur opengooide, was hij alweer vlak achter haar.

Ze rende... recht in de armen van Jock.

Meteen probeerde ze hem de andere kant op te duwen. 'Jock, pas op. Hij is...'

'Sst, dat weet ik.' Hij keek langs haar heen en duwde haar zachtjes opzij. 'Wat is er hier gaande, Royd?'

Royd bleef stilstaan en keek Jock behoedzaam aan. 'Vertel jij het maar, Jock. Ik had niet verwacht je hier te zien. Je gaat me toch niet vertellen dat jij het eerste recht op haar hebt, hè? Mooi niet.'

Geschokt sperde Sophie haar ogen open. 'Kennen jullie elkaar? Jock?'

'Ja, zo zou je het kunnen zeggen. We hebben op dezelfde school gezeten.' Hij keek Royd doordringend aan. 'Je zit op het verkeerde spoor. Zij is niet degene die je moet hebben.'

'Ja, maak dat een ander maar wijs,' zei Royd bot. 'Haar naam kwam prominent voor in Sanbornes dossiers, zowel vroeger als nu.'

'Hoe ben je daar achter gekomen?'
'Nate Kelly. Een vakman, die geen fouten maakt.'
'Maar dat zegt nog niet dat hij alles ook goed interpreteert.' Hij keerde zich naar Sophie. 'Is alles goed met Michael?'
Ze knikte onzeker. 'Maar er ligt een dode man in mijn slaapkamer.'
Jock keek Royd aan. 'Een van jouw mannen?'
'Ik dood mijn eigen mannen niet,' zei hij sarcastisch. 'Hij was hier al, voordat ik hier kwam. En hij wilde haar doden. En dat kon ik niet toestaan, omdat ik haar nog nodig heb.'
Jocks ogen richtten zich op Sophie. 'Sophie?'
'Hij heeft hem vermoord.'
'Wie is die man die hij heeft vermoord?'
Ze schudde haar hoofd. 'Dat weet ik niet.'
'Dan kan ik denk ik beter even gaan kijken.' Hij pakte Sophie bij haar arm. 'Kom op. We kunnen beter naar binnen gaan. Je wilt toch niet dat de buren zich iets gaan afvragen.'
Maar ze bleef stokstijf staan, met haar ogen strak gericht op Royd.
'Hij doet je echt geen kwaad,' zei Jock. 'Het was gewoon een misverstand.'
'Een misverstand? Vijf minuten geleden heeft hij nog een man vermoord.'
'En jouw leven gered,' merkte Royd ijzig op.
'Ja, maar dat was duidelijk in je eigen belang.'
'Absoluut.'
'Royd, zíj is niet degene om wie het gaat,' herhaalde Jock nog eens. 'Als ik tijd heb zal ik het je uitleggen. En ondertussen: bemoei je er niet mee.'
Royd verstijfde. 'Is dat een dreigement?'
'Alleen als je je ermee blijft bemoeien. En het zou ongelofelijk stom zijn als wíj het aan de stok kregen. Wij staan namelijk aan dezelfde kant. Ik heb je de laatste dagen zelfs proberen te bereiken.' Hij trok een gezicht. 'En ik weet niet of ik je wel aan zou kunnen. MacDuff heeft erop toegezien dat ik de laatste tijd geen praktische ervaring heb opgedaan. En jij hebt duidelijk een leven geleid dat je erg scherp houdt.'
'Hou me niet voor de gek. Jij was de beste en dat weet je.'

'We staan aan dezelfde kant,' herhaalde Jock nog eens. 'Gun me wat tijd en ik zal het je bewijzen.'

Royd wilde niet toegeven aan Jock, dacht Sophie. Ze registreerde zijn gespannenheid, de woede die net onder de oppervlakte lag. Even dacht ze dat het tot een gewelddadige uitbarsting zou komen, maar toen draaide Royd zich plotseling om en liep terug de gang in. 'Bekijk die dode eerst maar eens. Als hij een professional was, dan heeft hij wel de boel laten verstoren door zijn emoties. Zijn woede nam hem zo in beslag, dat hij niet eens merkte dat ik achter hem stond.'

'Ik wil die Royd niet hier in mijn huis, Jock,' zei Sophie. 'Het maakt me niets uit wat jullie met elkaar hebben, maar ik wil hem niet in de buurt van mij of mijn zoon.'

'O nee, dat had je gedroomd.' Royd draaide zich boos om, zijn ogen glinsterden woedend. 'Je bent hier tot je nek toe in betrokken en alles wat ik vanaf nu onderneem, zal effect hebben op jouw leven. Je mag hopen dat Jock me zover krijgt dat ik hem geloof. Maar dat lijkt me niet erg waarschijnlijk.'

'Rustig aan.' Jock duwde Sophie het huis in en sloot de voordeur achter zich. 'Sophie, ga jij een pot koffie zetten, dan ga ik die insluiper eens bekijken. Volgens mij kun je wel een kop koffie gebruiken.'

'Nee, ik wil ook...' Maar dat was helemaal niet waar. Ze wílde die moordenaar met die dolk uit zijn borst helemaal niet zien. En dat had ook geen enkele zin. 'Ik kijk nog even bij Michael en dan zie ik je in de keuken.'

Tien minuten later stond ze koffie te zetten en probeerde uit alle macht haar kalmte terug te krijgen. Mijn god, ze stond zó te trillen dat ze straks niet eens zonder te knoeien een kop koffie vast zou kunnen houden. Het moest de reactie zijn. Over een paar minuten was het vast over. Ze deed haar ogen dicht en haalde diep adem. Na de dood van haar ouders had ze maandenlang last gehad van periodes waarin ze de controle kwijt was. Maar nu was ze sterk en die man betekende niets voor haar. Het was alleen een enge situatie geweest.

Bloed dat uit die rottige wond gutste. Zinloos. Zinloos. Zinloos.

Nee, ze ging niet de controle verliezen. Het ging nu goed met haar.

'Sophie?' Jock liep de keuken binnen.

Ze deed haar ogen open en knikte. 'Het gaat wel. Er kwamen even wat herinneringen naar boven.'

'Wat voor soort herinneringen?' vroeg Royd, terwijl hij achter Jock de keuken binnenliep.

Met een ijskoude blik keek ze hem aan. 'Daar heb je niets mee te maken.'

'Ga maar naar de badkamer om je op te frissen.' Jock gaf haar een witte bloes aan die hij in zijn handen had. 'Ik dacht dat je nu wel liever niet je slaapkamer in zou willen.'

'Bedankt.' Ze pakte de bloes aan en liep langs hem en Royd de keuken uit. Royd leunde tegen de deurpost en ze deed haar best om hem niet aan te raken. Zijn gespannenheid hing als een elektrisch veld om hem heen. Ongelooflijk sterke emoties die ervoor zorgden dat hij helemaal op tilt stond. Maar daar wilde ze nu niets mee te maken hebben. Daar kon ze pas iets mee als ze zichzelf weer onder controle had. Jock moest het nu maar opknappen. En zorgen dat die vent uit haar huis verdween.

Ze waste zich, trok de schone bloes aan en kamde haar haar. Ze nam er de tijd voor om het beeld van dat lijk in haar slaapkamer uit haar hoofd te zetten. Maar het lukte niet. En dat moest misschien ook niet. Ze moest de situatie gewoon aankunnen en de confrontatie met Royd ook. Dus hou op met dat gejammer en verman je, Sophie.

Jock en Royd zaten aan de keukentafel toen Sophie binnenkwam. Royd zag er net zo rustig uit als een gekooide tijger die gedwongen wordt op een piepklein krukje te balanceren. Tijger. Ja, dat was een goede omschrijving.

'Ik heb al koffie voor je ingeschonken.' Jock maakte een gebaar naar de stoel naast hem. 'Kom zitten, we moeten met Royd praten.'

Ze schudde haar hoofd.

'Kom op, zitten,' zei Jock nog een keer. 'Je hebt al genoeg problemen. Je wilt er toch niet ook nog bij hebben dat Royd achter je aan gaat.'

Ze aarzelde, maar liet zich toen toch langzaam op de stoel zakken. 'Heb je de man in mijn slaapkamer herkend?'

Hij schudde zijn hoofd. 'En Royd ook niet. Maar misschien

weten we snel meer. Royd heeft een foto van hem gemaakt en die doorgestuurd naar zijn mannetje op het terrein.'

Ze verstijfde. 'Zijn mannetje?'

Hij heeft iemand ingehuurd om daar te infiltreren en informatie uit de archieven van Sanborne te pakken zien te krijgen. Hij werkt op de beveiliging daar, in de ruimte waar alle beelden van de beveiligingscamera's te zien zijn.'

'Waarom heeft Royd iemand ingehuurd?'

'Hij mag Sanborne niet zo,' antwoordde Jock. 'Ik zou zeggen in dezelfde mate als jij hem niet mag.'

'Waarom?' Haar ogen zochten Royds gezicht af, terwijl alles wat hij daarstraks in de slaapkamer tegen haar had gezegd, haar te binnen schoot. En Jock had ook nog gezegd dat ze op dezelfde school hadden gezeten. Ze voelde haar maag in opstand komen. 'Nog een? Net zoals jij, Jock?'

Jock knikte. 'De omstandigheden waren iets anders, maar het resultaat is grotendeels hetzelfde.'

'O, god.'

'We gaan hier niet over mij praten,' merkte Royd op. 'Ik heb nog helemaal niets gehoord wat mij ervan overtuigt dat Sanborne haar niet in zijn zak heeft.'

Jock was even stil. 'Twee jaar geleden heeft haar vader haar moeder neergeschoten en daarna op zijn kleinzoon gevuurd. Die laatste kogel heeft Sophie zelf opgevangen. Daarna heeft haar vader zich van kant gemaakt. Er was totaal geen aanleiding. De aanval kwam helemaal uit het niets.'

Royds koude ogen richtten zich op Sophie. 'Een van je mislukte experimenten?'

'Nee.' Haar maag draaide zich om. 'God, nee.'

'Te hard,' zei Jock zachtjes. 'Te hard, Royd.'

Royds blik liet Sophies gezicht niet los. 'Het zou kunnen. Wat weten wij er nou van?'

Ze schudde haar hoofd. 'Ik zou nooit... ik híéld van hem. Ik hield van hen allebei.'

'En het was allemaal jouw schuld niet, natuurlijk. Maar jouw naam stond wél levensgroot in Sanbornes dossier over de eerste experimenten op het terrein, maar dat betekent natuurlijk niets.'

'Dat zeg ik helemaal niet.' Zonder te kijken greep ze haar kop koffie vast. 'Het betekent wél iets. Het betekent álles.'

'Waarom? Hoe?'

Hij liet haar door een hel gaan, pijnigde haar, verscheurde haar. 'Het is mijn schuld. Mijn fout. Alles was...'

'Rustig maar, Sophie.' Jock legde zijn hand op de hare. 'Ik zal hem later de rest wel vertellen. Jij hoeft hier niet nog eens doorheen.'

'Je kunt me niet beschermen.' Ze likte langs haar lippen. 'En ik kan me niet verstoppen voor wat ik heb gedaan. Ik word er elke dag mee geconfronteerd. Iedere keer dat ik naar Michael kijk en weet dat ik...' Ze stopte en sloeg langzaam haar ogen op om Royd aan te kijken. 'En er is niets wat je kunt zeggen waardoor ik me nóg slechter zou kunnen voelen. Je kunt de wond weer openmaken, maar dieper kan die echt niet worden. Wil je weten hoe het is gegaan? Ik was jong en slim en ik dacht dat ik de wereld kon veranderen. Meteen na mijn artsenopleiding kwam ik te werken bij Sanborne Pharmaceutical, omdat zij me beloofden dat ik al mijn tijd aan research mocht besteden. De research die ik er gedurende de hele artsenopleiding naast had gedaan. Ik had mijn doctoraal scheikunde en geneeskunde en ik had me gespecialiseerd in slaapstoornissen, omdat mijn vader in mijn kindertijd werd geplaagd door slapeloosheid en nachtmerries. Ik dacht dat ik hem kon helpen, en anderen met hem.'

'Hoe?'

'Ik had een middel ontwikkeld dat iemand meteen in een soort narcose brengt, iemand doet belanden in de REM-4-fase, het moment in de slaap waarin je geestelijk het actiefst bent. Als je in die staat verkeert, is het mogelijk om suggesties in je op te nemen die plezierige dromen tot gevolg hebben, in plaats van nachtmerries. Zelfs slapeloosheid kan ermee worden opgelost. Sanborne was heel enthousiast en stimulerend. Hij vermurwde me om de inspectie te omzeilen en naar Amsterdam af te reizen voor tests. En hij stond erop dat alles uitermate geheim zou blijven, tot we er zeker van waren dat het middel echt zo goed was als we dachten. Het kostte hem weinig moeite om mij ervan te overtuigen voor de snelste, maar illegale weg te kiezen. Bij de inspectie doen ze er jaren over om een medicijn goed te keuren en ik had het volste vertrouwen in de veiligheid ervan. De testuitslagen waren ongelofelijk fantastisch. Mensen die al hun hele leven gebukt gingen onder nachtmerries, waren daar opeens totaal van verlost. Ze waren gelukkiger, vrijer, productiever, zonder dat er nare bijwerkingen werden geconstateerd. Ik was helemaal in de wolken.'

'En?'

'Sanborne zei dat we het kalmer aan moesten doen. Hij wilde niet meer dat ik zelf de tests deed en probeerde me ervan te overtuigen dat ik alle onderzoeken die ik had gedaan aan hem moest overdragen. Toen ik dat weigerde, sloot hij me gewoon buiten. Ik was boos en gefrustreerd, maar vermoedde totaal niet dat er iets strafbaars aan de gang was.' Ze was even stil. 'Maar ik wilde per se weten hoe de tests verliepen en ging op een nacht terug naar het lab om in de dossiers te snuffelen.' Ze haalde heel diep adem. 'Je kunt wel raden wat ik ontdekte. Ze misbruikten de beïnvloedbaarheid die het middel creëert om mensen te hersenspoelen. Er was een briefwisseling tussen ene generaal Boch en Sanborne over de voordelen die hersenspoelen kan hebben in oorlogstijd. Toen ben ik naar Sanborne gestapt en heb hem verteld dat ik ontslag nam en al mijn onderzoek met me mee zou nemen. Ik merkte wel dat hij eerst woedend was, maar daarna leek het over. Maar de volgende dag stonden er twee advocaten voor mijn deur. Die claimden dat de research die ik had gedaan in de tijd dat ik bij Sanborne werkte, wettelijk aan Sanborne toebehoorde. Ik had de keuze om het voor de rechtbank uit te vechten of een document te ondertekenen waarin ik bevestigde dat mijn research van Sanborne was.' Haar mond vertrok. 'Je kunt wel inschatten wat voor kans ik had tegen Sanbornes juridische haviken. Ik wilde niet verdergaan met het onderzoek. Het was duidelijk dat het grote kans liep om verkeerd te worden gebruikt. En ik wilde ook niet dat Sanborne er verder mee zou kunnen. Ik zei tegen hem dat ik naar de media zou gaan en bekend zou maken waar hij mee bezig was, als hij doorging met het hersenspoelen van mensen. Hij stemde daarmee in en ik dacht dat ik had gewonnen. Ik kreeg een andere baan bij een universiteitsziekenhuis in Atlanta en probeerde alles achter me te laten.'

'Zonder bewijs dat Sanborne zich aan de afspraak hield?'

'Ik had vrienden op het lab. En dus was de kans groot dat ik het zou horen als hij dat niet deed.'

'Kans?'

'Oké, ik weet het, ik was naïef. Ik had toen meteen naar de pers moeten gaan. Maar ik had het grootste gedeelte van mijn volwassen leven besteed aan studeren en ik wilde mijn toekomst niet in gevaar brengen. Die advocaten zouden gehakt van mij en mijn carrière hebben gemaakt.' Ze haalde diep adem. 'En de experimenten waren ook gestopt. Ik checkte dat regelmatig in de zes maanden daarna en het project was stopgezet.'

'En na die zes maanden?'

Haar handen omklemden haar mok nog harder. 'Na die tijd hoefde ik me er niet druk meer om te maken of mijn toekomst gevaar liep of niet. Die was toen, recht in mijn gezicht, geëxplodeerd en kapot. Mijn ouders en ik waren een dagje uit vissen. Jock heeft me later verteld wat er is gebeurd. Mijn vader sloeg op tilt. Het ene moment was hij nog heel liefdevol en normaal en het volgende moment schoot hij de vrouw van wie hij heel zijn leven heel veel had gehouden door het hoofd. En mijn zoon zou hij ook gedood hebben, als ik er niet tussen was gesprongen. Hij werd nog wel geraakt, maar de kogel volgde gelukkig een andere baan omdat hij eerst door mijn lichaam was gegaan. Een dag later werd ik wakker in het ziekenhuis. Toen ik besefte wat er was gebeurd, stortte ik volledig in. Ik kon het niet bevatten. Dat soort dingen kón gewoon niet gebeuren. Uiteindelijk kwam ik een paar maanden in een psychiatrische inrichting terecht.' Ze balde haar handen tot vuisten. 'Ik was zwak. Ik had er moeten zijn voor Michael, maar Dave heeft me toen niet verteld hoe slecht het met hem ging. Ik had er moeten zijn.'

'Heel ontroerend,' merkte Royd op. 'Maar ik zou liever iets over Sanborne horen.'

Jezus, wat een lul. 'Het spijt me dat ik je tijd heb verspild. Ik probeerde helemaal niet op je gevoel te werken. Ik betwijfel eigenlijk sterk of je dat wel hebt. En we hebben het nog steeds over Sanborne.' Ze nam een slok. 'Toen ik in die inrichting zat, kon ik alleen maar verder als ik in staat was om te begrijpen wat er was gebeurd. Ik kon niet geloven dat mijn vader opeens gek was geworden. Hij was... fantastisch. Vriendelijk en normaal, in alle opzichten.' Even was het stil. 'Behalve dan de slaapproblemen die hij al sinds zijn kindertijd had. Maar zelfs die waren de laatste maanden verminderd. Hij had een nieuwe specialist, ene Paul Dwight. Ik trok hem na en het bleek een zeer gerespecteerd arts. Mijn vader ging er veel vaker heen dan de therapeut daarvoor en het leek te helpen. Hij kon de hele nacht doorslapen en had veel minder vaak nachtmerries. Mijn moeder was heel erg blij voor hem. Die laatste dag zag hij er zo uitgerust uit als ik hem nog nooit had gezien. En toen herinnerde ik me opeens hoe uitgerust en gelukkig die vrijwilligers in Amsterdam waren geweest, als ze wakker werden uit de REM-4-therapie.' Ze schudde haar hoofd. 'Ik dacht dat ik me dingen inbeeldde, verbanden zag die er niet waren. Maar ik wilde zeker weten dat ik dat deed. Want was het niet de perfecte manier om van me af te komen? Ik twijfel er niet aan dat mijn vader zijn pistool ook op mij had gericht, als ik al niet de kogel voor Michael had opgevangen. Je hoort wel eens over gekken die eerst hun hele familie vermoorden en dan zichzelf het leven benemen. Een familietragedie. Geen uitgebreid politieonderzoek, want er is geen mysterieuze moordenaar. Op die manier was ik uit de weg en kon Sanborne ongestoord zijn gang gaan met zijn plannen voor REM-4.'

'En wat heb je eraan gedaan?'

'Toen ik uit de inrichting kwam, heb ik alle papieren van mijn vader doorgespit en vond zo de naam en het adres van zijn therapeut. Ik belde om een afspraak te maken en ontdekte dat de telefoon was afgesloten. De dokter was drie weken daarvoor omgekomen bij een auto-ongeluk.'

'Dat kwam goed uit,' mompelde Jock.

'Dat dacht ik ook. Ik huurde een privédetective in, die moest uitzoeken of er een connectie was tussen dokter Dwight en Sanborne. Het enige wat hij kon ontdekken was een ontmoeting tussen die twee op een conventie in Chicago in datzelfde jaar. En, in de maanden daarvoor, stortingen van Dwight van bijna een half miljoen.'

'Geen echt bewijs.'

'Niet in de rechtszaal, maar voor mij was het genoeg. Het gaf me een leidraad, een strohalm om mezelf uit dat moeras te trekken. Maar ik moest nog veel meer weten. Ik had nog steeds vrienden in het bedrijf van Sanborne en ik begon vragen te stellen. Ze verzekerden mij dat er geen experimenten meer werden gedaan. De afdeling was gesloten en het personeel was doorgestroomd naar andere projecten. Ik geloofde er niets van. Ik vroeg aan mijn vriendin Cindy Hodge om eens rond te snuffelen en te kijken wat ze te weten kon komen.' Weer was het even stil. 'Ze ontdekte een lijst met namen en ze noemde een plaats. Garwood, in North Dakota.' Ze stopte met haar verhaal, omdat ze een verandering voelde in de houding van Royd. 'Ken je die naam?'

'O, ja. Ik ben heel bekend met Garwood.' Hij keek even naar Jock. 'En jij?'

'Mijn training was anders dan de jouwe. Ik herinnerde me Garwood niet eens tot een jaar geleden, toen mijn normale verstand weer langzaam terug begon te komen.' Hij knikte in de richting van Sophie. 'En toen Sophie me kwam opzoeken, kreeg die herinnering een extra duwtje.'

'Ze kwam je opzoeken?'

'Dacht je dat ik háár had opgespoord? Ik was toen helemaal bezig met het op een rijtje krijgen van wie en wat ik was en ben. Ik kon me niet zo snel losmaken als jij.'

'Ik zat al heel lang in Garwood voor jij er werd binnengebracht. En voor mijn gevoel was het helemaal niet snel,' zei Royd. 'Uit de hel kun je je niet zomaar even vrij vechten.'

'Zaten jullie dan niet samen in Garwood?' vroeg Sophie. 'Ik begrijp het niet.'

'Jock werd naar Garwood gebracht op verzoek van Thomas Reilly, iemand die zijn eigen gehersenspoelde zombies had getraind,' vertelde Royd. 'Hij betaalde Sanborne om REM-4 in te zetten bij het breken van Jocks wil en die van een paar andere slachtoffers. Maar Reilly experimenteerde ook met andere methodes en Sanbornes methode was voor hem niet meer dan één manier.'

'En jij?'

'O, ik was een cadeautje van generaal Boch aan Sanborne,

toen ze het lab openden in Garwood.' Hij lachte vreugdeloos. 'De generaal wilde van me af en hij kon geen betere manier bedenken dan me naar Sanborne, zijn partner in de misdaad, te sturen. Hij vond het een leuk idee om in Garwood mijn wil te laten breken en, als dat niet zou lukken, was er nog altijd een kans dat ik daar gewoon echt gek zou worden. Terwijl ik in Garwood zat, overkwam dat twee anderen.'

Even was ze totaal van afschuw vervuld. 'Nee,' fluisterde ze.

Hij bekeek haar vol scepsis. 'Als je iets over Garwood weet, moet je daar ook achter zijn gekomen.'

Ze schudde haar hoofd. 'Dat werd niet vermeld in de dossiers van Sanborne.'

'Ja, ja, de dorpsbewoners bij Auschwitz beweerden ook dat ze van niets wisten.'

'Echt waar. Ik wist...'

'Als ze zegt dat ze van niets wist, dan is dat zo,' zei Jock. 'Sanborne heeft vast geen dossiers van zijn mislukkingen aangelegd. Wat hij zou doen is degene die die mislukking op zijn geweten had elimineren en gewoon weer met een schone lei verdergaan.'

'Weet je dat zeker?' vroeg Sophie. 'De REM-4 die ik heb gecreëerd was lichamelijk en geestelijk volkomen veilig. Ik zweer dat het echt safe was.'

'Maar niet meer toen het ze was gelukt om er dingen aan te veranderen,' merkte Royd op. 'Wat ze deden was de gevoeligheid die het middel creëerde voor "suggesties", enorm vergroten. En er waren proefpersonen die zo'n hoge dosis aan hersenterreur niet aankonden en er helemaal kapot aan gingen. O ja, het middel is zeker enorm veranderd. In Garwood zaten tweeënvijftig man die dat hadden kunnen bevestigen.'

'Er zijn maar dossiers van vierendertig man,' reageerde Sophie.

Royd keek haar alleen maar aan.

'Heeft hij hen... gedood?'

Hij haalde zijn schouders op. 'Ik heb er tweeënvijftig geteld, voordat ik ervandoor ging. Ik weet niet wat er met hen is gebeurd. Maar ik kan het wel raden. Ik heb me drie maanden schuilgehouden en in die tijd ontdekte de CIA de hele toestand bij Thomas Reilly. Sanborne was bang dat de dossiers van Reilly de CIA naar Garwood zouden leiden, dus ruimde hij de boel daar zo grondig op dat niemand erachter zou kunnen komen wat er was gebeurd. Vervolgens sloot hij de hele boel en verplaatste de operatie.'

'Naar zijn terrein in Maryland,' zei Sophie. 'Waarom ben je niet naar de politie gegaan?'

'De politie heeft niet de neiging om naar moordenaars te luisteren. En ik weet zeker dat de generaal wel zo uitgekookt is geweest om ten minste één van de moordmissies die ik moest volbrengen, volledig te documenteren.' Zijn mond verstrakte. 'Het zou in de ogen van de politie natuurlijk erg voor de hand liggen dat ik mijn oude stiel weer had opgepakt en iemand had omgelegd. Ik had tenslotte vier jaar lang bij de SEAL's gezeten, de speciale commando's van de Amerikaanse marine. Het is algemeen bekend dat die getraind worden in dood en geweld. Dus als ik Sanborne en Boch wilde uitschakelen, moest dat op een andere manier.'

'Hoe dan?'

'Geld. Ik moest genoeg geld bij elkaar zien te krijgen om informatie te kunnen kopen. Het heeft lang geduurd, maar uiteindelijk lukte het me om het REM-4-terrein te vinden en een mol in Sanbornes bedrijf te plaatsen.' Hij keek haar strak aan. 'En dat heeft me naar jou geleid.'

'Ik heb niet... Ik zou nooit....' Ze stopte en schudde moedeloos haar hoofd. 'Maar ik heb het wél gedaan. Ik ben ermee begonnen. Het is mijn schuld. En ik kan jou niet kwalijk nemen dat...'

Michaels monitor ging af.

'O, god.' Ze sprong op. 'Michael...'

Sophie rende de keuken uit.

4

Royd vloekte binnensmonds en stond meteen op.

'Ze probeert er heus niet vandoor te gaan,' zei Jock. 'Ga zitten en drink je koffie. Ze gaat gewoon naar haar zoon. En ze komt wel terug.'

Langzaam liet Royd zich weer in zijn stoel zakken.

'Wat is er met die jongen aan de hand?'

'Nachtmerries die gepaard gaan met apneu-aanvallen, waarin hij ophoudt met ademhalen.'

'Jezus.'

'En, voor je het haar vraagt, nee, op hem heeft ze óók geen experimenten uitgevoerd. Die nachtmerries zijn begonnen nadat zijn grootvader hem probeerde te vermoorden en hij moest zien dat de man bovendien op zijn moeder en grootmoeder schoot. Sophie zegt dat het een tijd geleden veel erger was en dat hij misschien aan het herstellen is.' Hij trok een gezicht. 'Het is nog steeds nogal aangrijpend om hem zo te zien. Het is nog maar een kind.'

'Je zei dat zíj jou heeft gevonden. Hoe?'

'De Garwood-dossiers, die ze via die vriendin van haar had, vertoonden overeenkomsten met die van mensen die daarheen werden gebracht omdat ze door Thomas Reilly gehersenspoeld waren. De personen die in Garwood hadden gezeten waren "verdwenen", maar er was wel een aantal sporen die naar Reilly's slachtoffers leidden. Reilly beschikte over een heel arsenaal aan mensen die hij in kon zetten om louche klussen op te knappen, als er maar flink voor werd betaald. Maar toen de CIA Reilly op de hielen zat, verspreidden al die mensen zich. De meesten zijn toen opgepakt, maar het is een klein aantal gelukt om op vrije voeten te blijven.' Er viel een stilte. 'Maar jij kent dit verhaal. Jij hebt me zélf een jaar geleden opgespoord.'

'En jij vertelde me toen dat jij er geen idee van had waar Sanborne zijn REM-4-experimenten naartoe had verhuisd. Gelogen?'

Jock schudde zijn hoofd. 'Toentertijd herinnerde ik me niet veel. Het heeft me enorm veel tijd gekost om zover te genezen dat ik in staat was om de dingen weer een beetje op een rijtje te zetten. Ik leefde zo ongeveer als een plant toen MacDuff me in die inrichting in Denver vond, nadat ik uit de handen van Reilly was ontsnapt. Je kwam in een te vroeg stadium van mijn herstel. Als je een paar maanden later was geweest, had ik je al meer kunnen vertellen. Sophie kwam precies op het juiste moment. Ik was eraan toe om me dingen te herinneren. Ze hielp me een beetje op weg en toen stroomden alle herinneringen gewoon mijn hoofd binnen.'

Royd keek hem aandachtig aan. Misschien vertelde hij inderdaad de waarheid. Vergeleken met de man die hij een jaar geleden had ontmoet, was Jock nogal veranderd. Toen was hij nogal vaag en afstandelijk geweest en daar was op dit moment niets meer van te merken. Dat Schotse accent klonk een beetje soft, maar voor de rest was hij sterk en onverzettelijk. 'En wat voor herinneringen waren dat?'

'Dat Reilly vóór de CIA binnenviel, van plan was een paar van zijn nieuwere slachtoffers voor training naar een andere locatie van Sanborne te sturen. Ergens in Maryland.'

'En waarom heb je toen geen contact met mij opgenomen? Verdomme, je wist dat ik om dat soort informatie zat te springen. Het heeft me maanden gekost om dat allemaal in mijn eentje uit te vinden.'

'Ik was nogal druk met Sophie. En daarin wilde ik niet afgeleid worden.'

'Druk?'

'Tot haar ontmoeting met mij had ze geen idee van de omvang van wat Sanborne had aangericht. Ze was er kapot van. En ze wilde in haar eentje achter Sanborne aan.' Hij schudde zijn hoofd. 'Dat kon ik niet laten gebeuren.'

'Waarom niet?'

'Ze raakte me,' antwoordde hij eenvoudig. 'Ze werd verteerd door schuld en verdriet en was natuurlijk geen partij voor Sanborne en zijn kornuiten. In eerste instantie wilde ze het gebouw binnendringen en al het onderzoek dat had geleid tot REM-4 vernietigen. Maar alle beveiligingscodes bleken te zijn veranderd, dus dat was geen optie. Het enige wat overbleef was de slang te doden en hopen dat daarmee het gif ook vernietigd was.'

'En ze vroeg jou om dat te doen?'

Weer schudde hij zijn hoofd. 'Ze gaat zo gebukt onder schuldgevoelens over wat mij is aangedaan, waaraan zij heeft meegewerkt, dat ze mij in geen geval toestaat om een moord te plegen. Het enige wat ze mij heeft gevraagd is haar te leren hoe je dat aanpakt, een mens vermoorden.'

'En heb je dat gedaan?'

'Ja, en technisch gezien is ze erg goed. Bijna net zo'n goede schutter als ikzelf. Kan ze het geestelijk aan? Zij denkt dat ze het kan. Het gaat er om hoeveel haat ze in zich heeft opgebouwd. Haat kan het verschil maken.' Hij keek Royd in de ogen. 'Vind je niet?'

Royd negeerde de vraag. 'Ze ís schuldig. Hoe weet je dat ze niet vanaf het begin betrokken is geweest bij de plannen van Sanborne en daarna bijvoorbeeld ruzie met hem heeft gekregen?'

'Ik vertrouw haar.'

'En ik niet.'

'Ik ben geen idioot, Royd. Ze heeft me de waarheid verteld.' Hij keek hem eens goed aan. 'Man, je ziet er gigantisch gefrustreerd uit. Waarom wil je toch zo graag dat ze nog steeds naar Sanbornes pijpen danst?'

'Omdat het mijn kans was om de informatie uit haar te persen over de plek waar de REM-4-formules verstopt liggen en ik daarmee Sanborne en Boch eindelijk te gronde kan richten. En nou probeer jij me te vertellen dat ze weinig meer is dan een onschuldige aan de zijlijn.' Zijn hand balde zich tot een vuist. 'Nee, ik trap er niet in.'

'Je trapt nergens in. En je bent slim genoeg om niet verblind te worden door hoe jíj wilt dat de dingen in elkaar zitten. Je moet gewoon aan het idee wennen.'

'Misschien.'

Jock keek hem onderzoekend aan. 'Wat zit jij te bedenken?'

'Sinds ik uit Garwood ben ontsnapt, heb ik iedere situatie zo moeten manipuleren dat ik kon overleven en Sanborne op het spoor bleef. En dat zal ik nu ook moeten doen.' Hij kneep zijn lippen samen. 'Ik ben er té dichtbij, Jock. Als ik Sophie Dunston niet kan gebruiken, mag ze ook geen obstakel op mijn weg zijn. Ik zit er niet mee om haar...'

Op dat moment ging zijn mobiele telefoon. Hij keek op het schermpje wie hem belde.

Nate Kelly.

'Laten we hopen dat hij kan vertellen wie die klootzak in de slaapkamer is,' mompelde Royd, terwijl hij een toets indrukte.

Sophie kwam uit Michaels slaapkamer en bleef een tijdlang in de gang stilstaan om een paar keer diep in- en uit te ademen. Ze probeerde moed te verzamelen om terug naar de keuken te lopen en de confrontatie met Matt Royd weer aan te gaan.

Michaels nachtmerrie was dit keer niet zo vreselijk geweest en daar dankte ze God op haar blote knieën voor. De hele nacht was al zo afschuwelijk geweest en een akelige nachtmerrie van Michael zou echt de bekende druppel zijn geweest. Dat had ze er niet ook nog bij kunnen hebben.

Ach, natuurlijk wel. Watje. Ze kon álles aan wat het leven haar toewierp.

Inclusief Royd, die haar steeds met die ijskoude en beschuldigende, vijandige blik aankeek.

Ze rechtte haar schouders en liep de gang door naar de keuken.

Toen ze binnenkwam hief Jock meteen zijn hoofd op. 'Slaapt-ie?'

Ze knikte. 'Het was niet zo heel erg deze keer. Ik heb alleen maar naast hem gezeten en een beetje gepraat en toen viel hij weer in slaap.'

'Goed zo,' zei Jock. 'Laten we hopen dat hij lekker doorslaapt. Wij hebben het een en ander te bespreken. Royd kreeg net een berichtje van zijn contact op het terrein.'

Haar ogen vlogen naar Royds gezicht. 'Weet je wie die moordenaar was?'

'Een van Sanbornes lijfwachten,' antwoordde Royd. 'Tenminste, zo staat hij op de personeelslijst. Arnold Caprio.'

'Caprio,' herhaalde Sophie.

'Heb je wel eens van hem gehoord?'

Ze schudde haar hoofd. 'Ik denk het niet. Maar de naam komt me toch bekend voor...'

'Denk na.'

'Ik zei toch al dat ik niet denk dat ik...' Ze onderbrak zichzelf. 'Ja, toch wel. Ik weet wie...' Met grote stappen liep ze de keuken uit naar de woonkamer en opende de bovenste la van haar bureautje. De lijst zat in een leren map. Ze sloeg hem open en liet haar wijsvinger langs de rij met namen glijden.

Arnold Caprio's naam stond ergens in het midden.

Ze sloot haar ogen. 'O, mijn god.'

'Wie is het?'

Vlug deed ze haar ogen weer open en draaide zich om om Jock en Royd aan te kijken. 'Caprio was een van de namen op de lijst die ik van Cindy heb gekregen. Een van de mannen die de Garwood-experimenten heeft ondergaan. Sanborne moet hem bij zich in de buurt hebben gehouden om te werken als zijn bodyguard. Alleen denk ik niet dat hij alleen maar een lijfwacht was. Blijkbaar gebruikte hij hem ook om bedreigingen zoals ik uit de weg te ruimen.' Stop nou eens met dat trillen. Beheers je. 'Het is nogal ironisch, vinden jullie niet? Sanborne stuurt een van de slachtoffers voor wie ik verantwoordelijk ben om me het leven te benemen.'

'Je bént niet verantwoordelijk,' antwoordde Jock. 'Het is nooit je bedoeling geweest dat dit zou gebeuren. Je hebt juist geprobeerd om het te stoppen.'

'Vertel dat maar aan Caprio.' Ze keek naar Royd. 'Of aan Royd. Jij vindt wél dat ik verantwoordelijk ben, hè?'

Royd bleef haar een tijdlang doordringend aankijken en haalde toen zijn schouders op. 'Het doet er op dit moment niet toe wat ik vind. Je moet beseffen dat Sanborne niet alleen jonge kinderen oppikte om ze op te leiden tot moordenaar, zoals Reilly. Hij had liever een voorsprong en hij dacht dat de experimenten het beste resultaat zouden hebben bij mensen die al gewelddadige trekjes van zichzelf hadden. Boch stuurde hem vaak militaire scherpschutters en ex-commando's, zoals ikzelf. Hij verzon gewoon gevoelige, geheime missies om ze naar het gebied te lokken en liet ze dan oppakken door Sanbornes mannen. Ik herinner me dat er twee drugskoeriers en minstens drie huurmoordenaars in Garwood zaten.'

Vol ongeloof staarde ze hem aan. 'Jezus, probeer je er nou voor te zorgen dat ik me iets beter voel?'

'Nee, jij stelde een vraag. En ik heb er ook een voor jou. Mijn naam heb je niet herkend. Stond ik niet op de lijst?'

Ze dacht erover na. 'Nee, maar die van Jock wel.'

Royd haalde zijn schouders op. 'Misschien ging de lijst alleen over de mannen die Sanborne rekruteerde en niet over de mensen die hij persoonlijk kréég. Ik was een cadeautje van zijn partner.' Hij draaide zich naar Jock. 'We kunnen beter zorgen dat die Caprio hier verdwijnt. Weet jij een goede plek?'

'Het moeras ten westen van hier,' zei Jock. 'Daar wordt hij de komende maanden, misschien zelfs jaren, niet gevonden.'

'Schrijf de route maar op. Ik haal een paar vuilniszakken uit de keuken en zal hem inpakken. Ga jij maar in de buurt rondkijken om er zeker van te zijn dat het hier net zo slaperig is als het lijkt, voordat ik hem naar de auto breng.'

'Moeten jullie hem echt...' Sophie begon opnieuw: 'Is er niet een manier om hem hier uit huis te krijgen zónder hem in een moeras te gooien om daar weg te rotten?'

'Jawel,' antwoordde Royd. 'Heb je liever dat ik hem gewoon op het gazon voor het huis van Sanborne gooi? Dat zou ik graag doen.'

Ja, dat zou hij echt doen, besefte Sophie, en met heel veel plezier ook, zag ze aan de haatdragende uitdrukking op zijn gezicht. 'Dat snap ik.'

'Maar het zou niet erg verstandig zijn,' zei Royd. Zo'n actie zou ook een waarschuwing zijn en ik wil zowel Sanborne als Boch op geen enkele manier alert maken. Ik ben degene die Caprio heeft vermoord en ik wil niet dat er ook maar iets is wat mijn plannen zou kunnen verstoren. Dus zorgen we ervoor dat Caprio verdwijnt, om Sanborne geen enkel seintje te geven. Hij zou in staat zijn om Caprio's poging om jou te vermoorden zó te draaien dat jíj straks nog wordt beschuldigd. Met zijn geld en invloed is dat heel goed mogelijk.' Hij draaide zich om. 'En voordat je je schuldig gaat voelen over de manier waarop we ons van die schoft ontdoen, denk ik dat ik je moet laten zien wat ik op de grond in je slaapkamer heb gevonden.' Hij verdween en was na een minuut terug met iets dat hij op de salontafel gooide. 'Hij had een plan.'

Ze staarde naar het touw. 'Een strop?'

'Het mes gebruikte hij bij nader inzien. Caprio was duidelijk lang niet zo goed getraind als Jock en ik. Hij liet zich woedend maken en verloor daardoor zijn opdracht uit het oog. Hij was erop uitgestuurd om je op te hangen en ervoor te zorgen dat het leek alsof het een ongeluk was. En er waren twéé stroppen. Wat concludeer je daar uit?'

'Michael?' fluisterde ze.

'Een instabiele vrouw die haar enige kind doodt en daarna zichzelf het leven beneemt. Je zou denken dat het meer voor de hand ligt dat je je zoon vergiftigt, maar Sanborne is niet zo slim in emotionele dingen. Maar gezien je geschiedenis zijn twee stroppen niet ongeloofwaardig.' Over zijn schouder ging hij verder tegen Jock: 'Ik ruim alles verder op en ben over een minuut of tien klaar. Zorg jij dat alles veilig is.' Hij wierp een blik op Sophie. 'We praten wel als ik terug ben.'

Hij liep de gang in en Sophie bleef hem even nadenkend na staan kijken. Toen keerde ze zich naar Jock. 'Als het nou eenmaal toch moet gebeuren, moet ik jullie daarbij helpen.'

'En Michael in zijn eentje achterlaten?' Jock boog zijn hoofd en keek naar de twee stroppen. 'Royd had je deze twee afschuwelijke dingen wel kunnen besparen.' Hij pakte ze op en gooide ze in de vuilnisbak in de hoek.

'Royd wil me helemaal niets besparen,' reageerde Sophie een beetje moedeloos. 'En dat kan ik hem niet kwalijk nemen. Wat kan ik doen om te helpen, Jock?'

'Gewoon hier blijven en voor je zoon zorgen.' Jock schudde zijn hoofd, terwijl hij naar de voordeur liep. 'Wij weten hoe we zoiets aan moeten pakken en jij zou alleen maar in de weg lopen.'

In hulpeloze frustratie zag ze hoe hij de deur achter zich dichttrok.

Nee, ze kon Michael hier natuurlijk niet alleen achterlaten, maar ze liet Jock nu iets strafbaars doen om haar te helpen en dat had ze nooit willen laten gebeuren.

En Royd. Ze zou zich even rot moeten voelen omdat ze Matt Royd hetzelfde risico liet lopen. Hij had tenslotte haar leven gered door Caprio te doden. Maar het was moeilijk om schuld of dankbaarheid te voelen als het om Royd ging. Hij was te hard, te negatief en zijn houding ten opzichte van haar was ontzettend vijandig.

Maar wie kon hem dat eigenlijk kwalijk nemen, dacht ze. Ze mocht van geluk spreken dat Jock zich niet zo opstelde tegenover haar. Vanaf het moment dat ze wist van het bestaan van Garwood, verkeerde ze in een staat van constante zelfbeschuldiging. Ze had die mannen zo'n verschrikkelijke pijn gedaan, hun allemaal, op een manier die zo erg was dat je je het gewoon niet voor kon stellen.

En ze blééf er maar aan denken en zich er een voorstelling van maken en zich allerlei dingen afvragen. Ze kon het gewoon niet stopzetten. Waarschijnlijk zou ze dat nooit kunnen.

Of ze moest Robert Sanborne kunnen stoppen.

Jock kwam bijna meteen het huis weer binnen, nadat hij en Royd Caprio naar de auto hadden gedragen.

'Ik dacht dat je met hem mee zou gaan,' merkte Sophie op.

'Ja, dat dacht ik ook. Maar Royd zei dat het geen zin heeft om allebei risico te lopen wanneer hij het ook in zijn eentje afkan. En bovendien vond hij het geen prettig idee om jullie hier alleen achter te laten.'

'Dat kan ik haast niet geloven, dat dat hem iets uitmaakt. Hij is heel anders dan jij.'

'Ja en nee. We hebben een hoop gemeenschappelijke dingen. Toen hij me een jaar geleden op kwam zoeken, voelde ik een bepaalde verwantschap. We horen allebei bij een zeer exclusieve club.'

Die band had ze inderdaad gevoeld toen ze met hen allebei aan de keukentafel had gezeten. Aan de ene kant waren ze heel verschillend, maar aan de andere kant leek het wel of ze elkaar perfect begrepen. 'Hij is woedend en verbitterd, wat jij eigenlijk ook zou moeten zijn.'

'Hij is gefrustreerd. Ik heb je verteld dat ik mijn eigen demon heb vermoord door het doden van Thomas Reilly. Maar hij vecht nog steeds tegen zijn demonen. Hij heeft geen rust voor hij Boch en Sanborne heeft uitgeschakeld.'

'En mij ook?'

Jock haalde zijn schouders op. 'Niet wanneer het me lukt om hem ervan te overtuigen dat je de waarheid vertelt. Hij wíl het nu gewoon niet geloven, omdat hij dacht nu eindelijk iemand te hebben gevonden die hem zo dicht bij Boch en Sanborne zou kunnen brengen dat hij zou kunnen toeslaan. Hij wil helemaal niet dat jij het volgende slachtoffer wordt, hij wil de sleutel zien te vinden. Het zal wel even tijd kosten voordat hij zijn beeld van je heeft bijgesteld, maar dat komt heus wel. Maar zelfs als hij de waarheid accepteert, draait hij zijn hand er nog niet voor om je te doden. Hij is al heel erg lang uit op wraak.'

'Dat begrijp ik.'

'Niet alleen vanwege REM-4. Hij heeft zijn broer verloren in Garwood.'

'Wat?'

'Boch wilde Royd naar Garwood lokken, dus hij zorgde ervoor dat Sanborne de jongere broer van Royd inhuurde om daar te werken. Todd, de broer, belde vanaf Garwood en smeekte om hulp. En natuurlijk ging Royd toen naar hem toe.'

'Hoe is zijn broer gestorven?'

'Dat heeft Royd me niet verteld. Maar het was zeker op een vreselijke manier.'

'REM-4?'

'Sophie, niet alle vreselijke dingen die in Garwood gebeurden hadden met REM-4 te maken. Sanborne en Boch waren gewetenloze criminelen met afschuwelijke plannen. Royd vertelde me de reden waarom Boch hem wilde uitschakelen. Hij was getuige geweest van een ontmoeting tussen Boch en een Japanse drugsbaron. Boch moest hem kwijt. Dus belde hij zijn vriendje Sanborne en vertelde hem dat die een manier moest verzinnen om Royd naar Garwood te lokken. Maar als het Garwood niet was geweest, dan hadden ze wel een andere manier gevonden om hem uit te schakelen.'

Moedeloos schudde Sophie haar hoofd. 'Maar Garwood wás er nou eenmaal. En wat deed Royd in Japan?'

'Hij was net weg bij de commando's en hij reisde een beetje rond door het Verre Oosten, voor hij terugging naar de vs. Hij dacht erover een importbedrijf te beginnen, als hij tenminste genoeg geld bij elkaar kon krijgen. Hij is opgegroeid in de krottenwijken van Chicago en daarna het leger ingegaan. Met zo'n achtergrond wil je meestal zekerheid op financieel gebied.'

'Maar hij kreeg de kans niet. Garwood heeft dat voor hem kapotgemaakt.'

'Hij komt er wel. Ik heb nog nooit iemand ontmoet die zo vastberaden is als Royd. Alles staat alleen een tijdje in de wacht, wat hem betreft.'

Sophie moest denken aan de totale concentratie en doelgerichtheid die ze in Royd had gezien, toen hij haar zo doordringend had aangekeken, terwijl ze aan de keukentafel zaten. Ja, ze kon zich wel voorstellen dat hij volkomen rücksichtslos kon zijn om het doel dat hij zich had gesteld te bereiken. Ze draaide zich om. 'Hoe lang denk je dat het zal duren voor hij terug is?'

'Een uur of zo.'

'En dan?'

'Zullen we plannen moeten maken.'

'Ik heb al een plan en dat wordt volgende week dinsdag ten uitvoer gebracht.'

'Als Sanborne zijn lieve tarantula heeft gestuurd om jou te steken, is de kans groot dat je daar de gelegenheid niet voor krijgt. Zijn routine wordt zeker veranderd.'

Natuurlijk. Hij had gelijk. Eigenlijk had ze dat wel gedacht, maar het niet aan zichzelf willen toegeven. 'We zullen zien, toch?'

'Ik denk niet dat Royd bereid is om te wachten tot jij je kans hebt gehad. Je zult moeten accepteren dat er een nieuw element is waar je rekening mee moet houden.'

'Ik hoef helemaal niets te accepteren. Ga weg, Jock. Dit verhaal wordt met de minuut afschuwelijker. Laat het aan mij over.'

'Wil je iets drinken?' Hij ging in de stoel tegenover haar zitten. 'We zullen nog wel lang moeten wachten.'

'En het zal wel lijken of het eeuwig duurt.' Ze leunde achterover en sloot haar ogen. Ze kon het beeld van die twee stroppen die Royd haar had laten zien maar niet uit haar hoofd zetten. Een voor haar en een voor Michael. Ze had zich al vaak zorgen gemaakt over de consequenties voor Michael als zij Sanborne zou vermoorden, maar ze had er nooit aan gedacht dat zijn leven in gevaar zou kunnen zijn. Ze was er altijd van uitgegaan dat zij het enige doelwit was. Waarom zou iemand een kind willen doden? Het was dan wel zo dat haar vader had geprobeerd om Michael te vermoorden, maar dat was alleen een truc geweest zodat iedereen geloofde dat hij knettergek was. En nu werd Michael weer bedreigd. Die klote-Sanborne. 'Nee, ik wil niets drinken. Ik wil dat deze nacht voorbij is.'

'Heeft Caprio al iets laten horen?' vroeg Boch, toen Sanborne de telefoon oppakte.

'Nog niet.'

Boch vloekte. 'Ik heb je gezegd dat je voorzichtig met hem moest zijn. Toen we hem binnenkregen was hij niet meer dan een tweederangs huurmoordenaartje en REM-4 heeft er echt niet voor gezorgd dat hij slimmer werd.'

'Maar het maakte hem wel trouw aan mij. Ik heb hem precies verteld wat hij moest doen en dan doet hij dat ook. De experimenten hebben laten zien dat een hoge intelligentie echt niet altijd garant staat voor de beste resultaten. Kijk maar naar Royd.'

'Hij was de beste die we ooit hebben gehad.'

'Tot hij de training van zich afschudde, alsof die niet had bestaan.'

'Dat ging absoluut niet makkelijk. Maar we hebben het niet over Royd. Ik wil weten waarom Caprio geen contact met je heeft opgenomen. Stuur maar iemand anders naar het huis van Sophie Dunston.'

'En dan het risico lopen dat die persoon daar wordt gezien als de lichamen worden ontdekt? Absoluut niet. We wachten gewoon.'

'Dan wacht jíj maar. Ik heb niet zoveel geduld. Ik heb mijn

eigen mannen en dat zijn niet zulke zombies als degenen die jij uitkiest. Ik geef je nog twee uur.'

'Waarom zit je toch zo te schuimbekken? Ze weet niet eens van je bestaan. Ze zit achter míj aan.'

'En hoe wist ze dan waar er met REM-4 wordt geëxperimenteerd? Als ze dat te weten kon komen, weet ze misschien ook over onze connectie. Je had moeten zorgen dat ze voor altijd verdween, toen ze zo'n drukte maakte over onze onderzoeken.'

'De mogelijkheid bestond dat ze ons kon helpen, als ik haar te pakken had gekregen. REM-4 is niet perfect en zij jatte haar eigen vervolgonderzoek mee. Dat had de werking niet alleen tien keer sterker kunnen maken, maar ook een stuk veiliger.'

'Niets is perfect. We hebben haar niet nodig. Ze is niet de enige. En wat we nu hebben is goed genoeg.'

'Daar zijn je klanten het misschien niet mee eens. Drie van de tien proefpersonen gaan eraan dood of worden volkomen geschift.'

'Dat is een heel acceptabel slachtofferpercentage. Ik wil niet het risico lopen dat ze rond komt snuffelen. Over drie maanden ga ik met pensioen en ik moet van onbesproken gedrag zijn, wil ik mijn contacten kunnen behouden.'

Ach, die kostbare contacten van Boch, dacht Sanborne ongeduldig. Maar ja, die contacten konden wel heel belangrijk blijken voor hen allebei. De klootzak kende werkelijk iedereen in het leger en hij had overzeese banden die onschatbaar waren als REM-4 eenmaal was opgezet. Hij deed zijn best om zijn kalmte niet te verliezen. 'Die behoud je echt wel. Mijn god, Caprio is nog maar een uurtje te laat met bellen. Waarom ben je toch zo nerveus?'

Boch was even stil. 'Mijn informant bij de CIA heeft me gebeld om me te vertellen dat Royd Colombia heeft verlaten.'

'Wat?'

'Het hoeft niets te betekenen. Hij kan wel een andere opdracht hebben aangenomen. Hij is veelgevraagd.'

'Maar jij hebt me verteld dat je iemand zou sturen om hem uit te schakelen.'

'Dat heb ik ook gedaan. Tot drie keer toe. Maar hij is goed. Wij hebben hem heel goed gemaakt.'

'En jij bent een dwaas.'

'Zo kun je niet tegen me praten. Dat accepteer ik niet.'

O jee, ik heb het gigantische ego van die idioot geraakt, dacht Sanborne bitter. 'Hij was in het buitenland en dat was je beste kans om hem om te leggen.'

'Ik heb hem in de gaten gehouden.'

'Ja, zó goed dat je hem weg hebt laten glippen. Verdomme, ik weet nog hoe hij was in Garwood. Goed? Hij was geniaal. Er was niemand beter dan Royd.'

'Ik vind hem heus wel.' Boch was even stil. 'Maar waag het niet om nog ooit op die manier tegen me te praten.'

Sanborne aarzelde. Shit. Stel die lul tevreden. 'Sorry.'

'En hou je bezig met je eigen zaken. Sophie Dunston mag dan misschien maar een vrouw zijn, ze moet wel uit de weg worden geruimd. Ik wil vrij zijn van alle hindernissen, zodra we ons op het eiland vestigen.' Hij hing op.

Dacht Boch dat hij dat niet wist? Sophie Dunston was al een nagel aan zijn doodskist sinds ze had ontdekt dat hij die experimenten in Amsterdam een vervolg gaf. Het was hem dan wel gelukt om haar erbuiten te houden, maar ze zou nooit ophouden om hem het leven zuur te maken. Ze blééf maar zoeken, graven, proberen om iemand te vinden die naar haar wilde luisteren.

Maar waarschijnlijk zat hij zich nu druk te maken over een probleem dat al niet meer bestond.

Als Caprio die trut had opgeknoopt.

'Opgelost?' vroeg Jock aan Royd, toen die anderhalf uur later het huis binnenkwam.

Royd knikte. 'Het was drukker dan ik had gedacht op deze tijd.' Hij keek even naar Sophie. 'Je ziet er doodmoe uit. Ga naar bed. We praten later wel.'

Ze schudde haar hoofd.

'Heeft niemand je gezien?'

'Nee.' Hij draaide zich naar Jock. 'Jij kunt nu wel gaan. Ik blijf hier en zal ervoor zorgen dat er niets gebeurt.'

'Dat is mijn werk.'

'O, in godsnaam, ik let wel op mezelf,' merkte Sophie vermoeid op. ‘Gaan jullie allebei maar...’

Michael.

‘Oké, een van jullie blijft hier. Gooi maar een muntje op.’ Ze draaide zich om en liep naar de deur. ‘Ik slaap in de logeerkamer. Ik wil nu nog niet naar mijn slaapkamer.’

‘Ik zal de monitor wel in de logeerkamer installeren als jij in de douche bent,’ zei Jock. ‘En ik hou natuurlijk ook in de gaten of het alarm afgaat.’

‘Bedankt.’ Rillend liep ze over de gang langs haar slaapkamer. Een veilige haven was in een paar walgelijke ogenblikken getransformeerd in een weerzinwekkende kamer. Misschien zou ze wel nooit meer in staat zijn om die kamer binnen te gaan en zich er op haar gemak te voelen.

Niet aan denken. Slapen. Misschien zou ze het als ze wakker werd allemaal beter aankunnen.

Maar het duurde nog een uur voor ze insliep. Ze lag constant te malen en probeerde een plan te bedenken. Uit de andere kamer kwam helemaal geen geluid meer. Misschien waren ze allebéí wel vertrokken. Nee, dat zou Jock nooit doen...

5

'Wakker worden.'

Michael!

Ze schoot rechtop en zwaaide haar voeten uit bed. Maar toen ze wilde gaan staan, werd ze terug in de kussens geduwd.

'Rustig. Er is niets aan de hand. Ik wou je alleen wakker maken,' zei Royd. 'Ik heb je een paar uur laten slapen, maar je zoon wordt straks wakker en ik denk dat je hem niet aan het schrikken wilt maken, doordat hij opeens een vreemde tegenkomt in zijn eigen huis.'

'Nee,' zei ze nog half in slaap, terwijl ze het haar uit haar gezicht wegstreek. Ze keek even naar de wekker op het nachtkastje. Halfzes. 'Nee, ik zou niet willen dat Michael...' Om helderder te worden, schudde ze met haar hoofd. 'Maar hij hoeft pas om zeven uur op.'

'Mooi.' Hij schonk een kop koffie in uit de kan op het nachtkastje en gaf die aan haar. 'Dan hebben we even tijd om te praten.' Hij ging in de stoel bij het bed zitten. 'Ga weer in bed liggen en doe de dekens om je heen. Het is koud hier.'

'Ik heb het niet koud.' Dat was een leugen. Het T-shirt dat ze voor de nacht had aangetrokken bood niet veel warmte en het feit dat ze zowel geestelijk als lichamelijk aan het eind van haar Latijn was, maakte het er niet beter op. 'Ik neem aan dat jij het tossen hebt gewonnen.'

'Jock laat nooit iets afhangen van een gokje. Eigenlijk wilde hij ook hier blijven. Maar ik heb hem gezegd dat ik een paar uur alleen nodig had en met je wilde praten.' Hij trok een gezicht. 'Ik moest hem natuurlijk wel beloven dat ik mijn kalmte niet zou verliezen en je keel niet door zou snijden.'

'Ja, ik kan me voorstellen dat hij zich druk maakt over zoiets,' zei ze droog. 'Jock en ik zijn goede vrienden geworden en jij bent iemand met een hoop woede in zich.' Moedeloos haalde ze haar schouders op. 'En die woede is op mij gericht. Dat kan ik me heel goed voorstellen.'

'Uitstekend. Dan zijn we op de goede weg om elkaar beter te gaan begrijpen.' Hij leunde naar voren, greep de deken en gooide die over haar blote benen. 'Doe in godsnaam iets over je heen, je hebt gewoon kippenvel.'

'Ik hoopte dat ons gesprek niet lang zou duren. Wat valt er te zeggen? Ik heb je kwaad berokkend. Het spijt me. Als ik ook maar iets zou kunnen doen om dat weer goed te maken, dan deed ik dat.' Met een cynisch lachje voegde ze eraan toe: 'Maar ik kan niet toestaan dat je me vermoordt. Ik moet ook om Michael denken.'

Hij was even stil en bestudeerde haar gezicht aandachtig. 'Mijn god. En als Michael er niet was geweest denk ik dat je me dat werkelijk had laten doen.'

'Doe niet zo belachelijk.' Ze wendde haar gezicht van hem af. 'Maar wat ik heb gedaan is echt verschrikkelijk. Daar moet ik voor betalen.'

'Als jij me de waarheid hebt verteld, wist je niet wat Sanborne van plan was met REM-4.'

'Heeft dat ervoor gezorgd dat jij en Jock en al die andere mannen niet werden gehersenspoeld en geen pijn hebben geleden? Heeft dat mijn vader en moeder gered? Het was míjn schuld.' Ze keek hem aan. 'En als ik Sanborne niet kan stoppen, gaat het maar door en door. Daar kan ik niet mee leven, Royd.'

'Sanborne vermoorden betekent niet dat we REM-4 kwijt zijn. Als dat zo was, had ik Sanborne meteen toen ik uit Garwood ontsnapte tot mijn doelwit gemaakt. Boch is er ook nog. Als je de ene doodt, zou de andere met de REM-4-disk kunnen verdwijnen. Ik moet zorgen dat ik me van hen allebei ontdoe, plus van het onderzoekscentrum én van alle dossiers en formules die ze in Garwood gebruikten. Ik zal REM-4 van de aardbol laten verdwijnen. Niemand zal ooit meer in staat zijn om een mens hetzelfde aan te doen als ze met mij hebben gedaan.' Zijn stem werd ruw. 'En jij gaat mijn kansen om dat te doen niet verpesten door die Sanborne te vermoorden. Ik wil álles.'

Hij klonk zo vol passie en intensiteit, dat ze even geen woorden kon vinden. 'En als ik dat wel doe, wat zou jij dan doen?'

'Dat wil je niet weten. Denk je dat ik nú boos ben?'

Ja, ze kon zich de dodelijke woede die Royd zou verteren als hij werd dwarsgezeten wel voorstellen. 'Je krijgt er misschien toch mee te maken.'

'Om de dooie dood niet. Als jij Sanborne te pakken wilt nemen, zul je moeten overstappen naar mijn kamp.'

Ze verstrakte. 'Ik wil helemaal...'

'Denk je dat ík dat wil? Maar het kan zijn dat ik je nodig heb. Toen ik hierheen kwam, dacht ik dat er een kans was dat ik je informatie zou kunnen ontfutselen, waardoor het makkelijker zou zijn om Boch en Sanborne aan te pakken. Jij stond op de Amsterdamlijst en ik dacht dat jij met hen samenwerkte.'

'Het spijt me dat ik je heb teleurgesteld.'

'Dat heb je zeker gedaan. Ik kwam hier absoluut niet om Caprio te doden. Ik kwam hier voor jóú.'

Sophie lachte vreugdeloos. 'En in plaats daarvan werd je gedwongen om mijn waardeloze leven te rédden.'

'Voor mij is het niet waardeloos. Dat sta ik gewoon niet toe.'

'Het was ironisch bedoeld. Mijn leven heeft zeker betekenis. Ik ben arts en help mensen. Ik ben moeder en ik denk een goede. En het interesseert me geen bal of mijn leven voor jou wel of niet van waarde is.'

'Jawel, dat interesseert je wel. Jij voelt dat je mij iets verschuldigd bent en daar ga ik het maximale uithalen.' Hij leunde achterover in zijn stoel en strekte zijn benen voor zich uit. 'Dus wen maar aan het idee dat jij Sanborne niet vermoordt, totdat ik je daarvoor het groene licht geef. En hou nu je mond maar en luister.'

'Hou jíj maar op met het uitdelen van orders. Ik doe wat ik zélf wil, Royd.'

'En dus wil je dat REM-4 Sanborne overleeft? Dat gebeurt, weet je. Het onder controle kunnen hebben van de hersenen van anderen is veel te aantrekkelijk voor het uitschot van deze wereld. Er zijn al tientallen jaren allerlei militaire organisaties met experimenten op dat gebied bezig. Maar iedereen liep vast, totdat jij op het toneel verscheen. Jij hebt Sanborne het antwoord op een presenteerblaadje aangeboden. En dus moet je me helpen om alle gegevens en onderzoeken weer in handen te krijgen.'

'Ik hoef helemaal niets te doen wat ik niet wil.'

'Maar je wilt dit wél doen. Je vindt het misschien niet prettig dat ik hier het commando overneem, maar dit is iets wat je wél wilt. Jock vertelde me dat je het onderzoekscentrum op het terrein wilde binnendringen om daar alles te vernietigen wat ook maar enigszins met REM-4 te maken heeft. Maar dat is niet gelukt. En in plaats daarvan bedacht je dat je dan de gifslang zélf maar moest uitschakelen, door zijn kop er af te hakken. Maar je kunt REM-4 niet stoppen door Sanborne te doden. Je zult de hele boel aan moeten pakken, wil je voor elkaar krijgen dat alles voor altijd van de aardbol verdwijnt.'

Ze haalde diep adem en probeerde de afkeer die zijn onbehouwenheid in haar opriep te onderdrukken. Hij had gelijk. Ze had niet verder gedacht dan het vermoorden van Sanborne, toen ze ontdekte dat ze het onderzoeksterrein niet op kwam. Verdomme, ze had nog niet eens iets over Boch geweten.

Royd keek haar doordringend aan. 'Als je zo'n spijt hebt van wat je hebt gedaan, doe er dan wérkelijk iets aan. Zorg dat je REM-4 stopt, verdomme.'

Even was ze stil. 'Hoe?'

'Mooi, een doorbraak.' Hij leunde naar haar over. 'Mijn mannetje in het onderzoekscentrum, Nate Kelly, zegt dat Sanborne het laatste halfjaar bezig lijkt te zijn om finaal te breken met alles en iedereen die ook maar iets te maken heeft met het onderzoekscentrum hier. Een grote schoonmaak. Hij vertelde al dat er geruchten waren over een verhuizing, voordat er ook maar één doos was ingepakt en ze de apparatuur en de dossiers begonnen te verschepen. Sanborne heeft de twaalf personeelsleden die te maken hadden met REM-4 ofwel ontslagen, ofwel overgeplaatst. Kelly heeft met twee van hen, van wie hij de dossiers had weten te vinden, contact proberen op te nemen. Een van hen was omgekomen bij een auto-ongeluk en de andere was op reis en werd nog lang niet terugverwacht.'

'Vermoord?'

'Waarschijnlijk. Zoals ik al zei, grote schoonmaak. Ik kan me indenken dat we... Wat is er?'

Ze beet op haar lip. 'Cindy, die vriendin die me de informatie over Garwood heeft gegeven.'

'Heb je de laatste tijd nog iets van haar gehoord?'

Ze schudde haar hoofd. 'Ruim een jaar geleden heeft ze ontslag genomen bij Sanborne. Maar ze was betrokken bij de eerste experimenten.'

'Misschien is er niets aan de hand. Bel haar.' En na een tijdje: 'Jij zélf zult wel heel hoog op de lijst van om te brengen personen staan.'

'Sanborne heeft niets meer ondernomen sinds vlak nadat ik uit de inrichting werd ontslagen. Hij heeft me toen één keer gebeld en me een hoog bedrag geboden als ik weer voor hem zou komen werken. Ik zei dat hij naar de hel kon lopen. Maar ik heb me wel erg opdringerig gedragen ten opzichte van de FBI en een aantal congresleden. Dat heeft mij weinig opgeleverd, maar Sanborne zou niet willen dat ik onder verdachte omstandigheden om het leven kwam.'

'Maar gisteravond ondernam hij wel iets.'

Dat was waar. 'Ik ben gezien op het terrein van het onderzoekscentrum. Waarschijnlijk heeft hij vanwege zijn eigen veiligheid besloten om zich van me te ontdoen.'

'Je neemt me toch niet kwalijk als ik eraan twijfel dat hij zó geïntimideerd is door jou dat hij meteen actie onderneemt en ervandoor wil. Ik denk dat hij toch al plannen met je had en er hoogstens wat meer haast achter heeft gezet.'

'Waarom wil hij juist nu van al die mensen af?'

'Ik vermoed omdat hij internationaal wil gaan werken.'

'Wat?'

'Hij denkt dat REM-4 rijp is voor buitenlandse klanten. Maar dan hebben ze een plek nodig die buiten de Verenigde Staten ligt, zodat ze vrijelijk kunnen opereren en hun klanten niet in de gaten worden gehouden.'

'Dus hij gaat de oceaan over?'

'Kelly vermoedt van wel. De oceaan over of een eiland vlak bij het vasteland. Het grote geld is te halen op de buitenlandse markt.' Hij trok een gezicht. 'En daarom wil hij er zeker van zijn dat zijn project niet in gevaar wordt gebracht. Dus moet elke verklaring die jij tegen de FBI hebt afgelegd in het niets oplossen en jijzelf daarbij.'

'Maar een strop is nou niet direct iets wat me in het niets zou laten verdwijnen.' Ach, natuurlijk wel, besefte ze. Als iedereen dacht dat het zelfmoord was. 'Waar ergens over de oceaan?'

Royd schudde zijn hoofd. 'Daar is Kelly helaas niet achter kunnen komen. Maar hij weet wél dat de vrachtwagens die het terrein verlaten naar een haven buiten Baltimore gaan.'

Haar handen grepen het laken steviger vast. 'Daar moeten we achter zien te komen.'

'Natuurlijk, alles is erop gericht om dat te weten te komen. Daarom ben ik hier.'

'En je dacht dat ík dat misschien wel wist.'

'Dat hoopte ik. Maar de hele reis is niet voor niets geweest. Ik kan je nog steeds gebruiken.'

'Wát zei je?'

'Is dat niet wat je eigenlijk wilt? Het is overduidelijk dat je wordt opgevreten door schuldgevoelens en op zoek bent naar een manier om het weer goed te maken. Dus, als ik je kan gebruiken, heb jij wat je wilt.'

'Ik hou niet van het woord "gebruiken".'

'Ik noem het beestje gewoon bij zijn naam. Ik ben van plan om je op iedere manier die ik kan bedenken te gebruiken. Manieren die Jock waarschijnlijk niet zou goedkeuren.'

'Wat voor manieren?'

'Sanborne heeft zijn bloedhonden niet voor niets op je gezet.'

'Je hebt me zelf verteld dat hij er zeker van wilde zijn dat de FBI geen aandacht meer aan me zou besteden.'

'En hij wilde ook niet dat zijn buitenlandse klanten enige aandacht aan je zouden geven. Jij bent de enige die de basisformule voor REM-4 kent. Dus heeft hij geen exclusief product, zolang jij nog op de aardbol rondloopt.'

Haar ogen werden groot. 'Hij kan toch niet denken dat ik die kennis zou verkópen. Ik vecht al jaren tegen hem.'

'Sanborne en Bloch geloven in de allesomvattende macht van de corruptie. Heel Garwood was op die aanname gebaseerd. Ze gaan ervan uit dat jij uiteindelijk ooit zult buigen voor de juiste bieder. Jij bent een té grote bedreiging voor hen en daarom moeten ze daar rekening mee houden. En bovendien heb je me verteld dat je destijds werkte aan een verbetering, waardoor REM-4 nog effectiever zou worden. Zoiets willen ze natuurlijk maar al te graag in handen krijgen. En dat betekent dus dat je vanaf nu een van hun belangrijkste doelwitten bent.'

'En?'

'Voor mij is dat goed nieuws,' antwoordde hij eenvoudigweg. 'Als ze je maar graag genoeg te pakken willen krijgen, komen ze vanzelf achter je aan. En ze zouden fouten kunnen maken. Iemand kunnen sturen die informatie heeft die ik zou kunnen gebruiken.' Hij keek haar recht in de ogen. 'Of ik kan je als lokaas gebruiken.'

'En denk je dat ik dat toe zou laten?'

'Ja. Ik begin je door te krijgen. Je zou zo ongeveer alles toelaten als het betekent dat je je zonden van vroeger goed kunt maken.'

'Dat is belachelijk.'

'Het ís zo. Waar of niet?'

Ze gaf geen antwoord. 'Waarom denk je dat in vredesnaam?'

'Omdat we misschien meer op elkaar lijken dan je zou willen. Ik zou me zelfs laten kruisigen, als ik daarmee de klok terug kon draaien.'

Hij zei het heel kalm, maar die enorme passie lag weer op zijn gezicht. 'Waarom?'

'Ik had de keuze en ik maakte de verkeerde. En jij deed precies hetzelfde.'

Eigenlijk wilde ze hem vragen welke keuze dat was geweest, maar aan de andere kant wilde ze hem geen bekentenissen ontlokken die hen misschien dichter bij elkaar zouden brengen. Dat zou net zoiets zijn als je voor de leeuwen werpen.

En inderdaad: ze had al eerder overeenkomsten tussen hen ontdekt. Terwijl hij hier zo groot en sterk zat te wezen, met al die nauwelijks verhulde spanning, was het weer overduidelijk.

Ze wendde haar blik af. 'Ik zou niet zo opofferend zijn.'

'Maak dat een ander wijs. REM-4 beheerst je leven al jaren.' Hij stak zijn hand op, toen ze iets terug wilde zeggen. 'Doe met me mee en zorg ervoor dat REM-4 onschadelijk wordt gemaakt, of ga in je eentje achter Sanborne aan en neem het risico dat ze doorgaan met REM-4. Het maakt mij niet uit.'

'Praat geen onzin. Het maakt je een heleboel uit.'

Hij glimlachte flauwtjes. 'Oké, het maakt me wel uit. Je kunt het me gemakkelijker maken. Misschien.'

Nadenkend keek ze voor zich uit. 'Wat vindt Jock hier allemaal van?'

'Jock wordt tussen verschillende dingen heen en weer geslingerd. Hij moet eigenlijk terug naar Schotland. Hij weet dat ik goed in staat ben om op je te passen. Hij weet ook dat ik je misschien in de steek laat als dat me goed zou uitkomen. En hij heeft het in allebei de gevallen bij het rechte eind.'

Ja, Royd zou precies doen wat hem goed uitkwam. Maar het pad dat naar zijn doel leidde, was hetzelfde pad dat zij ook al jarenlang uit alle macht probeerde te volgen. 'Ik zal erover nadenken.'

'Niet lang. Ik wil dat je hier weggaat. Ik denk dat we nog maar een paar uur hebben voordat Sanborne iemand anders hierheen stuurt, om te kijken hoe het met Caprio staat. Misschien weet hij zelfs al dat Caprio er een potje van heeft gemaakt en heeft hij de opdracht aan iemand anders gegeven.'

'Ik heb een baan, een carrière. Ik kan niet zomaar in het niets verdwijnen.'

'Bel maar op dat je ziek bent. Je bent zelf dokter, nota bene. Verzin gewoon een paar overtuigende symptomen.'

'Ik lieg niet.'

'Ik wel. Als het m'n leven redt.' Hij stond op. 'Ik ga even buiten kijken of alles veilig is. Hou je telefoon bij de hand.' Hij gaf haar een kaartje met zijn mobiele telefoonnummer erop. 'Ik blijf binnen gehoorsafstand. Als ik je niet hoor gillen, ben ik over een uur terug. Dan heb jij de tijd om je zoon over mij te vertellen. En ik zou hem niet naar school laten gaan als ik jou was. Dat zou wel eens gevaarlijk voor hem kunnen zijn.'

Er ging huivering door haar heen. 'Ik zal het overwegen. Maar hij zou er niets van begrijpen.'

'En dat wil je ook niet. Hij heeft al genoeg op zijn bord.' Hij fronste zijn wenkbrauwen. 'Hij zou een probleem kunnen zijn. Daar moet ik iets op bedenken.'

'Jij komt nog niet eens in de búúrt van mijn zoon. Je gaat hém nergens voor gebruiken.'

Hij glimlachte. 'Zie je wel, je hebt al geaccepteerd dat ik je ga gebruiken. De ongelofelijke kracht van schuldgevoelens.'

Verbouwereerd staarde ze hem aan. 'Jezus, ik denk dat je werkelijk een vreselijke, afschuwelijke man bent, Royd.'

'Ik geloof dat je gelijk hebt.' Hij liep naar de deur. 'En wie zou je liever hebben om je te ontdoen van een nog afschuwelijkere man? Je hoeft je niet eens druk te maken over wie daarbij het loodje legt.' Hij keek even om. 'Ik zal het koffieapparaat aanzetten. En dan bel ik Jock dat hij weer hierheen moet komen. Zeg hem maar dat het geen probleem is als hij terug naar MacDuff, naar Schotland gaat.'

'Dat heb ik al tegen hem gezegd.'

'Maar nu heb je nog veel overtuigendere argumenten.'

'Ik heb nog geen besluit genomen, Royd.'

'Doe dat dan maar snel. Ik ben je beste optie. Ik zal je zelfs de belofte doen dat jij en je zoon niet gedood zullen worden, als je maar precies doet wat ik zeg.'

Ze hoorde dat hij de gang uitliep en de voordeur achter zich dichtsloeg.

Mijn god.

Vermoeid liet ze zich weer achterovervallen in de kussens en dacht na over alles wat Royd had gezegd. Voordat hij in beeld kwam had ze gedacht dat ze met het vermoorden van Sanborne alle misère die ze had veroorzaakt teniet zou kunnen doen. Maar nu wist ze beter. Het was veel ingewikkelder en veelomvattender dan ze had gedacht.

Maar ze zou niet in haar eentje zijn.

Of zij nu wel of niet achter Sanborne aanging, Royd zou dat zeker doen. En zij was degene die zich zou moeten voegen naar wat Royd wilde. Nee, dat was niet helemaal waar. Misschien zou hij haar wel dwingen en gebruiken, zoals hij had gezegd, maar ze hoefde zich niet schuldig te voelen als zij hém zou gebruiken.

Ze was veel te gespannen om nog rustig in bed te kunnen

blijven liggen en dus stond ze op en liep naar de badkamer. Een kwartiertje later was ze aangekleed en op weg naar de keuken.

Toen ze bij de deuropening stond, verstijfde ze.

De klootzak. De manipulerende klootzak. Loop naar de hel.

Op het aanrecht, naast de koffiepot, waar ze ze wel móést zien, lagen de twee stroppen die Jock in de vuilnisbak had gegooid.

'Oké, je bent daar niet langer nodig,' zei MacDuff. 'Kom naar huis, Jock.'

'Sanborne roert zich. Hij heeft geprobeerd om haar te vermoorden.'

'En Royd heeft dat weten te voorkomen. En je hebt me gezegd dat Royd haar veiligheid garandeert. Vertrouw je hem niet?'

'Ik vertrouw de man die ik een jaar geleden heb ontmoet. Ik denk dat ik de man die hij nu is ook vertrouw, maar ík ben niet degene wiens leven gevaar loopt. Kun jij Venable niet bellen bij de CIA en proberen een recent rapport over hem te krijgen?'

'Venable werkt niet in Zuid-Amerika. En hij heeft promotie gemaakt sinds hij er mede voor heeft gezorgd dat we van Reilly af zijn. Het kan zijn dat hij zijn baan niet in gevaar wil brengen door het prijsgeven van geheime informatie.'

'Gebruik je overredingskracht. Hij móét wel contacten in Zuid-Amerika hebben. Ik moet het weten.'

'En als het rapport positief is, dan kom je naar huis?'

Jock was even stil. 'Voor een tijdje. Ik moet afwachten hoe het gaat.'

MacDuff vloekte zachtjes. 'Jock, het is niet...' Hij hield op. 'Ik bel je terug.' En hing op.

Jock drukte op een toets en verbrak de verbinding. Hij zou even een douche nemen en dan teruggaan naar Sophies huis. Royd had verteld dat hij tegen haar had gezegd dat ze thuis moest blijven en Michael daar ook moest houden, maar Royd kende Sophie niet. Ze zou gewoon doen wat ze zélf het beste vond en zich niets aantrekken van Royd.

Met een beetje geluk zou MacDuff snel achter de informatie zijn die hij wilde hebben. Als de laird ergens zijn aandacht op richtte, was het met vastbeslotenheid en een nietsontziende efficiëntie. Hij wilde dat Jock naar huis kwam en hij zou alles doen wat hij maar kon om dat voor elkaar te krijgen.

En Jock wist ook dat als MacDuff zijn zin niet kreeg, hij waarschijnlijk op het eerstvolgende vliegtuig naar Washington zou stappen. Mijn god, Jock wilde niet dat hij betrokken raakte in deze puinhoop. MacDuff had zijn leven, plus zijn geestelijke gezondheid, ooit gered en alleen al het feit dat hij wist dat de laird ergens op de achtergrond was, hield Jock tegenwoordig op het juiste pad. Maar ooit moest hij toch wat minder afhankelijk van zijn vriend kunnen worden.

Zijn telefoon ging.

'Ze is net met dat kind in de auto gestapt,' hoorde hij Royd zeggen. 'Waar denkt ze in vredesnaam naartoe te gaan?'

'Had ze bagage bij zich?'

'Nee.'

'Dan brengt ze gewoon Michael naar school. Waarschijnlijk blijft ze gewoon in de auto zitten wachten om er zeker van te zijn dat hem niets gebeurt.'

'Ik zei verdomme dat ze hem thuis moest houden.'

'Volg je haar nu?'

'Ja, natuurlijk.'

'Mocht je ze kwijtraken, Michael gaat naar de Thomas Jefferson School. En ik zou haar maar niet proberen ergens mee te confronteren in de stemming waarin je nu bent. Niet als je nog wilt dat ze meewerkt. Je moet iets gedaan hebben wat haar van streek heeft gebracht. Is dat zo?'

'Misschien. Ik heb een bepaald risico genomen. Het zou haar óf bang maken, waardoor ze razendsnel mijn kant kiest, óf haar afstoten.'

'Het lijkt erop dat je hebt verloren.'

'Misschien is zíj wel degene die heeft verloren. Boch en Sanborne zullen nu toch wel weten dat Caprio zijn missie niet heeft volbracht. Dus sturen ze iemand anders.'

'Maar die zullen eerst de boel nog moeten verkennen, om er zeker van te zijn dat alles veilig is.'

'Ze is niet veilig in dat huis. Misschien wel nergens in deze stad. Overtuig haar daar maar van.'

Jock was even stil. 'Maar bij jou is ze wel veilig?'
'Dat heb ik haar beloofd en ik hou me aan mijn beloftes, Jock. Praat met haar.'
'Ik zal erover nadenken.'
Nu zei Royd even niets. 'Ik ben niet zoals jij, Jock. Ik zal niet vriendelijk of vergevingsgezind zijn tegen haar als ze iets verkeerd doet. Ik zal haar manipuleren en gebruiken om voor elkaar te krijgen wat ik wil. Maar uiteindelijk zal dat de dood van REM-4 betekenen en zal zíj blijven leven. En dat willen we toch allebei?'
'En dus heiligt het doel de middelen?'
'Ja, verdomme. Doe nou niet net of je er anders over denkt.'
'Dat probeer ik ook niet te doen. Dat hebben we allebei wel geleerd in Garwood. Ik gun die klootzakken geen ene moer.'
'Maar dat helpt niets, is het wel?'
Nee, dat hielp ook niet echt, dacht Jock moedeloos. Die hersenspoelingen die ze hadden moeten ondergaan, hadden als doel gehad de meest wrede driften in de mens op te roepen. 'Soms.'
'Ja, soms. Maar niet als het met Boch of Sanborne te maken heeft.' Het was even stil. 'Ik rijd nu door een schoolzone.'
'In welke straat?'
'Sycamore.'
'Ik zei het toch. Ze brengt hem naar school. Ze parkeert de auto en blijft gewoon zitten om de school in de gaten te houden. Met Michael neemt ze geen risico. Wil je dat ik het surveilleren van je overneem?'
Stilte. 'Ja, ik moet Kelly te pakken zien te krijgen en bedenken hoe we het verder aan gaan pakken. Ik bel je wel als ik het weer kan overnemen.'
'Oké, ik ben er over een halfuur.'

Die verdomde Jock.
MacDuff stond op en liep naar het raam van zijn studeerkamer om naar beneden te staren, naar de golven die stuksloegen op het klif. Hij zat helemaal niet te wachten op het probleem dat Jock hem in de schoot had geworpen. Waarom kon die jongen niet gewoon doen wat hij hem had opgedragen en naar huis komen?

Omdat Jock niet langer een jongen was en tegenwoordig deed wat hij wilde, niet wat MacDuff hem opdroeg. Op een bepaalde manier was het makkelijker geweest toen Jock nog die zieke robot was die maanden geleden door hem in een inrichting was gevonden.

Makkelijker, niet beter. Jock begon langzaam te veranderen in de man die hij had kunnen zijn als hij niet het slachtoffer was geworden van Thomas Reilly. Nee, dat was niet waar. Hij was echt veranderd door alles wat hij had moeten ondergaan en hij zou nooit meer dat levendige, vrolijke jongetje worden dat zijn hele jeugd in en rond het kasteel had gedarteld. Maar hij had wel een kans om uit de duisternis terug te komen in het licht en hij, MacDuff, zou dat verdomme voor elkaar zien te boksen.

Oké, zorg dat hij thuiskomt. Betrek hem bij het zoeken en zorg dat hij die Sophie Dunston en al haar problemen uit zijn hoofd zet. Jock had zelf genoeg problemen.

Hij pakte zijn telefoon en toetste het nummer van Venable in. 'Met MacDuff. Ik moet je om een gunst vragen.'

'Alweer. Ik heb je al een enorme dienst bewezen door je de jurisdictie over Jock toe te kennen. Ik ben niet van plan om mijn baan nog een keer op het spel te zetten.'

'Het heeft niet veel om het lijf. Ik heb alleen wat informatie nodig.'

Venable was even stil. 'Ik heb je toch gezegd dat ik niets kan ondernemen tegen Sanborne. Hij heeft veel te veel macht. Niemand kan hem aanpakken, tenzij hij een vrachtwagen vol bewijslast heeft. Ik heb Garwood laten checken en er was geen enkele link met Sanborne te vinden. Het was een plasticfabriek die al na een jaar failliet ging. En de CIA denkt over Sophie Dunston dat ze geestelijk gestoord is en wraak wil nemen op het bedrijf waar ze is ontslagen.'

'Jock gelooft haar.'

'En dacht je dat de CIA hém als geestelijk stabiel ziet? Mijn god, hij zat óók in een psychiatrische inrichting. En hij heeft tot drie keer toe geprobeerd zelfmoord te plegen.'

Op Jocks verleden konden ze maar beter niet al te diep ingaan, dacht MacDuff. Venable had hem eigenlijk het voogdijschap over Jock helemaal niet willen toekennen en kon er op dit moment maar beter niet aan herinnerd worden hoe onberekenbaar Jock was geweest. 'Ik vraag je niet om achter Sanborne aan te gaan.'

'Mooi, want dat zou ik ook niet doen.'

'Ik wil graag dat je iemand natrekt, iemand die aan een van jullie operaties in Colombia werkt. En die informatie heb ik meteen nodig. Een paar uur, hoogstens.'

'Dat is nogal wat. Ik heb het druk.'

'Dat weet ik. Maar het zal me helpen om Jock hier weer terug onder mijn hoede te krijgen en ik weet dat jij het er nooit mee eens bent geweest dat hij ergens anders in zijn eentje zit.'

'Ja, daar heb je gelijk in,' antwoordde Venable zuur. Hij slaakte een zucht. 'Oké, geef me verdomme de naam maar.'

'Hoi, Sophie.'

Even verstijfde ze, maar ze ontspande meteen weer toen ze zag dat het Jock was die naar haar auto toe kwam lopen.

Hij hield een papieren tasje naar haar omhoog. 'Ik heb een cheeseburger en friet voor je meegebracht. Ik wed dat je niet hebt ontbeten en je zit hier nu al vier uur, dus ik dacht dat je wel wat brandstof kon gebruiken.'

'Hoe weet je dat?' Ze deed de deur aan de passagierskant van het slot, pakte de cheeseburger aan en haalde het papier eraf. 'Heb je me gevolgd?'

'Nee, Royd heeft je gevolgd. En hij deed je over aan mij. Omdat hij andere dingen moest doen, beweerde hij, maar ik vermoed dat hij wil dat ik je opgezette stekels weer een beetje gladstrijk. Hij zei dat hij een risicovolle zet had gedaan en dat die wel eens het tegenovergestelde effect zou kunnen hebben bewerkstelligd.'

'Klootzak.' Ze nam een hap van haar cheeseburger. 'Mijn god, wat een kouwe kikker.'

'Niet echt. Eerder het tegenovergestelde. Hij is juist vol vuur. Frietje?'

Ze nam er eentje. 'Zit je hem te verdedigen?'

'Nee, ik leg alleen maar uit hoe hij in elkaar zit. En ik zou er geen woord aan verspillen als ik niet geloofde dat het nodig is dat je hem begrijpt.'

'Waarom?'

'Dat weet je denk ik wel. Je bent wel boos, maar ik denk dat je ook wel beseft dat Royd je kan helpen.'

'En dan moet ik hem maar vertrouwen?'

Hij knikte. 'MacDuff denkt dat dat kan.'

'Wat?'

'Ik heb hem gevraagd om Royds activiteiten in Colombia na te trekken.'

'En?'

'Een vriend bij de CIA heeft contact gezocht met Ralph Soldono, degene die met hem in Colombia werkt. Soldono is erg onder de indruk van Royd. Hij vindt hem een soort militaire superman. Hij pakt de dingen óf in zijn eentje óf met een paar van zijn mensen aan en rondt elke operatie met succes af.'

'Wat voor soort operaties?'

'Alles. Van het redden van door rebellen gekidnapte zakenmensen tot het onschadelijk maken van een uitermate wrede groep bandieten. Hij is snel, slim en geeft nooit op.'

Sophie dacht aan dat aureool van zelfvertrouwen dat Royd omgaf. 'Dat had ik kunnen weten.'

'Soldono vertelde ook nog dat Royd nooit een opdracht heeft aangenomen om hem later terug te geven, als het een heel gevaarlijk en smerig zaakje bleek te zijn.' Even was het stil. 'En dat hij altijd woord hield. Dat is wat je écht wou weten, is het niet?'

'Ja, dat is wat ik wilde weten.' Haar handen knepen de cheeseburger zo ongeveer fijn. 'Hij heeft me beloofd dat hij ervoor zou zorgen dat Michael bleef leven en dat REM-4 vernietigd zou worden. Geloof jij hem?'

Jock glimlachte. 'Ik weet wel beter dan me te bemoeien met jouw beslissingen. Ik kan je alleen de beste informatie toespelen die ik kan krijgen en het dan aan jouw oordeel overlaten. Hij is duidelijk ongelofelijk goed en Soldono vindt hem betrouwbaar. Buiten dat is hij niet subtiel, tactisch of beleefd en hij zet je leven misschien wel op het spel. Jij moet zien in te schatten of hij in staat is ervoor te zorgen dat je niet wordt vermoord en of je dat het risico waard vindt. En hij zal je waarschijnlijk tien keer op een dag tegen je haren instrijken.'

Haar lippen knepen samen, terwijl ze aan de twee stroppen op het aanrecht dacht. 'O, zeker.'

Jock bestudeerde haar gezicht. 'Maar je neigt naar zijn kant.'

'Je weet dat ik het terrein van het onderzoekscentrum heb willen binnendringen om alles wat met REM-4 te maken heeft te vernietigen. Maar het is me niet gelukt om dat te doen. Royd heeft iemand die in het onderzoekscentrum werkt en zodoende weet hij meer dan ik. Waarschijnlijk veel en veel meer. Hij zegt dat hij mij gaat gebruiken. Hij doet zijn best maar.' Ze gooide de rest van haar broodje terug in de papieren zak. 'Het zou nog wel eens kunnen gebeuren dat ik hém gebruik.' Ze keek hem recht aan. 'Maar ik wil niet dat jij hier iets mee te maken hebt, Jock. Ga naar huis.'

'Dat blijven ze maar tegen me zeggen.' Hij trok een gezicht. 'En als ik denk dat Royds aanvalsplan goed is, ga ik misschien wel voor een tijdje terug naar MacDuff. Ik zie wel. Heb je iets aan Michael verteld?'

'Nee, ik heb hem laat wakker gemaakt en dat was meteen mijn excuus om hem met de auto naar school te brengen.'

'Dat kan zo niet doorgaan. Hij zal...'

'Dat weet ik wel,' onderbrak ze hem. 'Maar ik ga hem helemaal niets vertellen, totdat het echt noodzakelijk is. Het kost me nu al moeite genoeg om hem rustig te houden. Ik wil niet dat hij nog meer redenen heeft om nachtmerries te krijgen.'

Jock knikte. 'Zorg alleen dat je er klaar voor bent.' Hij deed het portier open. 'Ik ga weer terug naar mijn eigen auto. Ik moet een paar mensen bellen. Ik blijf wel hier en haal Michael uit school, als je wilt.'

Ze schudde haar hoofd. 'Hij heeft weer voetbaltraining. En daarna neem ik hem mee naar de snackbar, voor we naar huis gaan.'

'Heb je gezelschap nodig?'

'Nee. Ik heb alle afspraken uit mijn agenda voor vandaag afgezegd en ik moet nodig een paar dingen overdenken.'

'Ik blijf hier nog wel een tijdje in de buurt. En Royd of ik zal je de rest van de dag in de gaten houden. Bel me als je van gedachten verandert.'

Ze bleef hem nakijken, terwijl hij wegliep. Natuurlijk had ze veel liever dat Jock bij haar in de buurt bleef dan Royd en ze wenste dat ze dat gevoel maar kwijt kon raken. Maar Royd was fanatiek en Jock moest nodig naar huis. Het was veel beter om het met die klootzak vol te houden, totdat ze haar eigen weg weer duidelijk voor zich zag.

6

'Wat is er aan de hand, mam?' Michael keek haar niet aan; zijn ogen staarden door het autoraampje naar buiten. 'Wat is er mis?'

Haar handen grepen het stuur steviger vast. Michael was erg stil geweest tijdens het eten en ze had dit al zo half en half verwacht. 'Wat bedoel je?'

'Je maakt je zorgen. Eerst dacht ik dat het om mij was, maar er is meer. Toch?'

Ze had kunnen weten dat haar innerlijke onrust Michael niet zou ontgaan. Na alles wat hij had meegemaakt waren zijn voelhorens messcherp geworden. Soms vroeg ze zich af hoe hij in vredesnaam nog zo normaal kon zijn. 'Het is niet iets waar jíj je druk over hoeft te maken. Het heeft met mijn werk te maken.'

Zijn ogen vlogen naar haar gezicht. 'Eerlijk?'

Ze aarzelde. Ze wilde hem beschermen, maar was het wel goed om hem de waarheid te onthouden? De situatie begon akelige vormen aan te nemen en er kwam misschien een tijd waarin hij daarmee zou worden geconfronteerd. 'Ja, het is niets om je nu zorgen over te maken. En nee, het gaat eigenlijk niet over het werk.'

Even keek hij stil voor zich uit. 'Opa?'

Ze beet op haar lip. Dat was de eerste keer dat hij het over zijn grootvader had, sinds die afschuwelijke dag op de pier. 'Gedeeltelijk. Het kan zijn dat ik je voor een tijdje naar je vader moet sturen.'

Michael schudde zijn hoofd. 'Hij wil niet dat ik kom.'

'Natuurlijk wel. Hij houdt van je.'

'Maar hij doet raar als ik er ben. Volgens mij is hij blij als ik weer naar huis ga.'

'Misschien denkt hij wel dat jij liever niet bij hém bent. Jullie moeten er eens over praten.'

Hij schudde zijn hoofd opnieuw. 'Hij wil niet dat ik kom. En ik zou toch niet gaan. Als jij in de problemen zit, blijf ik bij jou.'

Dat kreeg je dus als je eerlijk was. Ze slaakte een diepe, gefrustreerde zucht. 'We praten er later, als we thuis zijn, nog wel over. Ik zit niet echt in de problemen en er is niets...'

'Moet je kijken, al die vrachtwagens.' Michael draaide het raampje naar beneden. 'Wat zou er aan de hand zijn?'

Drie blauw-witte vrachtwagens met *Baltimore Elektriciteit en Gas* op de zijkant stonden langs de stoeprand geparkeerd met hun blauwe zwaailichten aan. Haar eigen koplampen beschenen een politieman die midden op straat stond te praten tegen de bestuurder van een andere auto.

Ze nam gas terug en stopte. 'Ik weet het niet. We zullen zien.' De agent gebaarde tegen de bestuurder vóór haar dat hij door kon rijden en kwam vervolgens in haar richting lopen. 'Wat is er aan de hand, agent?'

'Een gaslek. Woont u in deze straat?'

'Nee, vier straten verderop.' Vanuit haar ooghoeken keek ze naar de grijs geüniformeerde mensen die de deuren langsgingen. 'Evacueren zij de bewoners?'

'Nee, ze checken de huizen op gaslekken en ze willen dat wij iedereen daar weghouden, totdat ze daarmee klaar zijn.' Hij glimlachte. 'Ze hebben tot nu toe pas twee keer een miniem lek gevonden. Maar we moeten voorzichtig zijn. We geven iedereen uit de straat het advies om geen elektriciteit te gebruiken, totdat het groene licht weer wordt gegeven.'

'Ik woon op High Tower Street. Geldt dat voor ons ook?'

Hij keek in zijn papieren. 'Er worden geen lekken gemeld voorbij Northrup. Dus voor u moet er geen probleem zijn. Maar het is misschien wel een goed idee om wat voorzorgsmaatregelen te nemen.' Hij gebaarde dat ze verder kon rijden. 'Als u nog vragen hebt, kunt u het beste het gasbedrijf bellen.'

'Oké, dat zal ik doen.'

'Kunnen we het gas ruiken als er een lek is?' vroeg Michael, terwijl ze voorbij de wegafzetting reden.

'Jazeker. Er wordt een geur aan gas toegevoegd, zodat we het merken als er een gaslek is. Dan kunnen mensen dat aan het gasbedrijf doorgeven.' In de volgende straat zagen ze verder geen vrachtwagens meer en daarna ook niet. En in de straat waar ze woonden was het gelukkig ook rustig. 'Ik denk dat we toch het beste het gasbedrijf even kunnen bellen.' Ze reed de oprit op en drukte onderwijl een knopje op de afstandsbediening in, die de automatische garagedeur zou openen. 'Eigenlijk kunnen we dat het beste doen, voordat we...'

'Stop.' Royd sprong naast de auto. 'Nu!'

Automatisch trapte ze op de rem.

'Eruit! Allebei!'

Het klonk zó urgent, dat ze niet aarzelde. Ze opende haar portier. 'Michael, eruit.'

'Mam, wat...' Maar hij kroop ondertussen de auto uit.

'Goed zo.' Royd nam plaats op de bestuurdersstoel. 'Ga naar mijn auto, die beige Toyota die hiervoor op de straat staat geparkeerd. De sleutels zitten erin. Zorg dat je zo snel mogelijk zo ver mogelijk hiervandaan bent. Ik bel je wel als het veilig is om terug te komen.'

Ze aarzelde.

'Maak verdomme dat je hier weg komt.'

Ze greep Michaels hand en rende met hem naar de Toyota.

Even later waren ze al halverwege de straat.

'Mam, wie was...'

'Sst.' Haar ogen waren op de achteruitkijkspiegel gericht. Wat verdomme... Haar auto rolde naar de open garagedeur. En plotseling maakte de auto een raar soort sprong naar voren.

Ze zag Royd eruit duiken en wegrollen over het grasveld, terwijl de auto langzaam doorreed de garage in.

Wat gebeurde er toch?

Michael keek om. 'Wat doet-ie? Waarom zei hij dat we...'

Het huis explodeerde!

De ramen van de Toyota trilden door de kracht van de explosie.

Vlammen.

Stukken hout, hele deuren en glas dat versplinterde over het grasveld.

Royd!

Waar was Royd?

Ze had hem het laatst op het grasveld gezien, maar nu kwam er zwarte rook uit de ruïne die eens haar huis was geweest en was het gazon bedekt met brandende balken.

Haar telefoon ging.

'Ga de hoek om en rijd naar het einde van de straat,' hoorde ze Royd zeggen. 'En stop niet voordat je daar bent. Ik zie je daar.'

'Wat is er gebeurd? Wat heb je gedaan?'

Maar hij was weg.

Ze gooide de telefoon neer en maakte een U-bocht om terug te gaan. Ondertussen ving ze een glimp op van mensen die hun huizen uitrenden en naar het andere eind van de straat holden, naar de vlammenzee die eens haar huis was geweest.

Haar huis. Haar thuis. Michaels thuis.

Ze keek naar hem. Hij was heel bleek en zijn handen zaten om zijn schooltas geklauwd. 'Hou je haaks, Michael. We zijn veilig.'

Hij schudde zijn hoofd en bleef strak voor zich uit kijken. Waarschijnlijk was hij in shock.

En dat was natuurlijk logisch. Ze was zélf in shock.

Royd stond op de hoek te wachten. Zodra ze langs de stoeprand stopte, sprong hij achterin. 'Rijden. Weg hier. Ik wil niet dat je gezien wordt.'

Toen ze het gaspedaal intrapte, hoorde ze voor het eerst het gejank van sirenes. 'Waarom niet?'

'Straks. Rij deze buurt uit en ga op de kruising naar links.' Hij klapte zijn telefoon open en toetste een nummer in. 'Jock, de hel is hier losgebroken. Kom naar de La Quinta Inn op de A40.' Hij hing op. 'Stop even zodat ik het stuur over kan nemen en jij en de jongen op de achterbank kunnen zitten.'

'Hou op met die bevelen, Royd.' Ze probeerde rustig te klinken. 'Het enige wat ik nu nodig heb zijn antwoorden.'

'Maar dat is waarschijnlijk niet wat die jongen nodig heeft,' zei hij kalm. 'En ík kan hem op dit moment niet helpen.'

Natuurlijk. Hij had gelijk. Michael had net zijn huis de lucht in zien gaan en ze had al geconstateerd dat hij in shock was. Hij had haar nodig. Ze stopte langs de kant van de weg. 'Kom maar, Michael. We gaan achterin zitten.'

Hij protesteerde niet en gehoorzaamde, maar zijn bewegingen waren stijf en ongecoördineerd.

'Het is goed, Michael.' Dat was een leugen. 'Nee, natuurlijk is het niet goed.' Ze sloeg haar arm om zijn schouders. 'Het is verschrikkelijk, maar we vinden wel een manier om het weer goed te maken.'

Hij keek haar niet aan. Zijn blik was gefixeerd op Royd, die plaatsnam in de chauffeursstoel. 'Wie is dat?'

'Zijn naam is Matt Royd.'

'Hij heeft ons huis opgeblazen.'

'Nee, dat heeft híj niet gedaan. Hij wil ons geen kwaad doen.'

'Maar waarom heeft...'

'Zodra ik het zelf weet, zal ik het aan jou uitleggen. Kun je wachten tot we in dat motel zijn en we dat uit kunnen zoeken? Jock komt daar ook naartoe.'

Langzaam knikte hij.

'Goed zo.' Ze leunde achterover en trok hem tegen zich aan. 'Ik zorg ervoor dat niemand je kwaad kan doen, Michael.'

Hij tilde zijn hoofd op om haar strak aan te kunnen kijken. 'Waar zie je me voor aan, mam? Ik ben niet bang dat míj iets overkomt, ik ben bang voor jóú.'

Haar armen hielden hem nog steviger vast. 'Sorry.' Ze schraapte haar keel. 'Nou, ik laat mezelf ook niets overkomen.' Ze sloeg haar ogen op en ving Royds blik in de achteruitkijkspiegel. 'Zorg dat we snel in dat motel zijn, Royd. Mijn zoon en ik willen antwoorden hebben.'

'Wacht hier.' Royd sprong de auto uit en liep met grote stappen naar de receptie van het motel. Vijf minuten later was hij terug en stapte weer in. 'Kamer tweeënvijftig. Begane grond. De kamers naast je zijn niet bezet. Ik heb ervoor betaald om dat zo te houden.'

Hij parkeerde de auto op de parkeerplaats voor de kamer en

gaf haar de sleutel. 'Doe de deur achter je op slot en leg die jongen in bed. Ik wacht hier op Jock.'

'Ik ben niet "die jongen",' merkte Michael op. 'Mijn naam is Michael Edmunds.'

Royd knikte. 'Mijn excuses. Ik ben Matt Royd.' Hij stak zijn hand uit. 'Alles is nogal rommelig op het moment, maar dat is nog geen reden voor mij om net te doen of je er niet bent. Neem jij je moeder mee naar de hotelkamer en geef je haar een glas water? Dat heeft ze nodig, volgens mij. Ze ziet er een beetje bibberig uit.'

Michael staarde naar de uitgestoken hand van Royd en stak toen langzaam de zijne uit om Royd de hand te schudden. 'Dat verbaast me niets,' antwoordde hij schor. 'Maar dat komt wel goed. Ze is een taaie.'

'Ja, dat is wel duidelijk.' Royd richtte zijn blik weer op Sophie. 'En ik denk dat die Michael van jou ook een taaie is. Het lijkt mij een goed idee om openhartig tegen hem te zijn.'

Ze stapte de auto uit. 'Ik heb echt jouw advies niet nodig over hoe ik met mijn zoon moet communiceren. Kom, Michael.'

'Wacht even.' Michael keek Royd aan. 'Als jíj ons huis niet hebt opgeblazen, dan moet het iemand anders zijn geweest. Het was geen ongeluk, toch?'

Royd aarzelde niet. 'Inderdaad. Het was geen ongeluk. Het was meer iemand die probeerde het op een ongeluk te laten lijken.'

'Genoeg,' zei Sophie.

Royd haalde zijn schouders op. 'Blijkbaar is dit een tijd waarin ik alleen maar blunders maak.'

'En de grootste blunder zou zijn dat je me niet heel snel vertelt wat er gaande is.' Even keek ze naar Michael. 'Ons, bedoel ik.'

Royd glimlachte flauwtjes. 'Ik dacht al dat je dat bedoelde. Ik kom naar je kamer, zodra Jock is gearriveerd.'

'En dat is je geraden ook.' Kordaat liep ze naar de deur en draaide die van het slot. 'Ik heb er genoeg van om in het ongewisse te worden gelaten, Royd.'

'Hij zei dat je de deur op slot moest doen,' hoorde ze Michael zeggen, toen ze de deur in Royds gezicht dichtsmeet.

Ze draaide de sleutel om. 'Dat ging ik ook doen.'

'Je bent boos op hem.' Michael keek haar aandachtig aan. 'Waarom?'

'Hij strijkt mijn haren de verkeerde kant op.'

'Maar heeft hij ons eigenlijk niet gered?'

'Ja, zoiets ja.'

'Maar je vindt hem niet aardig.'

'Ik ken hem niet goed. Maar hij is wel zo iemand die gewoon over je heen gaat als je niet voor hem opzij gaat.'

'In het begin mocht ik hem ook niet zo, maar misschien is hij wel niet zo erg.'

'Wat?'

'O, niet zoals Jock,' zei Michael snel. 'Maar op de een of andere manier voel ik me wel veilig bij hem. Zoiets als Schwarzenegger in die *Terminator*-film, die ik bij papa heb gezien.'

Ja, dat kon je wel aan Dave overlaten: om Michael naar films te laten kijken die eigenlijk niet waren toegestaan.

'Royd is niet de een of andere futuristische Terminator.' Vreemd dat hij die gewelddadige dodelijke trek in Royds karakter had opgepikt, maar misschien was het niet zo slecht dat iets of iemand hem op dit moment een gevoel van veiligheid gaf. 'Maar je kunt je zeker veilig bij hem voelen. Hij zat vroeger bij de SEAL's en hij weet wat hij doet.'

'De SEAL's?'

Dat had indruk gemaakt, zag ze. Misschien wel te veel. 'Ga eens zitten en probeer een beetje uit te rusten. We hebben nogal een avond achter de rug.'

Michael schudde zijn hoofd. 'Ga jíj maar zitten.' Hij liep naar de badkamer. 'Meneer Royd zei dat ik je een glas water moest geven.'

'Meneer Royd is een...' Ze hield zich in. Het was goed voor Michael om bezig te zijn en zich beschermend te gedragen ten opzichte van haar. Het zou zijn gedachten afleiden van wat er de laatste paar uur was gebeurd. Dus liet ze zich neervallen in de gemakkelijke stoel bij het bed. 'Bedankt. Dat zou heerlijk zijn.'

Even later gaf hij haar het glas water aan en plofte daarna op het bed neer. 'Niets te danken.' Hij trok een ernstig gezicht. 'En meneer Royd had gelijk. Ik moet weten wat er aan de hand is, mam, dan kan ik helpen.'

Mijn god, hij klonk absoluut niet als een kind.

Maar dat betekende nog niet dat zij hem kon belasten met deze verschrikking.

Een verschrikking die nu al voor de tweede keer wel heel erg dichtbij kwam. Als ze hem niet op z'n minst een deel van het hele verhaal vertelde, liep ze het risico dat hij zich nog verder terug zou trekken in zijn nachtmerries. Het in het ongewisse gelaten worden was uiteindelijk vaak destructiever dan de confrontatie met de afschuwelijke realiteit. Welke van de twee het beste voor Michael zou zijn, viel niet te voorspellen.

'Mam.' Grote, smekende ogen in een gespannen gezicht. 'Sluit me alsjeblieft niet buiten. Ik moet je helpen.'

'Michael...' Ze stak haar hand uit om zijn gezicht aan te raken. Jezus, wat hield ze veel van hem. Wat moest ze hem in vredesnaam vertellen? Dat zijn moeder zich erop had voorbereid om een man te doden? Dat er gisteravond een man in hun huis was geweest, maar een paar meter van zijn bed vandaan, die hen allebei had willen vermoorden? Oké, dat gedeelte kon ze beter overslaan. Ze zou hem het achtergrondverhaal vertellen. Dat was al erg genoeg. 'Jaren geleden maakte ik me grote zorgen om je grootvader. Ik denk dat jij het je niet meer kunt herinneren, maar hij had last van afschuwelijke nachtmerries. Net zoiets als jij. En hij sliep heel slecht en weinig. Ik wilde hem heel erg graag helpen. Dus begon ik te werken aan...'

'Was het die Sanborne die ons huis heeft opgeblazen?' vroeg Michael.

Sophie knikte. 'Misschien. Hij heeft er in ieder geval de opdracht toe gegeven.'

'Omdat hij jou dood wil hebben. Haat hij je zó erg?'

'Ik denk niet eens dat hij me haat. Ik sta gewoon in de weg. Hij wil iedereen die ooit iets te maken heeft gehad met REM-4 van de aardbodem laten verdwijnen.'

'Nou, ik haat hém wel.' Michaels ogen brandden van woede. 'Ik wil hem vermoorden.'

'Michael, ik begrijp het, maar ik moet wel een gedeelte van de schuld op me nemen. Het is niet...'

'Hij heeft opa en oma en al die andere mensen heel veel

kwaad gedaan. Jou ook.' Hij wierp zichzelf in haar armen. 'Het is jouw schuld niet. Het is jouw schuld niet. Het is zíjn schuld. Hij heeft het allemaal gedaan.'

Terwijl ze hem stevig vasthield, voelde ze zijn tranen tegen haar wang. 'Hij wordt echt wel gestraft, Michael. Maar het is gewoon moeilijk om de manier waaróp te vinden.'

'Waarom? De goeden moeten toch helpen. De goeden moeten toch winnen van de slechteriken.'

'We gaan ook winnen.' Ze duwde hem een beetje van zich af om hem goed aan te kunnen kijken. 'Dat beloof ik je, Michael.' Ze moest ervoor zorgen dat hij dat geloofde. 'We gáán winnen.'

'Hij heeft ons huis in de lucht laten vliegen,' zei hij fel. 'Waarom gaan we zíjn huis niet gewoon opblazen?'

Lieve hemel. 'Oog om oog?'

'Ik wed dat meneer Royd dat zou doen. Zullen we het hem vragen?'

'We hebben hem een heleboel te vragen. Maar ik geloof niet dat dit iets is wat we moeten weten.' Ze gaf hem een kus op zijn voorhoofd. Tijd om aandacht te besteden aan de gewone alledaagse dingen, zodat er een kans was op een ongestoorde nachtrust voor hem. 'Nou, ga je maar even opfrissen. We hebben allebei niet al te veel avondeten gegeten, ik zal Domino's bellen om een pizza te bestellen.'

'Ik heb geen honger.' Hij fronste zijn voorhoofd. 'Maar jij moet wel wat eten, dus ga je gang.'

'Dankjewel. Misschien kun je toch wel een paar hapjes naar binnen krijgen. Ik ga even aan Royd vragen of hij ook iets wil.' Ze liep naar de deur. 'En Jock komt hier ook naartoe. Hij houdt van pizza pepperoni, is het niet?'

'Met champignons.' Michael ging naar de badkamer. 'Ik ben zo klaar.'

Michaels reactie was normaler dan ze had verwacht, besefte ze opgelucht, terwijl ze de deur opendeed. Ze had gedacht dat zijn eerste reactie er een van angst zou zijn, maar ze had hem onderschat. Het waren geschoktheid, woede en ten slotte de wil om haar te beschermen geweest die hadden overheerst.

Royd en Jock zaten samen in Royds Toyota en kwamen allebei de auto uit op het moment dat ze haar zagen.

'Het spijt me voor je, Sophie,' zei Jock zacht. 'Het moet voor jullie allebei een vreselijke schok zijn geweest.'

'Hoe gaat het met hem?' vroeg Royd.

'Goed.' Ze haalde diep adem. 'Nee, niet goed. Je zult blij zijn te horen dat ik met hem heb gepraat.'

'Heb je hem alles verteld?'

'Bijna alles. Ik vond het niet nodig om iets over Caprio te zeggen.' Ze keek Jock aan. 'Of exact uit te leggen wat Sanborne jou en Royd heeft aangedaan. Ik heb het een beetje algemeen gehouden.'

'Verstandig,' zei Royd. 'Anders had hij ons misschien met de slechteriken verward en ik denk dat hij al genoeg verwarrende dingen voor zijn kiezen heeft gekregen.'

Ze knikte grimmig. 'Verwarrend genoeg om te denken dat jij een soort Terminator bent. Maar ik heb hem uit de droom geholpen en verteld dat je gewoon van vlees en bloed bent.'

Jock grinnikte. 'Geen slechte vergelijking. De Terminator heeft in de laatste twee films het kind beschermd.'

'En in de eerste was hij een eersteklas schurk. Ik weet zeker dat hij jou liever heeft, Jock,' merkte Royd op. 'Jij bent de ijzeren vuist in de fluwelen handschoen.'

'Ja, ik weet wel zeker dat hij mij het liefste heeft,' antwoordde Jock. 'Wat is er aan mij wat iemand níét leuk zou vinden?'

Sophie keek hem met een ijskoude blik aan. 'Het feit dat jullie hier met z'n tweetjes plannetjes zaten te beramen, voordat jullie de confrontatie met mij aangingen.'

'Klopt,' beaamde Jock. 'Maar we dachten ook dat jij en Michael wat tijd nodig hadden samen.'

Ze keerde zich naar Royd. 'Hoe wist je dat het huis zou ontploffen?'

'Dat wist ik niet. Ik vermoedde het alleen. Het was een beetje té toevallig dat er een gaslek was de avond nadat er een aanslag op je leven was gepleegd.'

'Maar dat was vier straten verderop.'

'Ja, en daardoor voelde jij je safe. En als het huis ontplofte zou dat veel minder verdacht zijn.' Hij hield zijn hoofd scheef en vroeg: 'Was je niet een heel klein beetje achterdochtig?'

'Jawel, ik wilde het gasbedrijf bellen zodra ik in de garage was.'

'Je zou het huis niet eens ingekomen zijn. De garage zat vol gas. En er lag een apparaatje op de vloer dat een vonk zou veroorzaken als je eroverheen reed. Eén vonk was voldoende.'

'Hoe wist je dat?'

Stil staarde hij voor zich uit. 'Zo zou ik het hebben aangepakt. Dat heb ik geleerd op mijn trainingen.'

Er ging een schok door haar heen. Ze zou zich niet zo verbijsterd moeten voelen. Ze keek van hem weg. 'Natuurlijk.'

'Ontwijk mijn ogen niet.' Royds stem klonk plotseling schor. 'Je zou beter verdomd blij kunnen zijn dat ik doorhad wat er kon gebeuren, anders waren jij en je zoon nu dood.'

Ze dwong zichzelf om hem weer aan te kijken. 'Ik ben blij met alles waardoor Michael blijft leven. En ik heb geen enkel recht iets te veroordelen wat ik zelf hielp in gang zetten.'

'Verdomme, ik bedoelde niet... Dat wilde ik helemaal...'

Ze onderbrak hem. 'Maar dat betekent niet dat ik niet woedend op je ben dat je mijn huis zomaar de lucht in liet vliegen. Als je kon raden wat er ging gebeuren had je Michael en mij ook gewoon kunnen zeggen dat we voor de garage uit moesten stappen. Je hoefde de handrem niet van die auto af te halen en hem de garage binnen te laten rollen. Je wílde dat het huis ontplofte.'

'Ja, dat klopt, ik wilde het.'

'Waarom? En waarom moesten Michael en ik er als een haas vandoor? Waarom wilde je niet dat iemand ons zag?'

'Ik dacht dat het in ons voordeel zou kunnen zijn als iedereen ervan uitging dat jullie dood waren.'

'Hoezo voordeel?'

'Tijd.'

Ze dacht even na. 'Maar als ze de puinhopen doorzoeken, ontdekken ze dat we daar niet liggen.'

'En dat duurt een tijdje. Die brand gaat nog wel even door, omdat hij wordt gevoed door gas. En dan is het te gevaarlijk om de as te doorzoeken, omdat er nog overal gas kan zitten dat bij het minste of geringste ontploft. Dus duurt het nog een tijd voordat ze zeker weten dat het veilig is voor de brandweer om op onderzoek uit te gaan. Bovendien was het een enorme ontploffing en weten ze dat niemand zoiets kan overleven. Als ze de puinhopen gaan doorzoeken, is dat om lichaamsdelen te vinden en het is bekend dat het heel lang duurt voordat je dan absoluut zeker van de identiteit kunt zijn. Als we geluk hebben gehad en niemand je heeft gezien, maken we een kans.'

'Een kans? Waarop?'

'Om Michael hier weg te krijgen,' antwoordde Jock. 'Om Michael van jóú weg te krijgen, Sophie.'

Ze verstijfde. 'Waar héb je het over?'

'In de afgelopen vierentwintig uur is Michael twee keer bijna dood geweest en hij was nog niet eens het doelwit. Zo lang hij bij jou in de buurt is, is hij in gevaar.'

'Wil je dat ik hem ergens anders naartoe stuur?' Ze balde haar handen tot vuisten. 'Dat kan niet. Hij heeft me nodig.'

'Hij heeft het nodig om in leven te blijven,' zei Royd. 'En jij moet vrij zijn om te doen wat je moet doen, zonder dat je je druk hoeft te maken om hem.'

'Hou je kop. Jij hebt hier niets mee te maken. Je hebt geen idee wat...' Ze stopte. Hij had er wél mee te maken. Zij had ervoor gezorgd dat het zijn zaak werd, op het moment dat ze zijn leven had verziekt door REM-4 te ontwikkelen. 'Jij bent er nooit bij geweest als hij een van zijn nachtmerries had.'

'Maar ik wel,' zei Jock. 'En je vertrouwt me, toch?'

'Wat bedoel je?'

'Dat ik Michael met me mee wil nemen naar MacDuffs Run.'

'Schotland? Geen sprake van.'

'Hij is er absoluut veilig. MacDuff steekt zijn hand ervoor in het vuur.' Er verscheen een lach op zijn gezicht. 'En daar steek ík mijn hand weer voor in het vuur. Bovendien heb ik al eerder voor Michael gezorgd als hij een nachtmerrie had. Dat ging goed.'

Michael duizenden kilometers van haar vandaan...

'Ik zou doodsangsten uitstaan.'

'Dan kun je maar beter bedenken wat het belangrijkste is voor jou,' sprak Royd. 'Ik heb wel beloofd om in te staan voor de veiligheid van jullie allebei, maar op deze manier wordt het me een heel stuk gemakkelijker gemaakt.'

Er gingen misselijkmakende angstvlagen door haar heen. Even sloot ze haar ogen. Ze was nauwelijks meer dan vijf kilometer uit Michaels buurt geweest, sinds ze na de dood van haar ouders uit de inrichting was gekomen. 'Hij is mijn zóón. Ik kan heus wel voor hem zorgen.'

Geen van de twee mannen gaf antwoord.

Natuurlijk niet. Alles was al gezegd. Ze gedroeg zich als een egoïstische trut met moederliefde als argument. Dat kon ze Michael niet aandoen. Ze deed haar ogen weer open. 'Heb je hier al met MacDuff over gepraat?'

'Ja,' antwoordde Jock. 'Meteen toen Royd me belde en hij vertelde wat er was gebeurd. MacDuff had geen bezwaren.'

'Dat is niet genoeg. Ik wil niet dat Michael schoorvoetend wordt toegelaten.'

Jock schudde zijn hoofd. 'Als de laird iets heeft toegezegd, is dat ook niet zo. Michael zal daar net zo welkom zijn als iemand van zijn eigen familie.' Hij vertrok zijn gezicht in een grimas. 'En, geloof me, MacDuff heeft een heel sterk familiegevoel.'

'Ik wil hem eerst zelf spreken.'

'Dat dacht ik al. Is morgenochtend goed? MacDuff heeft een privévliegtuig voor Michael en mij geregeld en dat vertrekt morgen om negen uur.'

Jezus, alles ging veel te snel. 'Maar Michael heeft nog niet eens een paspoort.'

'MacDuff laat hier morgen ook een Brits paspoort voor hem bezorgen.'

'Wat?'

'Op naam van Michael Gavin.' Hij glimlachte. 'Mijn jongere neefje.'

'Een vals paspoort?'

Jock knikte. 'MacDuff zat bij de marine en heeft vroeger nogal een turbulent leven geleid. Daarin heeft hij een aantal contacten opgedaan die heel handig blijken te zijn.'

'Oplichters.'

'Tja. Uitermate gespecialiseerde oplichters. In dit leven is het vaak noodzakelijk om de verboden gebieden en bureaucratische molens te omzeilen.'

Even was het stil. 'Ik zal met hem praten, maar dat betekent nog niet dat ik Michael laat gaan.'

'Dat doe je heus wel,' zei Jock. 'Je kunt iedere dag met hem bellen en je weet dat ik goed op hem zal letten en voor hem zal zorgen.' En met een vlugge blik op Royd: 'Hoewel ik natuurlijk geen Terminator ben.'

'Absoluut niet.' Royd vroeg Sophie: 'Heb je liever dat ik mezelf even uit de voeten maak, terwijl jullie tweeën het nieuws aan Michael vertellen?'

Even moest ze nadenken. 'Nee. Michael zal niet weg willen. Hij maakt zich bezorgd om mij. Dus moet hij niet het idee hebben dat ik hier in mijn eentje achterblijf.'

Hij glimlachte flauwtjes. 'Je hebt je besluit eigenlijk al genomen. Je zit er alleen nog mee hoe je dat het beste tot uitvoer kunt brengen.'

Ze draaide zich om en opende de deur. 'De beste manier is om Domino's te bellen en een pizza te bestellen en dan Jock met Michael te laten praten, terwijl we die soldaat maken. Naar Jock zal hij wel luisteren.'

'En wat moet ik dan doen?'

'Jij zit er gewoon bij en kijkt ernstig en verantwoordelijk.' Ze keek hem aan met een koele blik. 'En als je iets te zeggen hebt, dan hou je die ongelofelijke lompheid van je maar in en probeer je niets te zeggen wat hem van streek zou kunnen maken.'

'Waarom ga je niet naar bed?' vroeg Michael, terwijl hij zich omdraaide om haar, naast zijn bed in de gemakkelijke stoel, te kunnen zien. 'Er is niets met me aan de hand.'

Zijn ogen glinsterden in de duisternis en zijn lichaam zag er rigide uit onder de deken. Mijn god, het zou werkelijk een wonder zijn als hij vannacht géén nachtmerrie kreeg, na alles waar hij doorheen was gegaan. Eerst die explosie en dan alle emoties vanwege Jock, die uren op hem had ingepraat om hem ervan te overtuigen dat hij met hem mee moest naar Schotland. Ze kon het eigenlijk nóg nauwelijks geloven dat Michael uiteindelijk had toegegeven en erin had toegestemd om naar Schotland te vertrekken. 'Ik ben helemaal niet moe. Ga maar lekker slapen, schat.'

Hij was even stil. 'Je bent bang omdat ik de monitor hier niet heb. Je blijft de hele nacht op omdat je denkt dat er anders iets gebeurt.'

'Het is maar voor één nachtje. Jock heeft beloofd dat Mac-

Duff er een op het kasteel zal hebben tegen de tijd dat jij daar aankomt.'

'Maar dat maakt voor vanavond geen verschil. Ik ben degene die wakker zou moeten blijven. Ik bezorg je altijd problemen.'

'Je bezorgt me helemaal geen... Oké, je hebt problemen, maar wie niet?'

'Niet zo erg als ik.' Weer was hij even stil. 'Ben ik gek, mama?'

'Nee, jij bent níét gek. Hoe kom je daar nou bij?'

'Ik kan ze niet tegenhouden. Ik doe er alles aan wat ik maar kan, maar het lukt me niet. Ik kan die dromen niet stoppen.'

'Als je erover zou praten, zou dat misschien kunnen helpen.' Ze boog naar voren en pakte zijn handen. 'Sluit me niet buiten, Michael. Laat me je helpen bij dat gevecht.'

Hij schudde zijn hoofd en ze voelde dat hij in zijn schulp kroop. 'Het komt wel goed. Ik voel me al beter nu ik weet dat opa niet gek was. Of dat hij misschien wel gek was, maar dat hij er niets aan kon doen. Ik maakte me altijd zorgen... ik begreep het niet. Dat opa van me hield. Ik weet nu dat hij van me hield.'

'Ik weet zeker dat hij van je hield.'

'Maar ik begreep niet hoe het allemaal heeft kunnen gebeuren.'

'Om dat te kunnen begrijpen had je een soort Einstein moeten zijn. Het heeft me maanden gekost om er iets van te snappen. En ik wist er sowieso al veel meer van dan jij.'

Nadenkend keek hij even voor zich uit. 'Ik weet dat Sanborne gestraft moet worden, maar ik wil niet dat je hier blijft. Ik wil niet dat jíj hem straft. Hij zal je kwaad doen.'

'Michael, hier hebben we het al uitgebreid over gehad.'

'Maar hij zal je kwaad doen.'

'Dat laat ik niet gebeuren. Hij zal geen van ons tweeën kwaad doen. Maar hij moet wél gestraft worden. En het is voor ons allebei niet veilig zolang hij vrij is.' Zolang hij in leven is, voegde ze er in stilte aan toe. 'Je vertrouwt Jock toch, is het niet?'

'Ja.'

'En hij heeft je verteld dat ik veilig ben hier. Hij zei toch dat Royd er echt heel goed in is om ervoor te zorgen dat iemand veilig is.'

Hij knikte. 'En hij zat bij de de SEAL's.'

Ja, godzijdank. Michael had zich vastgeklampt aan dat deel van Royds verleden. 'Ja, dus alles zal heus wel goed gaan.'

'Ja.' Nerveus kneep hij steeds in haar handen en liet dan weer los. 'Denk je dat God opa heeft vergeven voor wat hij heeft gedaan?'

'Ik weet gewoon dat oma hem zou hebben vergeven. Ze zou nu een goed woordje voor hem hebben gedaan. Het was zijn schuld niet.'

'Ja, dat is wel zo, denk ik.' Hij greep haar hand steviger vast. 'Maar het was jouw schuld ook niet. Dat moet je echt niet denken.'

'Ga maar lekker slapen, Michael. Je hebt morgen een lange vlucht voor de boeg.'

'Hoe lang moet ik daar blijven?'

'Dat weet ik niet. Niet heel lang.' Mijn god, wat zou ze hem missen. 'En we bellen elke dag.'

'Om hoe laat?'

'Zes uur, Schotse tijd.'

'Beloof je dat?'

'Ja, zeker beloof ik dat.'

Michael was stil, maar ze wist dat hij nog niet sliep. Af en toe kneep zijn hand zachtjes in de hare.

Ga maar slapen, Michael. Ik zal er zijn voor je.

Hij wist dat dat zo was, ze zou er voor hem zijn, wat er ook mocht gebeuren. Tot vanavond had ze niet beseft dat hij bang was om gek te worden. En dat had ze zich wel moeten realiseren. Wat was logischer voor een jongetje dat dacht dat zijn eigen opa gek was geworden?

Langzaam voelde ze zijn hand slap worden. Sliep hij?

Ze leunde achterover in haar stoel. Ze was moe, maar kon haar ogen niet sluiten. Als Michael eenmaal in het vliegtuig zat, kon ze slapen. Ze moest nog bellen om zeker te weten dat MacDuff de goede monitor had. Ze moest hem sowieso spreken. Ze vertrouwde Jock wel, maar ze moest er zeker van zijn dat MacDuff echt zo was als Jock haar had verteld.

'Mam?' hoorde ze Michael slaperig. 'Stop met verdrietig zijn...'

'Het is goed, Michael,' zei ze zachtjes.
'Nee, dat is niet waar. Ik voel het. Wees nou niet verdrietig. Het is jouw schuld niet...'
Hij sliep.
Ze boog voorover, gaf zachtjes een kus op zijn voorhoofd en leunde weer achterover in haar stoel.

7

Royd hield zijn ogen op Michael gericht, die samen met Jock stijfjes de trap van het privévliegtuigje opklom. ‘Hij houdt het niet meer,’ zei hij zachtjes. ‘Het begint nu echt tot hem door te dringen.’

Mijn god, ze hoopte dat dat niet waar was. Michael was de hele weg naar het vliegveld stil geweest, maar dat was normaal voor hem als hij zich ongelukkig voelde. ‘Misschien valt het mee. Jock was heel overtuigend.’

‘Nee, hij staat op instorten,’ zei Royd. ‘Bereid je maar voor.’

Hoe kon ze zich daar nou op voorbe...

Michael draaide zich om, rende de trap af en over het asfalt weer naar haar toe. Onbeheerst stortte hij zichzelf in haar armen. ‘Ik wil niet weggaan,’ fluisterde hij. ‘Het is niet goed, het is niet goed.’

Ze hield hem nóg steviger in haar armen. ‘Het is wel goed, lieverd,’ zei ze met onvaste stem. ‘Ik zou je nooit vragen om weg te gaan als het niet het beste was wat je kon doen.’

Even was hij stil en toen duwde hij haar van zich af. De tranen stonden in zijn ogen. ‘Beloof je me dan dat alles goed met je zal gaan? Beloof je dat er niets met je zal gebeuren?’

‘Ja, dat beloof ik. Dat hebben we allemaal al besproken.’ Ze probeerde te glimlachen. ‘En Royd heeft je dat óók beloofd. Moeten we een contract voor je tekenen?’

Hij schudde zijn hoofd. ‘Maar er kan altijd iets gebeuren. Soms heel rare dingen.’

‘Mij niet, hoor.’ Ze keek hem diep in zijn ogen. ‘Ben je aan het terugkrabbelen?’

Opnieuw schudde hij zijn hoofd. ‘Nee, dat doe ik niet. Ik wil het liefste bij jou blijven, maar Jock zegt dat je zonder mij veiliger bent.'

'Ja, dat is zo.'

'Dan ga ik dus.' Zijn armen omknelden haar nog steviger, in een wanhopige laatste knuffel. Toen draaide hij zich om naar Royd en zei streng: 'Jij moet heel goed op haar letten. Begrepen? Als er iets met haar gebeurt, kom ik achter je aan.'

Voordat Royd antwoord kon geven, had hij zich alweer omgedraaid en rende naar het vliegtuig, waar Jock stond te wachten. Even later ging de deur achter hem dicht.

Royd grinnikte. 'Verdomme, hij zou het écht doen, denk ik. Ik begin het gevoel te krijgen dat hij en ik erg op elkaar lijken.'

'O, hou je kop.' Ze veegde langs haar ogen, terwijl ze keek hoe het vliegtuig naar de startbaan taxiede. Ze voelde zich verschrikkelijk verscheurd. Het was echt het beste, had ze Michael verteld. En eerder die ochtend had ze met MacDuff gepraat en hij had haar beloofd dat hij ervoor zou zorgen dat haar zoon veilig was. Maar dat maakte het allemaal nog niet makkelijker. Ze wachtte tot het vliegtuig helemaal uit haar blikveld was verdwenen en draaide zich toen pas om. 'Laten we gaan.' Ze liep in de richting van het parkeerterrein. 'Heb je nog contact gehad met die vriend van je, Kelly?'

'Ik kon hem gisteravond niet bereiken. We hebben afgesproken dat hij alleen contact met me op zou nemen als het veilig voor hem was.' Hij kwam naast haar lopen. 'Als Sanborne druk is met het uitschakelen van iedereen die ook maar iets te maken heeft gehad met REM-4, moet het steeds moeilijker worden om in de buurt van die papieren te komen.'

'Bedoel je dat jullie het ook niet gaan proberen?'

'Doe niet zo stom,' antwoordde hij ijzig. 'Ik bedoel dat ik beter kan wachten tot ik zekerheid heb.'

'En wat gebeurt er als je nooit zekerheid zult hebben? Wat gebeurt er als hij ervandoor gaat met die papieren en zijn eigen buitenlandse vestiging begint?'

Hij deed het portier voor haar open. 'Nou, dan zorg ik dat ik hem traceer en blaas ik dat hele gedoe van hem op tot er helemaal niets meer van over is.'

Zijn stem klonk vlak en zijn gezicht was uitdrukkingsloos,

maar toch kon ze de kracht die hem voortdreef gewoon voelen. Ze haalde diep adem en veranderde van onderwerp. 'Waar gaan we nu heen? Terug naar het motel?'

Hij schudde zijn hoofd. 'We gaan de stad uit. Ik heb gereserveerd in een motel ongeveer zestig kilometer hiervandaan. Ik wil het risico niet lopen dat je door iemand wordt gezien en herkend. Volgens het nieuws van gisteravond wordt aangenomen dat Michael en jij dood zijn. En ik wil dat je dat zo lang mogelijk blijft.'

'Ik neem aan dat ik mijn ex-man niet kan laten weten dat Michael in leven is?'

'Nee, natuurlijk niet.'

Dat had ze al gedacht. 'Dat zal heel erg moeilijk voor hem zijn. Hij houdt erg veel van Michael.'

'Ja, dat is hard.' Hij reed achteruit weg uit de parkeerplek. 'En jou? Houdt hij ook nog steeds van jou?'

'Hij is hertrouwd.'

'Dat vroeg ik niet.'

Ze haalde haar schouders op. 'We hebben samen een kind. Hoe moet ik nou weten hoeveel er nog over is van zijn gevoelens voor mij?'

'En hoe zit het met jou?'

Ze wierp even een blik opzij, maar hij keek niet in haar richting. 'Wat?'

'Wat zijn je gevoelens voor hem?'

'Daar heb je niets mee te maken. Wat interesseert jou dat nou, trouwens.'

Even was het stil. 'Misschien zit ik te zoeken naar eventuele zwakheden. Dat zou in ieder geval slim zijn om te doen.'

'Bén je dat aan het doen dan?'

'Nee.'

'Is het nieuwsgierigheid dan?'

Hij haalde zijn schouders op. 'Misschien. Ik heb geen idee.'

'Rot dan maar op met die verdomde nieuwsgierigheid van je. Alles wat jij moet weten is dat ik David niet ga laten weten dat Michael en ik nog in leven zijn.' Ze leunde achterover in haar stoel en sloot haar ogen.

'En ik heb er genoeg van om met je te praten. Het is net zoiets als je een weg moeten hakken door een doornbos. Maak me maar wakker als we bij het motel zijn.'

De kamer in de Holiday Inn Express was ruim en schoon en er waren wat meer voorzieningen dan in het motel waar ze de nacht daarvoor hadden gezeten.

Nadat hij haar kamer had geïnspecteerd, overhandigde hij haar de sleutel. 'Ik zit hiernaast.' Hij glimlachte flauwtjes. 'Michael zou het niet goedvinden als ik niet binnen gehoorsafstand zat.'

Ze gooide haar tas op het bed. 'Ik heb kleren nodig. Alles wat ik had om aan te trekken lag in dat huis.'

'Ik ga er wel op uit om iets voor je te kopen.' Hij bestudeerde haar even aandachtig. 'Zesendertig?'

'Achtendertig. En maat negenendertig voor schoenen. Ik heb ook een laptop nodig. En nu ga ik douchen en even slapen.' Ze liep naar de badkamer. 'Kun jij uitzoeken of er meer nieuws is over ons recente overlijden?'

'Wat je wilt.'

'Wat meegaand. Je zou toch nooit denken dat jij de man bent die zo ongeveer alles wat waardevol was in mijn leven heeft vernietigd.'

'Ik beloof je dat ik alles wat van waarde was zal vervangen.'

'Dat kun je helemaal niet. Het gaat me niet om mijn meubels en apparatuur, maar wat dacht je van mijn fotoalbums? En het speelgoed waar mijn zoon van hield en de schatten die hij bewaarde?'

'Nee, die kan ik niet vervangen,' zei hij stilletjes. 'Daar had ik niet aan gedacht. Ik ben zelf opgegroeid in acht verschillende pleeggezinnen en daar was niemand geïnteresseerd in het maken van familiekiekjes. Maar ik zal proberen het goed te maken ten opzichte van Michael. Jij bent de enige die kan bedenken of de tijd die we op deze manier hebben gewonnen het ook waard is.'

Ja, natuurlijk was het het waard. Michael zat nu in het vliegtuig, onderweg naar veiligheid. 'Je hebt gedaan wat je het beste leek.'

'Ja, dat is zo. Maar dat betekent nog niet dat ik het op de bes-

te manier heb gedaan. Ik ben niet perfect.' Hij kn.
de terugweg wat chinees halen. En ik doe de deur o
niemand opendoen, behalve voor mij.'

De deur viel achter hem in het slot.

Voor niemand opendoen, behalve voor mij.

Dat had hij bijna achteloos gezegd, maar de betekenis erv. was niet gering. Ze was nog steeds het doelwit en ongetwijfeld verschafte dat Royd genoegen. Waarom was ze eigenlijk niet banger? Ze voelde zich hondsmoe en gespannen, maar bang was ze niet. Het zou wel komen omdat Michael nu niet meer in gevaar verkeerde. Zij kon alles aan als ze zich maar geen zorgen hoefde te maken over haar zoon.

Ze stapte onder de douche en liet het warme water neerstromen over haar lichaam. Het zou heus wel goed gaan met Michael. Er was niemand die beter voor hem zorgde dan Jock.

Behalve Royd dan.

Hoe kwam die gedachte nou opeens in haar op? Royd was zo ongeveer van prikkeldraad gemaakt en nog dodelijk ook. Bij hem was geen spoor te bekennen van de vriendelijkheid die Jock in zich had, ook al schrok die er net zo goed niet voor terug om te doden. Royd was bot, ging recht op zijn doel af en was ongeveer net zo gevoelig als een dikhuidige olifant.

Maar toch had hij in de gaten gehad dat Michael op het laatste moment zou instorten.

Beoordelingsvermogen, geen gevoeligheid. Aan zijn intelligentie had ze nooit getwijfeld.

Hou op met over die vent na te denken. Deze pauze had ze juist nodig om te ontspannen en zichzelf weer onder controle te krijgen. Op dit moment voelde ze zich nerveus en kwaad en de eerste vlagen van eenzaamheid begonnen haar te overvallen. Michael was altijd bij haar, ofwel in levenden lijve ofwel in haar gedachten. Elke dag begon en eindigde met hem. En nu was ze van hem afgesneden en dat deed pijn.

Hou op met dat geklaag en doe gewoon wat je moet doen. Dat was de enige manier waarop ze weer bij elkaar zouden kunnen zijn. En ze was niet alleen maar moeder. Ze was ook een vrouw met hersens in haar hoofd en met een sterke wil.

En die wil moest nu volkomen op Sanborne gericht zijn.

Royd zat in een stoel aan de andere kant van de kamer, met één been over de armleuning en zijn hoofd geleund tegen de achterkant.

'Wakker?' Royd ging rechtop zitten en glimlachte. 'Je was helemaal in coma. Ik vraag me af hoeveel slaap je de laatste paar jaar hebt gemist.'

Ze schudde met haar hoofd in een poging klaarwakker te worden en ging toen rechtop zitten, met het laken stevig om haar naakte lichaam geslagen. 'Hoe lang ben je hier al?'

Hij keek op zijn horloge. 'Drie uur. En het kostte me een paar uur om je garderobe samen te stellen en een weekendtas voor je te kopen.'

Vijf uur. 'Je had me wakker moeten maken.' Ze zwaaide haar voeten uit bed. 'Of zelf moeten gaan slapen.'

'Ik had geen haast. Hoewel ik er wel een gewoonte van lijk te maken om de persoon te zijn die je wakker maakt, vind je niet? Maar deze keer heb ik er van genoten.'

'Wat een stomme...' Ze onderbrak zichzelf toen ze zijn blik ving. Sensueel. Net zo sensueel als de manier waarop hij daar in die stoel hing. Lui, als een kat, heel nonchalant. Met moeite maakte ze haar ogen van hem los. 'Het lijkt me beter dat je naar iets anders op zoek gaat om je te amuseren. Ik hou er niet van als iemand mijn privégebied binnendringt, Royd.'

'Ik dring helemaal niet binnen. Sinds ik hier binnen ben heb ik alleen maar in die stoel gezeten. Ik heb alleen maar naar je gekeken.' Hij glimlachte. 'Sorry, ik heb ook zo lang in de jungle gezeten.' Hij stond op. 'Ik ga naar mijn kamer om het Chinese eten op te warmen in de magnetron. Je kleren zitten in die twee tassen. Ik hoop dat ze passen. Ik heb geprobeerd dingen te vinden met een beetje stijl.' En over zijn schouder voegde hij eraan toe: 'Maar er is niets wat je meer zal flatteren dan dat laken om je heen.'

Ze kon niet anders dan hem nastaren. Mijn god, haar wangen gloeiden helemaal en ze was zich opeens heel erg bewust van haar borsten onder het laken. Ze voelde zich... Maar ze wilde helemaal niet nadenken over hoe ze zich voelde. En ook niet over de man die daarvoor had gezorgd. Het was sowieso belachelijk. Ze had zich altijd aangetrokken gevoeld tot intelligente en beschaafde mannen, zoals Dave bijvoorbeeld. Royd mocht dan wel intelligent zijn, beschaafd was hij in geen geval. Hij maakte gewoon zijn eigen regels en negeerde de rest.

Maar er was eigenlijk ook niets mis mee om zich zo te voelen. Haar reactie was niet meer dan een niet te controleren biologische respons en volkomen normaal, zeker gezien het feit dat ze al sinds maanden voor de scheiding geen seks meer had gehad. Nu was ze niet op haar hoede geweest en zou ze waarschijnlijk op elke man in de buurt zo hebben gereageerd.

Nou ja, misschien niet élke man. Royd had hoe dan ook een sensuele uitstraling.

Hou op. Dit liet ze niet meer gebeuren. Ze stond op en liep de kamer door naar de papieren tassen. Kleed je aan, stop de rest van de kleren in je weekendtas, ga naar Royds kamer en eet je avondeten. Tegen de tijd dat ze daarmee klaar waren, was het waarschijnlijk al laat genoeg om Jock te bellen en Michael te spreken.

'Ik heb net het avondnieuws gezien,' begon Boch, zodra Sanborne de telefoon oppakte. 'De politie weet verdomme nóg niet of ze in dat huis waren toen het de lucht in vloog. Of als ze het intussen wél weten, zeggen ze er in ieder geval niets over.'

'Ze móéten er wel binnen zijn geweest. De agent die hun auto tot stoppen heeft gemaand, heeft hun foto's herkend. En er zijn brokstukken van diezelfde auto tussen het puin op het gazon voor het huis gevonden.'

'Maar geen lijken, verdomme.'

'Door de kracht van de explosie. Er zullen alleen delen van hun lichaam te vinden zijn en de politie zal echt niet zeggen van wie die afkomstig zijn, als ze daar niet honderd procent zekerheid over hebben. Bovendien kan het een lawine van rechtszaken tegen het gasbedrijf tot gevolg hebben en paniek veroorzaken in de buurt waar dat gaslek was. Zoiets neemt nu eenmaal veel tijd in beslag.'

'Verontschuldigingen, Sanborne? Die Caprio van jou moet er een zooitje van hebben gemaakt en je hebt geen bewijs dat de mannen die je erachteraan hebt gestuurd om die blunder te corrigeren, hun werk goed hebben gedaan.'

Sanborne kon zijn woede nog net beheersen. 'Ik kan toch niet zomaar een van mijn contacten bij de politie bellen? Ik kan me niet veroorloven op de een of andere manier met haar geassocieerd te worden. Dat begrijp je toch wel. Ik heb Gerald Kennett het ziekenhuis laten bellen en Sophie heeft hen niet gebeld. Meestal checkt ze in het weekend even hoe het met haar patiënten gaat. De staf daar is geschokt en maakt zich grote zorgen.'

'Dat is niet voldoende. Ze is niet stom. Misschien houdt ze zich wel verborgen. Ze moet een paar goede vrienden hebben met wie ze dan contact op zou nemen. Zorg dat je alle informatie uit hen krijgt.'

'Ik moet voorzichtig zijn. Het moet niet zo zijn dat ze de politie gaan bellen vanwege het feit dat ze lastig worden gevallen.' Hij wachtte niet op een antwoord. 'En daar was ik al veel eerder dan jij opgekomen. Ik heb Larry Simpson, een van mijn mannen, eropuit gestuurd om de buren en de voetbalcoach van dat kind te interviewen, zogenaamd als journalist. Niemand heeft ook maar iets van haar vernomen.'

'En haar ex-man?'

'Er is ook iemand onderweg naar Edmunds huis. Tevreden?'

'Nee, ik ben pas tevreden als de politie verkondigt dat Sophie Dunston aan flarden is geblazen.' Even was het stil. 'Ben Kaffir heeft contact met me opgenomen. Hij is geïnteresseerd in REM-4, maar hij speelt verstoppertje voor Washington en wil zich niet vastleggen, tot we kunnen bewijzen dat hij niet zal worden genoemd in welk onderzoek dan ook. Dat Dunston-mens heeft al veel te veel problemen veroorzaakt.'

'Maar dat zullen er niet meer worden,' zei Sanborne. 'Geduld, Boch. Geef me nog een dag en je zult zien dat je je voor niets zorgen zit te maken.'

'Ik zit me helemaal geen zorgen te maken. Ik ga naar Carácas om de laatste dingen te regelen. En als ik merk dat je het weer hebt verprutst, kom ik terug en ruim ik haar zélf wel uit de weg.' Boch hing op.

Sanborne leunde achterover in zijn stoel. Hoe graag hij ook zijn woede zou luchten, hij moest toegeven dat Boch wel een beetje gelijk had. Het was waar dat het lang duurt voordat iemand dood wordt verklaard, maar hij had geen goed gevoel over het feit dat Caprio was verdwenen. Dat het zo lang duurde voordat er een overlijdensverklaring werd gegeven, kon betekenen dat ze probeerden de gevonden lichaamsdelen te identificeren, maar het kon ook zijn dat er iets anders aan de hand was. De zaken verliepen niet zo geruisloos als hij had gepland en dat zinde hem niets.

Royd?

Mijn god, hij hoopte van niet. Hij zat er echt niet op te wachten om zich ook nog met die schoft bezig te moeten houden op dit moment.

Oké, ga er maar van uit dat Royd niet op het toneel is verschenen en roet in het eten gaat gooien. En ga er ook maar van uit dat die trut en haar kind dood zijn.

Ga eraan werken om dat bevestigd te krijgen.

Hij keek op zijn lijstje en onderstreepte de laatste naam.

Dave Edmunds.

Royd had de Kantonese kip op twee papieren bordjes geschept en die op het kleine tafeltje bij het raam gezet. Toen Sophie de kamer binnenkwam, schonk hij net het tweede glas wijn in. 'Ik heb rode wijn gekocht. Hou je daar van?'

Ze knikte. 'Maar ik heb liever koffie.'

'Die zal ik straks zetten.' Hij gebaarde naar een stoel. 'Het is maar wijn uit de supermarkt en je zult zeker niet meer dan twee glazen drinken. Ik verzeker je dat ik je niet dronken probeer te voeren.'

'Dat dacht ik ook helemaal niet.'

'Nee?' Zijn mond vertrok. 'Ik ga ervan uit dat alles wat ik zeg of doe, verdacht kan zijn. En ik merk bij jou een bepaalde gelatenheid van "ik laat het maar over me heen komen". Soms doe ik wel eens iets in een impuls, maar ik zal je heus niet opeens aanvallen of zoiets.'

'Omdat ik veel te belangrijk ben voor jou als lokaas voor Sanborne en Boch.'

'Dat klopt.' Hij glimlachte. 'Anders maakte je geen enkele kans.'

Ze ging zitten en pakte haar vork. 'Ik maak echt wel een kans. Jock was een uitstekende leermeester.'

Hij grinnikte. 'Dan blijf ik maar op een afstandje.' Hij nam een slokje van zijn wijn. 'Ik heb gehoord dat Jock een soort wereldwonder is.'

Ze keek op en fronste haar voorhoofd. 'Je gedraagt je... ik heb je nog nooit eerder horen lachen.'

'Misschien probeer ik je wel op je gemak te stellen, zodat ik me onverwacht op je kan storten.'

Ze bestudeerde hem aandachtig. 'Is dat zo?'

Hij haalde zijn schouders op. 'Of misschien komt het wel doordat Kelly me eindelijk heeft gebeld en hij dus niet dood is. Ik besef dat je me als een gewetenloze schoft beschouwt, maar ik hou er nou eenmaal niet van als iemand die ik het strijdperk in stuur het loodje legt.'

'Maar je stuurt hem tóch.'

'Ja.' Over de rand van zijn glas keek hij haar aan. 'En ik zou jou net zo goed sturen.'

'Mooi.' Ze nam nog een hap. 'En wat had Kelly te vertellen?'

'Dat hij de documenten nog niet had gevonden, maar er wel naar zou blijven zoeken. Hij belt me later vanavond nog een keer.'

'Misschien liggen die papieren wel niet daar, maar in de safe bij Sanborne thuis.'

'Misschien. Maar ik gok erop dat hij ze bewaart op de veiligste plaats en dat is toch op het terrein.'

'Daar liggen ze misschien ook wel in een kluis.'

'Kelly krijgt de meeste kluizen wel open, als hij tijd genoeg heeft.'

Even moest ze denken aan hoe makkelijk het voor Royd was geweest om alle sloten van haar huis open te krijgen. 'Handig. Maar zelfs als Kelly de disk kan vinden, herkent hij hem waarschijnlijk niet als degene waar hij naar op zoek is,' zei ze rustig. 'Tenzij hij afgestudeerd is in de chemie. Sanborne heeft al zijn gevoelige informatie gelabeld met codenummers. En die formule is heel gecompliceerd. Hij zal er hulp bij nodig hebben.'

'Wat probeer je nou eigenlijk te zeggen?'

'Kan Kelly ervoor zorgen dat ik het onderzoekscentrum binnen kan komen?'

Hij bevroor. 'Geen sprake van,' antwoordde hij vlak.

'Geen sprake van dat het lukt? Of geen sprake van dat jij het me laat doen?'

'Allebei.'

'Vraag hem of hij ervoor kan zorgen.'

Hij vloekte binnensmonds. 'Jij gaat je in het hol van de leeuw wagen, terwijl wij juist proberen je uit de handen van Sanborne te houden, zodat hij je niet kan vermoorden?'

'We moeten die disk hebben. Dat is een van onze belangrijkste doelen. Dat weet je donders goed.'

'En ik krijg hem heus wel.'

'Maar de tijd dringt. Je hebt zelf gezegd dat het veel moeilijker wordt als hij het onderzoekscentrum ver van het vasteland gaat vestigen.'

'Nee,' zei hij streng. 'We laten dit door Kelly opknappen.'

'Vraag hem hoe ik binnen zou kunnen komen. Hij moet weten waar alle beveiligingscamera's zitten in het gebouw, hij werkt tenslotte zelf bij de beveiliging. Het was hem natuurlijk nooit gelukt om bij de geheime dossiers te komen als hij niet wist hoe hij die camera's tijdelijk uit kon schakelen.'

'Maar als je er eenmaal bent, kun je er alleen in als je je kunt identificeren met een duimafdruk.'

'Dat weet ik wel. Maar het is Kelly blijkbaar gelukt om die check te ontwijken, als hij informatie over mij heeft kunnen vinden.'

'Hij heeft de gegevens over zijn duimafdruk in de computer verwisseld met die van een van de wetenschappers die een paar dagen op vakantie was. En hij moest die verwisseling bijna direct weer ongedaan maken.'

'Als hij het één keer voor elkaar heeft gekregen, kan hij het heus nog wel een keer. Of anders op een andere manier. Vraag het hem.'

'Het is niet nodig dat jij daar naartoe gaat. Beschrijf de codes die Sanborne op het label heeft gebruikt maar.'

Sophie hield haar mond dicht.

'We moeten samenwerken, Sophie.'

'Maar *jíj* bent hier degene die in zijn eentje wil werken,' antwoordde ze spits. 'En jij zou er geen twee keer over na hoeven te denken om me in het ongewisse te laten.'

Nu was hij toch even stil. 'Misschien. Wat maakt het uit als ik voor elkaar krijg wat we willen?'

'Het maakt een heleboel uit. Jij gebruikte net het woord "als" en daar gaat het hier om. Deze hele toestand heeft me veel te veel gekost om het nu opeens allemaal aan jou over te laten.' Ze at haar bord leeg en bracht haar glas naar haar lippen. 'Ik wil actie. Ik wil mijn zoon terug.'

Hij bleef haar een tijdje aanstaren en haalde toen zijn schouders op. 'Ik zal het wel aan Kelly vragen. Je hebt gelijk, waarom zou ik je tegenhouden? Blijkbaar wil je jezelf laten vermoorden.'

'Wanneer bel je hem?'

'Nu.' Hij stond op en pakte zijn telefoon uit zijn zak. 'Neem nog een glas wijn. Ik ga naar buiten, ik heb frisse lucht nodig.'

'Wat ga je hem vertellen wat ik niet mag horen?'

'Ik ga hem vragen hoeveel kans je maakt als hij je inderdaad binnen weet te krijgen. En als ik niet denk dat die kans goed genoeg is, ga jij helemaal nergens heen.' De deur viel achter hem dicht.

Een paar minuten bleef ze zitten waar ze zat, maar toen stond ze op en liep naar het raam. Royd liep, al pratend in zijn mobiele telefoon, op de parkeerplaats te ijsberen. Deze reactie had ze niet van hem verwacht. Ze had ingeschat dat hij zich aan zijn belofte zou houden dat hij haar zou beschermen, maar zijn reactie op haar plan het onderzoekscentrum binnen te dringen was negatief en heel heftig geweest. Misschien kende ze Royd wel niet zo goed als ze dacht. Ze was ervan uitgegaan dat Royds gedrevenheid om Sanborne en Boch te pakken te krijgen alle andere facetten van zijn persoonlijkheid overschaduwde en verstikte. Maar hoe meer ze in zijn gezelschap was, hoe meer kanten van zijn karakter hij liet zien.

Zoals lust, dacht ze. Niet dat dat haar verbaasde. Hij was overduidelijk een viriele man en seks beheerste de wereld. Ze zou eerder verbaasd moeten zijn over het feit dat hij zich zorgen had gemaakt om de veiligheid van Kelly, iemand die voor hem werkte. Hij had tegen haar gezegd dat Kelly het zelf maar moest opknappen, maar zijn houding was duidelijk niet zo harteloos als die aan de oppervlakte leek.

Royd liep nog steeds in zijn telefoon te praten en ze begon ongeduldig te worden. Ze had er de pest in dat ze hier zo stom op hem stond te wachten. Het beviel haar helemaal niet dat zij de baas niet was. Dus draaide ze zich om en liep met grote stappen naar het bureau waar haar handtas met haar mobiele telefoon lag.

Precies op het moment dat ze hem uit haar tas viste, begon hij te rinkelen.

'Ik hou ook van jou. Wees voorzichtig.' Ze drukte op de verbindingstoets en draaide zich om, omdat ze Royd de kamer in hoorde komen. 'Dave heeft weer gebeld. Ik vroeg me af of...' Toen ze de uitdrukking op Royds gezicht zag, stopte ze met praten. Hij gooide de deur achter zich dicht en marcheerde de kamer binnen. 'Wat is er in vredesnaam...'

Vloekend pakte hij haar schouders ruw vast. 'Je bent een idioot. Ik heb je nog zo gezegd...'

'Laat me los.'

'Je kunt míj beter hebben dan Sanborne. Godverdomme, hij vermoordt je. Waarom voor de duivel neem je zoveel risico, alleen maar omdat je een zwak plekje hebt voor een oude liefde? Of misschien niet eens een oude liefde. Kon je niet gewoon doen wat ik je heb gezegd...'

'Laat me los,' siste ze tussen haar tanden door. 'Of ik maak een eunuch van je.'

'Probeer maar.' Zijn handen grepen haar nog steviger vast. 'Vecht dan. Ik wil je graag pijn doen, zó kwaad ben ik op je.'

'Dat doe je al. Ik heb vast al blauwe plekken. Ben je nou tevreden?'

'Waarom zou ik...' Hij brak zijn zin af en de woede verdween uit zijn gezicht. 'Nee.' Hij liet haar schouders los en zijn handen vielen langs zijn lichaam. 'Nee. Ik ben niet tevreden.' Hij deed een stap naar achteren. 'Ik wou je eigenlijk... Verdomme. Je had dat telefoontje van Edmunds niet op moeten nemen.'

'Dat heb ik ook niet gedaan.' Ze propte haar telefoon terug in haar tas. 'Ik zei dat hij had gebeld. En je gaf me de kans niet om daar nog iets aan toe te voegen. Hij belde gisteravond en de telefoon ging over op voicemail. En vanavond belde hij wéér. Ik vond het gek dat hij weer belde, als hij logischerwijze moet denken dat ik dood ben.'

'Wie had je dan aan de lijn?'

'Wie denk je? Michael belde. Ze zijn net aangekomen op MacDuffs Run.'

'O.' Hij was een tijdje stil. 'Moet ik me schamen?'

'Ja, en niet zo'n beetje ook, zak. En ik heb Daves telefoontje niet onbeantwoord gelaten omdat jíj me dat hebt gezegd. Dat heb ik gedaan omdat ik het ermee eens ben dat het het slimste is om te doen.' Ze keek hem boos aan. 'En raak me nooit meer aan.'

'Oké.' Hij lachte als een boer die kiespijn heeft. 'Jouw dreigement heeft me op mijn meest pijnlijke plaats geraakt.'

'Mooi.'

'Het spijt me dat ik even door het lint ging.'

'Even? Een hele tijd en "het spijt me" is niet voldoende.'

'Dan zal ik mijn best moeten doen om het goed te maken. Helpt het als ik je vertel dat Kelly denkt dat hij de beveiligingscamera's voor twaalf minuten onklaar kan maken?'

Ze fronste haar wenkbrauwen. 'Twaalf minuten maar?'

'Niet genoeg tijd om de kluis te vinden, de disk te pakken en dan weer te maken dat je weg komt.'

'Het is krap.'

'Krap. Doe niet zo belachelijk. We doen het niet.'

'We doen het wel. Laat me er even over nadenken.'

Hij hield zijn mond en knikte. 'We hebben tot morgen, maar we moeten Kelly wel genoeg tijd gunnen om de elektriciteitsuitval te regelen.'

'Als Kelly echt zo goed is in het kraken van de kluis als jij beweert, dan hebben we een kans om het te redden. Het kost me niet veel tijd om die kluis te doorzoeken. Ik herken die disks van Sanborne in een seconde. Maar twaalf minuten is... ik zal erover nadenken.' Ze liep in de richting van de tussendeur. 'Welterusten, Royd.'

'Welterusten. Zet de tussendeur maar op een kier en doe je kamerdeur op slot.' En hij voegde eraan toe. 'En wees nou niet zo boos op me dat je daar ook weer over gaat ruziën.'

'Ik zou niets liever willen dan knallende ruzie met je maken, maar ik ben niet zo dom als jij denkt. Voor mijn part blijf je de hele nacht op, om me te beschermen. Dat is je verdiende loon.'

'Ja, dat is het,' zei hij ernstig. 'Hoe is het met Michael?'

'Beter dan ik hoopte. Hij vindt MacDuffs Run super. Maar welk jongetje zou dat nou niet vinden?' Ze haalde haar schouders op. 'Een Schots kasteel en een echte laird die aan al je wensen voldoet.'

'Ik denk niet dat MacDuff het type is dat snel aan iemands wensen voldoet, tenminste als ik Jock mag geloven. Maar ik ben ervan overtuigd dat hij goed voor Michael zal zorgen.'

'Jock heeft me beloofd dat ze dat allebei zouden doen. Ik hoop alleen maar dat ze ervoor zorgen dat hij veilig is,' zei ze gelaten. 'Tot morgen, Royd.' Ze wachtte zijn antwoord niet af. Even later deed ze haar jeans en bloesje uit en trok een heldergele nachtpon over haar hoofd. Geel? Vreemde kleur voor Royd om te kiezen. Ze zou hem hebben ingeschat op mosgroen of donkerblauw...

Het zou werkelijk een wonder zijn als ze nu kon slapen na al die uren die ze vanmiddag al in coma had doorgebracht. Maar dat was misschien maar goed ook. Dan kon ze rustig nadenken of ze haar leven wilde riskeren, terwijl ze probeerde die verdomde twaalf minuten te halen.

'Er wordt niet opgenomen.' Dave Edmunds drukte op de toets die de verbinding verbrak. 'Ik kreeg weer meteen haar voicemail. Ik zei toch dat er niet opgenomen zou worden. Haar telefoon ligt waarschijnlijk ergens in het puin of is terechtgekomen in iemands achtertuin. De politie heeft me ook al verteld dat een van de eerste dingen die ze na de explosie hebben gedaan, het bellen van haar mobiele nummer was.'

'Het was het proberen waard.' Larry Simpson haalde zijn schouders op. 'Zoals ik al zei: soms graaft de politie gewoon niet diep genoeg. Ze hebben veel te veel werk. Maar ik ben een freelancejournalist en dat betekent dat ik alle tijd van de wereld heb. Ik hoopte dat ik een goed verhaal te horen zou krijgen, dat ik zou kunnen verkopen aan de kranten.'

'Er is niets goeds aan deze hele gebeurtenis,' reageerde Edmunds bitter. 'Mijn zoon is dood. Mijn ex-vrouw is dood. Dat had nooit mogen gebeuren. Iemand zal moeten boeten voor wat mij daardoor is aangedaan. En ik ga het nutsbedrijf helemaal suf procederen. Ze komen hier echt niet zomaar mee weg.'

'Goede actie.' Simpson stond op. 'U heeft mijn kaartje. Bel me als ik iets kan doen.'

'Misschien doe ik dat wel.' Edmunds' mond verhardde. 'Iedereen die denkt dat een zaak alleen in de rechtszaal wordt uitgevochten, is niet goed bij zijn hoofd.'

'U bent advocaat, dus u kunt het weten.' Het was even stil en hij wierp een blik op zijn aantekeningen. 'Heeft uw zoon nog iemand anders genoemd waar uw vrouw heen zou kunnen zijn gegaan behalve Jock Gavin?'

'Nee.'

'En hij heeft niets anders over Jock Gavin verteld dan dat hij de neef van uw ex-vrouw is?'

'Dat heb ik al gezegd, ja.' Hij keek Simpson wantrouwend aan. 'Ik begin me dingen af te vragen over jou, Simpson. Ik heb je hier binnengelaten en je mijn medewerking verleend, omdat ik misschien sympathie van het publiek nodig zal hebben. Maar je bent opdringerig, erg opdringerig. Ik vraag me af of het nutsbedrijf misschien iemand hierheen heeft gestuurd om erachter te komen hoe ik reageer en wat ik van plan ben.'

'U hebt mijn papieren gezien.'

'En die zal ik morgen zeker natrekken.'

'Het spijt me dat u mij wantrouwt,' zei Simpson ernstig. 'Hoewel ik er alle begrip voor heb. Misschien kunnen we morgen, nadat u mijn papieren heeft nagetrokken, verder praten.'

'Misschien.' Edmunds liep met grote stappen naar de voordeur. 'Maar op dit moment wil ik alleen zijn met mijn verdriet. Goedenavond.'

Simpson knikte vol sympathie. 'Vanzelfsprekend. Hartelijk dank voor uw hulp.'

Edmunds liep met hem mee de veranda op en bleef wachten terwijl Simpson naar zijn auto liep, die op de hoek stond geparkeerd.

Terwijl hij wegreed, zag Simpson in zijn achteruitkijkspiegel dat Edmunds nog stond te kijken.

Verdomme.

Meteen toen hij de hoek om was, klapte hij zijn telefoon open.

'Hij heeft mijn kenteken, Sanborne,' zei hij toen deze opnam. 'En waarschijnlijk gaat hij me morgen natrekken.'

'Dan heb je hem blijkbaar enorm overtuigd van je eerlijkheid en betrouwbaarheid.'

'Ik heb gedaan wat ik kon. Wat had je dan verwacht? Hij is wantrouwend ten opzichte van iedereen. Hij is jurist, verdomme.'

'Oké, hou je rustig. Wat kunnen we doen om zijn stekels weer glad te strijken?'

Simpson dacht even na. 'Hij wil het nutsbedrijf een proces aandoen. Hij dacht zelfs even dat ik misschien door hen was ingehuurd. Ik weet niet of het hem om wraak te doen is of om een vet bedrag.'

'Dan moeten wij daar achter zien te komen. Juristen zijn altijd in voor een deal. Het zou niet... Wacht even.' Sanborne hield even zijn mond. 'Verdomme. De brandweer kondigt net aan dat er geen doden zijn gevonden in wat er nog van dat huis over is.'

'Nou, dan hoeven wij ons ook niet meer druk te maken over Edmunds.'

'Misschien niet, maar misschien ook wel.' Sanborne was even stil. 'Bel hem morgen uit naam van het nutsbedrijf en maak een afspraak om de voorwaarden te bespreken. Omdat hij nu geen bewijs heeft dat hij een vader is die van zijn zoon is beroofd, zal hij wel op ónze voorwaarden willen onderhandelen. Ben je nog meer te weten gekomen?'

'Ze beantwoordt haar mobiele telefoon niet. En volgens dat kind ging die Dunston de laatste maanden veel om met haar neef: ene Jock Gavin.'

Stilte. 'Jock Gavin?'

'Ja, die naam noemde hij.'

'Godverdomme.'

'Ken je die?'

'Van lang geleden, ja. En ik heb een paar indrukwekkende dingen over hem gehoord, sinds hij uit mijn vizier is verdwenen.'

‘Wat voor soort...’

‘Kom zo snel als je kunt terug. Ik moet je instrueren hoe je Edmunds morgen moet benaderen.’

‘Kan ik niet beter wachten en hem even in zijn sop gaar laten koken?’

‘Nee, ik wil niet wachten. En spreek me niet tegen.’ Hij hing op.

8

Drie uur.
Sophie draaide zich nog eens om, op zoek naar een koel plekje op haar hoofdkussen. Relax, verdomme. Het was precies zoals ze al had verwacht: die paar uur slaap eerder op de dag hadden iedere kans om nu in te kunnen slapen verpest. De laatste vier uur had ze alleen maar liggen woelen. Als de tussendeur niet op een kier had gestaan, zou ze nu de televisie aanzetten en proberen een heel saaie film te vinden. Sinds Royd het licht had uitgedaan, een paar uur geleden, had ze geen geluid meer uit zijn kamer gehoord. En ze wilde hem niet wakker maken alleen maar omdat zij niet kon...

Maar nu hoorde ze plotseling wél iets in zijn kamer.

Een soort hard en rauw gehijg. Geen gekreun of geschreeuw. Alleen maar een scherp, gejaagd en rasperig ademhalen.

Gespannen lag ze ernaar te luisteren.

Als het Royd was, klonk het of hij pijn had.

En het moest Royd zijn. Anders had ze de deur wel open horen gaan.

Misschien had hij indigestie van dat Chinese eten. Daar had ze niets mee te maken.

Mooi wel. Ze was niet voor niets arts. Sinds ze haar eed had afgelegd, had ze niet meer het recht om haar oren te sluiten voor iemand die pijn had. Soms wenste ze dat ze dat wél mocht en dit was een van die momenten.

Verdomme, het kon best gewoon een nachtmerrie zijn.

Maar misschien was het dat ook niet. Ze moest elke aandoening die het maar kon zijn nagaan. En zelfs als het toch alleen maar een nachtmerrie was, dan nog had ze de morele plicht om hem wakker te maken.

Hou op met dat getwijfel. Actie!

Ze sprong uit bed en was in een paar seconden bij de tussendeur, die ze meteen wijd opengooide. Royd lag op zijn buik, het laken half over hem heen.

Ze deed het lampje op het nachtkastje aan. 'Ik hoorde je. Wat is er aan de...'

In een oogwenk gooide hij haar op de grond en sprong boven op haar!

Zijn handen klemden zich om haar keel.

Ze draaide haar hoofd en beet in zijn pols.

Maar zijn greep werd er niet minder verstikkend door. Hij staarde op haar neer, maar ze was er niet zeker van dat hij haar ook werkelijk zag. Zijn gezicht was helemaal verwrongen van woede.

Met al de kracht die ze kon verzamelen, stompte ze hem met haar vuist keihard in zijn ballen.

Hij gromde van de pijn en zijn greep verslapte.

Snel probeerde ze van hem weg te rollen, maar zijn benen klemden zich alweer om haar heen. Ze klauwde haar nagels in zijn dij.

'Shit!' De woede verdween uit zijn gezicht. Hij schudde met zijn hoofd, alsof hij het wilde ophelderen. 'Sophie. Waar ben je in vredesnaam mee bezig? Wil je me vermoorden?'

'Ik probeer te overleven, klootzak. Wat dacht je dan? Laat me opstaan.'

Hij ging staan. 'Is alles goed met je?'

'Nee, helemaal niet. Dit is al de tweede keer vandaag dat je met je poten aan me zit.' Ze rukte haar nachtpon naar beneden, terwijl hij haar hielp op te staan. 'De volgende keer dat ik in je buurt moet zijn, neem ik een wapen mee.'

'Je hebt me anders flink beschadigd zónder wapen.' Hij trok een gezicht. 'Je had al gedreigd dat je een eunuch van me zou maken.'

'Als ik een mes had gehad, had ik het gedaan ook,' siste ze tussen haar tanden. 'Ik dacht dat je me ging vermoorden.'

'Je had me niet moeten laten schrikken.'

'Dat probeerde ik juist níét te doen. Ik deed expres het lichtje aan. En ik heb je niet eens aangeraakt. Er was geen enkele reden voor jou om...'

'Waarom?' onderbrak hij haar. 'Wat is er gebeurd? Waarom ben je mijn kamer binnengekomen?'

'Omdat je... Het klonk niet alsof je droomde. Ik durfde het risico niet te nemen. Ik ken je medische geschiedenis niet. Ik dacht dat je ziek was. Of een beroerte had. Het klonk alsof je... Ik ben stom geweest.' Ze draaide haar gezicht weg. 'Het zal niet meer gebeuren.'

'En dan laat je me in het vervolg maar gewoon aan mijn lot over als ik een hartaanval of een beroerte heb?' Hij schudde zijn hoofd. 'Nee toch, Sophie.'

'Het is wel duidelijk dat je dat allebei niet had, anders had je niet de kracht gehad om me zowat te vermoorden.'

'Heb ik je pijn gedaan?'

'Ja.'

'Het spijt me.' Hij was even stil.'Wat kan ik doen om het goed te maken?'

'Niets.'

Hij stak zijn hand uit en legde die op haar arm. 'Ik heb je pijn gedaan en dat heb ik niet zo bedoeld, maar woorden zijn maar goedkoop. Ik doe alles om het goed te maken. Zeg het maar.'

Hij meende het. Zijn gezichtsuitdrukking was zo intens, dat ze haar ogen er niet van los kon maken. Ze voelde er zich vreemd door geroerd. 'Je hoeft voor mij niets te doen. Laat me gaan, dan kan ik terug naar bed.'

Langzaam liet hij haar arm los. 'Bedankt dat je probeerde me te helpen, maar doe het maar niet meer.' Hij lachte flauwtjes. 'Als je me wilt wakker maken uit een van mijn nachtmerries, kun je beter een kussen naar me gooien of naar me schreeuwen vanaf de andere kant van de kamer. Dat is een stuk veiliger.'

Ze verstijfde. 'Was het een nachtmerrie dan? Dat vroeg ik me al af, maar ik kon het risico niet nemen. Het leek of er echt iets mis was. Ik was er niet zeker van wat er aan de hand was.'

Hij knikte. 'O ja, het was zeker een nachtmerrie.'

'Waarover?'

'Opgejaagd worden, achternagezeten worden, de dood. De details wil je echt niet horen.'

Jawel, dat wilde ze wél weten. Maar het was duidelijk dat hij niet van plan was om die te vertellen. 'Ben je ooit gaan slaapwandelen, terwijl je zo'n nachtmerrie had?'

'Nee. Jij denkt dat ik een nachtelijke paniekaanval verwar met een nachtmerrie.' Hij schudde zijn hoofd. 'Nee, het is een echte nachtmerrie. Ik weet dat je meestal een nachtmerrie hebt wanneer je in de REM-slaap bent. Niet als je in de NREM-slaap bent, de diepe slaap. Daardoor heb je ook een nachtmerrie aan het einde van de slaapcyclus, in plaats van in het begin ervan. Mijn lichaam lijkt dan zo'n beetje verlamd, zodat ik alleen stuiptrekkingen heb, maar niet als een dolle lig te bewegen in mijn bed en ik gil het ook niet uit. Ik heb wel een verhoogd hartritme, maar dat is niets vergeleken bij het ritme dat gepaard gaat met een echte paniekaanval 's nachts. En bovendien herinner ik me mijn nachtmerries perfect, wat bij 's nachts in paniek wakker worden meestal niet het geval is.'

Verbouwereerd keek ze aan. 'Jij weet er heel wat van. Ben je in therapie geweest?'

'Om de dooie dood niet. Maar toen die nachtmerries begonnen, besloot ik dat ik ze onder controle moest zien te krijgen. Dus heb ik wat onderzoek gedaan.'

'Wat mij betreft heb je het niet echt onder controle gekregen. Je hebt alleen het probleem benoemd. Je hebt waarschijnlijk een behandeling nodig.'

'Echt waar?' Hij hield zijn hoofd schuin. 'En heb ik je professionele nieuwsgierigheid gewekt?'

Ze likte langs haar lippen. 'Hebben die dromen iets te maken met Garwood?'

Hij was even stil. 'Ja. Wat had je anders verwacht?'

'Precies dit.' Ze begon zich om te draaien. 'Ga zitten en haal een paar keer diep adem. Probeer je te ontspannen. Ik ga een glas water voor je halen.'

'Waarom?'

'Doe het nou maar.'

Hij fronste zijn voorhoofd. 'Ik wil niet dat je me bedient. Ik kan heus wel zelf een glas water halen.'

'Ga zitten en hou je mond. Ik ben zo terug.'

Hij trok zijn wenkbrauwen op. 'Kan ik wat kleren aantrekken?'

'Hoezo? Mij stoort het niet als iemand naakt is en je gaat toch weer naar bed, zodra je ontspannen genoeg bent.'

Hij keek naar beneden. 'Maar voor mij is het niet ontspannend als ik naakt in dezelfde kamer ben met jou.'

'Doe wat je wilt.' Ze liep de badkamer in. Om Royd naakt te zien was voor haar ook totaal niet ontspannend. Hij was veel te mannelijk, zijn lichaam veel te gespierd en stevig. Hij zorgde ervoor dat ze zich zwak en vrouwelijk voelde en helemaal niet professioneel. Dat wílde ze helemaal niet. Maar om dat te bekennen zou natuurlijk helemáál een afgang zijn.

Ze vulde een glas met water en nam het mee terug naar de slaapkamer. Hij zat in de fauteuil met zijn benen uitgestrekt naar voren. Hij had haar letterlijk genomen en niets aangetrokken.

Verdomme.

Ze gaf hem het glas water en ging op een van de rechte stoelen zitten die rond de tafel stonden waaraan ze eerder hadden gegeten. 'Je transpireert. Heb je dat altijd als je hebt gedroomd?'

Hij knikte.

'Hoe vaak komen die nachtmerries voor?'

'Twee of drie keer in de week.' Hij nam een slokje. 'Soms vaker. Het hangt ervan af.'

'Waar hangt het van af?'

'Hoe moe ik ben. Te veel energie lijkt het op te roepen.' Hij haalde zijn schouders op. 'Uitputting veroorzaakt blijkbaar kortsluiting.'

'Misschien. Of het zorgt ervoor dat je de spanning kwijtraakt die je gedurende de uren dat je wakker bent hebt opgebouwd, in plaats van dat de nachtmerrie het voor je doet nadat je in slaap bent gevallen.'

'Het is absoluut geen bevrijding. Het is meer een val.' Hij hief zijn hoofd op en keek haar onderzoekend aan. 'Waarom stel je al die vragen? Wat probeer je daarmee te bereiken?'

'Ik ben arts. Slaapstoornissen zijn mijn specialisme. Ik wil je helpen. Is dat zo moeilijk te begrijpen?'

'Gezien het feit dat ik je nog maar vijf minuten geleden probeerde te wurgen, zou ik zeggen dat dat heel moeilijk te begrijpen is.'

'Je was niet bij zinnen. Je wist niet wat je deed.'
'Ben je me nu aan het excuseren?'
'Nee, maar het hoort bij mijn vak om oorzaak en gevolg te begrijpen. Ik had, toen ik net geslaagd was voor de medische opleiding, een patiënt die me zo'n harde vuistslag verkocht dat ik er een gebroken neus aan overhield.' Ze vertrok haar gezicht in een grimas. 'Het was absoluut niet zijn bedoeling om dat te doen. Het was puur een reflex. Maar na die gebeurtenis ben ik wel voorzichtiger geworden.'
'Maar dat geldt niet voor vanavond.'
'Ik wist niet dat ik voorzichtig moest zijn. Je leek...'
'Geestelijk gezond?'
'De dingen onder controle te hebben,' verbeterde ze.
'Ik héb de dingen onder controle.' Hij trok een gezicht, toen hij haar sceptische blik ontmoette. 'Oké, behalve als ik dat niet heb.'
'Heb je medicijnen geprobeerd?'
'Medicijnen. Nooit,' zei hij op vlakke toon. 'Ik geloof er niet in om iets in te nemen. Het zijn juist medicijnen geweest die me bijna kapot gemaakt hebben.'
Ze kromp ineen. 'Ik bedoelde niet... In sommige gevallen blijkt het goed te werken als je een manier vindt om te ontspannen voor je gaat slapen.'
'Dat is waar. Dat heb ik de eerste maand dat ik die dromen begon te krijgen ontdekt. Ik heb allerlei dingen geprobeerd. Poker, kruiswoordpuzzels, schaken. Maar mentale stimulatie was niet de oplossing. Het moest fysiek zijn. Alles wat me ook maar kon uitputten. Dus begon ik elke avond tien kilometer te rennen.'
'Dat is iets wat je zeker uit zal putten.'
'Soms.' Hij pauzeerde even. 'Maar seks werkt beter.'
'Ongetwijfeld.' Plotseling keek ze hem wantrouwend aan. 'Probeer je me nu in verlegenheid te brengen?'
'Nee, ik leg gewoon iets uit. Jij vroeg wat me hielp ontspannen.'
'En jij gaf daarop alleen de feiten.'
Hij glimlachte. 'Nou, nee. Dat was eigenlijk mijn openingszet in mijn plan om je te verleiden. Maar het is echt waar. Er is

geen beter middel dan seks om je te ontspannen. Vind je ook niet?'

'Als ik daarmee instemde zouden we deze discussie nog eindeloos doorvoeren en dat is zeker niet wat ik wil. Ga je me nog vertellen waar die dromen van je over gaan?'

'Nee. Nu niet. Misschien als we elkaar beter hebben leren kennen.'

Zijn glimlach maakte duidelijk dat hij dat 'beter leren kennen' op een zeer bepaalde manier bedoelde. Ze stond op. 'Loop naar de hel. Ik probeerde je te helpen. Maar ik had beter moeten weten.'

Zijn glimlach verdween. 'Ik wil jouw patiënt helemaal niet zijn, Sophie. Ik ben je zoon niet. Het allerlaatste wat ik nodig heb is dat jij mijn hand vasthoudt en me troost. En ik wil helemaal niet volkomen genezen worden van mijn nachtmerries.'

'Je bent gek.'

'Nou, wat een uitdrukking. Wat onprofessioneel van je.'

'Ik heb Michaels pijn iedere dag meegemaakt en ik weet wat een hel die nachtmerries zijn. Het woord *nachtmerrie* komt van het oude Saksische *mara*, dat demon betekent. En nachtmerries kunnen je inderdaad levend roosteren, net zoals die demonen deden. Ze zijn dan misschien niet zo gevaarlijk als nachtelijke paniekaanvallen, maar ze zijn al erg genoeg op zichzelf. Waarom zou je ze in godsnaam niet kwijt willen?'

Het was even stil. 'Ze houden mijn geheugen wakker. Ze houden het vuur van mijn woede laaiend. Ze houden mijn blik gefocust op wat ik moet doen.'

Laaiend.

Achter dat beheerste masker zag ze inderdaad een glimp van die vreselijke woede. 'Mijn god, doe je dat jezelf aan? Ik weet wat een marteling die dromen zijn.'

'Sanborne en Boch hebben die nachtmerries veroorzaakt. Dat was hun cadeau aan mij. En dat kan ik beter bij de hand houden, zodat ik het tegen hen kan gebruiken. Dus verspil je medelijden nou maar niet aan mij.'

'Nee, dat ben ik niet van plan.'

'Maar je zult wél medelijden hebben. Daar kun je niets aan doen. Jij bent nou eenmaal iemand die goed wil doen en het leed van de wereld op haar schouders draagt.' Hij stond op en liep naar het bed. 'Je zou niet zo diep verzonken zijn geraakt in deze troep als je je vader niet had willen helpen. Je hebt vreselijk veel pijn omdat je je zoon niet beter kunt maken. En nu denk je dat ík je nodig heb en ik zou je helemaal naar mijn pijpen kunnen laten dansen als ik wilde.' Hij ging in bed liggen en trok het laken over zich heen. 'Maar dat wil ik niet. Dus ga maar naar bed en laat me slapen.'

'Ja, dat zal ik doen, lul.' Kwaad liep ze naar de deur. 'En ik hoop dat die nachtmerries van je zich ontwikkelen tot echte paniekaanvallen en je je hele leven lang...' Ze stopte. 'Nee, dat hoop ik niet. Dat niet.'

'Zie je wel?' vroeg Royd kalmpjes vanaf het bed. 'Je durft zelfs geen vloek over me uit te spreken.'

'Nachtelijke paniekaanvallen zijn te persoonlijk voor mij. Maar er zijn allerlei soorten angsten. Ik kan er wel een paar bedenken die een man als jij zouden doen verbleken en die ik je graag zou toewensen.'

'Zoals?'

Ze wierp hem een ijzige blik toe van over haar schouder. 'Dat je ballen verschrompelen en dat je allergisch blijkt te zijn voor Viagra en al dat soort middelen.'

Verbouwereerd keek hij haar na. En toen barstte hij plotseling in schaterlachen uit. 'Mijn god, jij bent een formidabele vrouw.'

'Nee, dat ben ik niet. Ik ben een softie, weet je nog?'

En ze smeet de deur achter zich dicht.

'Slaapt hij nog?' vroeg MacDuff aan Jock, toen deze de trap afkwam.

'Ja, en hij moet ook nog een tijdje slapen. Hij was uitgeput, maar tegelijkertijd zó opgewonden, dat hij pas om een uur of drie in slaap viel.'

'Kun je mee een stuk gaan wandelen? Ik wil met je praten.'

Jock schudde zijn hoofd. 'Ik kan Michael niet alleen laten, zelfs niet voor een paar minuten. Dat heb ik Sophie beloofd.'

'Ik heb je die draadloze polsband gegeven.'

'Jawel, maar als hij een paniekaanval krijgt en stopt met ademen als ik op tien minuten loopafstand ben, gaat hij dood.'

'Ik snap het,' zei MacDuff. 'Kom dan mee naar het binnenplein. Dat is maar drie minuten verwijderd van elke kamer in het kasteel.' Hij glimlachte. 'Dat moet jij toch weten. Jij hebt hier als kind de hele boel grondig verkend.'

'En dat kon omdat jij me nooit het gevoel hebt gegeven dat ik minder was omdat mijn moeder hier de huishoudster was,' antwoordde Jock, terwijl hij achter de laird aan het binnenplein opliep. 'Voor ik in de echte wereld belandde, is het werkelijk nooit in me opgekomen dat je me de toegang had kunnen verbieden.'

'Dit ís de echte wereld, Jock.'

Jock keek omhoog naar de vele torens op het kasteel. 'Voor jou, ja. Het is je bloed, je historie. Je lééft gewoon voor deze plek. Voor mij is het een prettige herinnering en het huis van een goede vriend.'

'Het zou jouw thuis ook moeten zijn.'

Jock schudde zijn hoofd.

MacDuff was even stil en keek uit over het stuk land waar het kasteel naar was genoemd. 'Ik wil graag dat je blijft. Ik heb je destijds laten gaan, omdat ik wist dat je het nodig had om even afstand van me te nemen. Je had het gevoel dat ik je zowat verstikte met mijn zorg voor je omdat je... niet helemaal jezelf was.'

Jock grinnikte. 'Je bedoelt dat ik hartstikke gek was.'

Hij glimlachte. 'Laten we het erop houden dat je periodes had waarin je je gedesoriënteerd voelde en de controle over jezelf kwijt was.'

'Hartstikke gek,' herhaalde Jock nog een keer. 'Je hoeft heus mijn gevoelens niet te sparen. Ik heb nog steeds momenten dat ik mezelf niet helemaal onder controle heb.' Hij keek MacDuff aan. 'Maar dat komt steeds minder vaak voor. En het is echt niet nodig dat ik hier onder jouw wakend oog blijf. Je hebt al veel te veel voor me gedaan en je te vaak zorgen over mij gemaakt.'

'Gelul. Het is absoluut niet te veel, tot je weer helemaal gezond bent.' Hij pauzeerde even. 'En wat zou je ervan vinden als ik je vertel dat ik jóú nodig heb. Niet andersom.'

'Ik zou je voor geen meter geloven. Zoals je me ooit zei: jij trapt je eigen kakkerlakken wel dood.'

'In godsnaam, je bent van veel grotere waarde voor mij dan alleen maar als verdelger. Je hebt hersens.'

'En jij denkt dat je om verdelger te zijn géén hersens nodig hebt?'

'Jock.'

'Oké, vertel me dan maar eens waarom je die kostbare hersens van mij nodig hebt.'

'Ik heb het goud van Cira nog steeds niet kunnen vinden.'

'Het goud van Cira?' Jock grinnikte. 'Ben je weer begonnen met een zoektocht naar het sinds lang verloren familiekapitaal?'

'Daar ben ik nooit mee opgehouden. Ik ben er het afgelopen jaar regelmatig naar op zoek geweest. Het zal me niet gebeuren dat ik MacDuffs Run verlies aan de National Trust. Het is van míj.'

'Ja, en het verhaal van Cira's goud kan wel een mythe zijn.'

'Nou, blijf dan in de buurt, dan kunnen we daar samen achter zien te komen. Dat is toch een avontuur, Jock.' MacDuffs toon werd vleiend. 'Ik heb zo ongeveer het hele landgoed afgezocht. Ik heb iemand nodig die er fris tegenaan kijkt en een andere manier bedenkt.'

Jock voelde dat hij dat eigenlijk best zou willen. MacDuff wist heel goed hoe hij bij iemand op de juiste knoppen moest drukken. 'Je wilt me gewoon afleiden van Sophie en de jongen.'

'Gedeeltelijk. Maar ik heb je ook echt nodig. Je bent voor mij als familie en ik vertrouw alleen familie als het gaat om die kist met goud. Die is van onschatbare waarde en ik ben nou eenmaal niet iemand die anderen gauw vertrouwt. Help me, Jock.'

'Ik zal erover nadenken.'

'Ja, doe dat maar.' MacDuff gaf hem een klap op zijn schouder. 'Het is helemaal niet nodig dat je teruggaat naar Amerika. Wij zullen voor dat jochie zorgen tot het veilig voor hem is om terug te gaan en dan breng ik hem persoonlijk naar zijn moeder.' Hij zag de uitdrukking op Jocks gezicht veranderen en haalde zijn schouders op. 'Oké, jíj brengt hem naar zijn moeder. Als je daarna maar meteen weer omdraait en op het vliegtuig terug stapt.'

'Volgens mij zit je een beetje te pushen.'
'Meer dan een beetje. Heb je ooit meegemaakt dat ik geen rigoureuze maatregelen nam?'
'Nooit.' Zijn lach verdween. 'Maar misschien moeten we wel meer doen dan alleen de tijd met Michael uitzitten. Het kan zijn dat ik Sanborne op jouw spoor heb gezet. In het vliegtuig hierheen schoot me opeens te binnen dat Sophies ex-man wist dat ik regelmatig bij hen was. Michael heeft hem verteld dat ik familie was, maar Edmunds kent mijn naam. En als Edmunds die kent, kan Sanborne er ook achter komen.'
'Dat zien we wel als het ook werkelijk gebeurt.'
'Sanborne is een ontzettend machtige man.'
'Niet hier, niet op mijn landgoed. Niet bij mijn mensen. Laat hem maar komen.'
Jock moest lachen. Het antwoord was zo typisch MacDuff, dat het hem een warm gevoel van thuiskomen bezorgde. 'Dan neem ik aan dat jij niet wilt dat ik dat joch ergens anders naartoe breng om hem daar te verscholen te houden?'
'Waar heb je het in vredesnaam over? Ik heb de verantwoordelijkheid voor dat jochie genomen. Als jij hem hier weghaalt, krijg je het met mij aan de stok.'
'Nou, dan kan ik dat maar beter niet doen.' Jock liep de trap op. 'Ik moet even bij Michael gaan kijken of alles goed met hem gaat. Zelfs al heeft hij geen nachtmerrie, dan is het nog maar een kind dat een heel eind van huis is.'
'Hij is tien. Jij was pas vijftien toen je van huis wegliep en besloot de wereld te gaan ontdekken.'
'Maar dat was mijn eigen keuze. Geen goede, maar Michael hád geen keus toen hij hierheen moest.' Hij keek om. 'En ik had jou die me achterna kwam en me redde. Michael heeft alleen mij.'
'Meer geluk kan hij niet hebben,' zei MacDuff zachtjes. 'Ik zou jou altijd uitkiezen als het erom ging wie er bij me was, Jock.'
Even wist Jock niet wat hij moest zeggen. Hij was tot nu toe altijd degene geweest voor wie gezorgd werd, niet de verzorger. Met zijn verstand had hij wel geweten dat MacDuff en hij nu elkaars gelijken waren, maar zijn gevoel zei nog iets anders. Jezus,

hij was ontroerd. Met moeite toverde hij een glimlach om zijn mond. 'Dat is goed om te weten. Betekent dat dat je Michael en mij niet in de kerker zult gooien voor onze eigen veiligheid?'

'Nee, absoluut niet. Dat betekent het helemaal niet. Ik doe altijd wat ik noodzakelijk vind.' Hij grijnsde en liep achter Jock aan de trap op. 'Maar helaas is de kerker ondergelopen tijdens de voorjaarsstormen. Dus misschien heb je het geluk om aan dat lot te ontsnappen.'

'Ze hebben ontdekt dat jij en Michael niet in dat huis waren,' merkte Royd op toen Sophie de volgende ochtend zijn kamer binnenkwam. 'Dat heeft de brandweer gisteravond bekendgemaakt.'

'Ja, dat zat er dik in.'

Hij knikte. 'We hebben geluk gehad dat we het zo lang hebben kunnen rekken. Het betekent gewoon dat we extra voorzichtig moeten zijn en je je niet aan de buitenwereld moet vertonen voor het geval je wordt herkend. Niet alleen Sanborne en Boch zijn naar je op zoek, ook de politie zal je wel een paar dingen willen vragen. Bijvoorbeeld waarom je je niet hebt gemeld.'

'Ik ben niet van plan om me ook maar ergens te vertonen, tenzij je iets productiefs voor me te doen hebt.' Ze keek hem doordringend aan. 'Heb je dat?'

Hij haalde zijn schouders op. 'Ik heb Kelly gesproken. Hij denkt dat het beste moment om de elektriciteit uit te schakelen vanavond om negen uur is. Dan gaan ze nog wat spullen uit het lab halen en als het dan opeens aardedonker is, zullen ze elkaar alleen maar in de weg lopen. Hoe meer verwarring, hoe beter.'

'En kan hij het voor die tijd geregeld krijgen?'

'Hij zei van wel,' antwoordde hij kortaf. 'Hij wil een seintje van mij dat het oké is en dat treft hij de voorbereidingen.'

'Nou, geef dat seintje dan.'

'Niet voordat ik een manier heb bedacht om je daar weg te krijgen.'

'Als Kelly me daar binnen kan krijgen, kan hij er ook voor zorgen dat ik weer buiten kom.'

'Dat zou wel eens niet het geval kunnen zijn. Vooral als de verlichting te snel weer aangaat.'

'Bedenk dan maar wat anders. Ik ga in ieder geval naar binnen.'

Hij zweeg. 'Ik zal tegen Kelly zeggen dat hij ons om kwart voor negen ergens buiten moet treffen, zodat we alles nog eens op een rijtje kunnen zetten.'

'Dat is een goed idee. Zeker omdat ik niet eens weet hoe hij eruitziet. Heb je een foto van hem?'

'Nee. Kelly ziet eruit als een roodharige Fred Astaire.'

'Nou, dat is een heel goede beschrijving.'

'En hij is al tapdansend uit een heleboel benarde situaties ontsnapt, maar ik wil niet dat hij dat vanavond ook moet doen.' Hij knikte in de richting van de tafel. 'Ik heb een sandwich en wat jus d'orange gehaald, dus ga zitten en eet wat.'

'Ik heb geen honger.'

'Eet toch maar. Het is goed voor je. Het zal je de energie verschaffen om me flink op mijn donder te geven als je daar zin in hebt.' Hij was even stil. 'Tenzij je zo woedend op me bent, dat je niet eens aan dezelfde tafel met me wilt zitten.'

'Het zou heel stom zijn om mijn persoonlijke gevoelens in de weg te laten staan. Jock had me al gewaarschuwd dat ik me waarschijnlijk op z'n minst één keer per dag geïrriteerd door je zou voelen.' Ze ging zitten en pakte de sandwich uit. 'Hij heeft het onderschat. Hij zal je wel niet zo goed kennen als hij denkt.'

'Hij kent een bepaalde kant van mijn persoonlijkheid heel goed. De rest baseert hij op zijn beoordelingsvermogen.'

'En welk gedeelte van jou kent hij dan?'

'Het gedeelte dat pijnlijke schaafwonden kreeg door die verdomde kettingen. Het gedeelte dat hij ook mee heeft moeten maken.'

'Kettingen?'

'Mentale, soms ook fysieke. Onderdrukking van de vrije wil. Weten dat je geen andere optie hebt dan te gehoorzamen.' Zijn mondhoeken gingen omhoog in een sardonisch lachje. 'Jij wordt zo opgevreten door schuldgevoelens, dat ik zeker weet dat jij denkt dat dat bij Jock en mij ook zo is. Ik kan niet voor Jock spreken, maar ik ben te zelfzuchtig om me nog druk te maken over alle misdaden die ik heb begaan in de tijd dat ik geen controle over mezelf had. Ik haatte het om tot slaaf te worden gereduceerd door die klootzakken. Om te zwak te zijn en niet bij machte om dat rotmedicijn en de bijwerkingen ervan te overwinnen. En die schoften die het me gaven te vermoorden.'

'Ik was degene die het aan je gaf,' fluisterde ze. 'Of ik zou het kunnen zijn geweest.'

'Onzin. Als ik dat werkelijk dacht, was je allang dood.' Hij liet zich in een stoel vallen en maakte het pak jus d'orange open. 'Dus hou op met dat gejeremieer en neem mijn gezonde, egocentrische zienswijze over.' Hij schonk sinaasappelsap in haar glas en daarna in het zijne. 'Als je wilt dat ik niets meer over Garwood vertel, doe ik dat niet meer. Maar ik heb altijd gevonden dat lucht en zonlicht goed zijn voor een wond.'

'Met een beetje haat erbij?'

Hij knikte en hief zijn glas op in een proostgebaar. 'Nou begin je het door te krijgen.'

'Ik háát Sanborne. Hoe kun je daaraan twijfelen?'

'Daar twijfel ik ook niet aan. We gaan er alleen allebei anders mee om. Misschien komt het omdat het bij jouw werk hoort om meevoelend te zijn en mijn werk in wezen nog steeds draait om de dingen die ik op Garwood heb geleerd.'

'En jij moet je vuur laaiend houden.'

'Ja, inderdaad.'

Ze veranderde van onderwerp. 'Waar ontmoeten we Kelly?'

'Er is daar een beekje, ongeveer drie kilometer van het terrein. Zonder beveiligingscamera's in de buurt.'

Ze herinnerde zich het beekje van de dag dat ze voor de beveiligingsmensen had moeten vluchten. 'Heeft hij de safe al gevonden?'

'Ja. Er staat er eentje op een kantoortje in het lab. Niet bij iemand van de leiding, maar op de afdeling personeelszaken.'

'Dat zou heel goed Sanbornes safe kunnen zijn. Een afleidingsmanoeuvre.'

Hij knikte. 'Interessant genoeg om door Kelly te laten onderzoeken. Maar ik weet niet zeker of het wel de moeite waard is dat jij daar ook naar binnen gaat.'

'Ik wel.' Ze nam het laatste slokje sinaasappelsap. 'Als Kelly de elektriciteit uitschakelt, zal daarna iedereen die zich op het terrein bevindt, verdacht zijn. Misschien krijgt hij daarna geen kans meer.' Ze stond op. 'Ik gá, Royd.'

Hij haalde zijn schouders op. 'Doe wat je niet laten kan. Waarom zou het mij wat uitmaken?'

'Omdat je, als je mij verliest, je lokaas ook kwijt bent.'

'Ik heb nooit beweerd dat ik je als lokaas wilde gebruiken.' Hij fronste zijn voorhoofd. 'Nou ja, misschien wel, maar dat zou echt mijn allerlaatste methode zijn.'

Ze schudde haar hoofd. 'Mijn god, ik geloof dat ik een snufje gevoel bespeur.'

'Absoluut niet.' Hij leunde achterover in zijn stoel. 'Waarschijnlijk probeer ik je te laten geloven dat het geen slecht idee zou zijn om met zo'n aardige vent als ik naar bed te gaan.'

'Aardige vent?' Verbouwereerd staarde ze hem aan. 'Nou, dan heb je nog een heel lange weg te gaan, Royd.'

'Zelfs de langste reis begint met één enkele stap,' pareerde hij met een citaat. 'Misschien zorg jij er wel voor dat ik een beter mens word. Wat denk jij?'

'Ik denk dat je belachelijk doet.'

Hij glimlachte. 'Goed. We hebben de hele dag voor ons en niets te doen. Jij doet in therapie en je mag niet naar buiten, want we moeten niet opvallen. Zullen we naar bed gaan en heerlijk ontspannen en relaxed worden voor die job van vanavond?'

'Nee, dat doen we niet. Je bent walgelijk.'

'Niet in bed. In veel andere aspecten van mijn gedrag, ja, maar niet tussen de lakens. Je zou me heerlijk vinden.'

'Arrogante klootzak.' Ze liep naar de deur van haar kamer. 'Ik heb geen enkele interesse in seks met jou.'

'Ik geloof toch dat ik een klein beetje interesse bespeurde. En ik ben natuurlijk zo'n geile beer, dat ik alles moet pakken wat ik te pakken kan krijgen.'

Niet te geloven. Ze wierp een blik op hem, hoe hij daar lui en ontspannen in die stoel zat, elke porie vol sensualiteit. Maar plotseling zag ze ook iets anders. Een ondeugende twinkeling, achter die brutale blik. Haar ergernis ebde weg. 'Dat is niet de reden waarom we hier zijn.'

'Maar ik krijg misschien nooit meer de kans om je te neuken.

Stel dat je vanavond wordt gedood.' Hij glimlachte sluw. 'En jíj mist dan het mooiste wat je in je leven mee had kunnen maken.'

'Ach, als ik vanavond word gedood, heb ik in ieder geval geen leven lang meer om er spijt van te hebben.'

'Als je zo goed bent als ik, telt elke minuut die je met me doorbrengt als een heel leven.'

Ondanks zichzelf kon ze niet voorkomen dat haar lippen omkrulden. 'Ik geloof dat ik ziek word.'

'Oké, ik zal ermee ophouden.' Zijn glimlach verdween. 'Maar als je je niet op een plezierige manier door mij wilt laten amuseren, stel ik voor dat je een ander soort afleiding zoekt. Want als je geen afleiding hebt, ben je vanavond zo nerveus als wat.'

'O, ik heb altijd wel iets te doen. Ik heb mijn dossiers wel niet bij me, maar er is niets mis met mijn geheugen. Ik ga nadenken over de patiënten bij wie ik er niet helemaal uitkom qua behandeling en wat aantekeningen maken.' Na een tijdje voegde ze eraan toe: 'Maar ik zou graag hebben dat je iets voor me doet.'

'Ik sta tot je dienst... misschien.'

'Ik kan zelf mijn vriendin Cindy Hodge niet bellen, maar jij wel. Zeg dat je uit naam van mij belt. Maar je hebt een soort bewijs nodig dat zij...' Ze dacht even na. 'Herinner haar er maar aan dat we hadden afgesproken dat we een nieuwe *Star Wars* altijd op de eerste middag dat die uit was, zouden gaan zien. Ik wil weten of ze nog in leven is en als dat zo is moet ze gewaarschuwd worden dat ze moet vluchten.'

Hij knikte. 'Geef me haar telefoonnummer maar. Ik zal haar vanuit die winkel verderop in de straat bellen.'

'Ik zal het even opzoeken in mijn mobiele telefoon. Wanneer ben je van plan om dat te gaan doen?'

'Wanneer denk je?' vroeg hij bot. 'Je hebt me om een gunst gevraagd. Je bent bezorgd. Is het de bedoeling dat ik je op hete kolen laat zitten? Ik zorg dat het binnen een uur voor elkaar is.'

'Dank je wel.' Ze deed de deur achter zich dicht.

Mijn god, wat een raadsel was hij. Bot en hard, sensueel en ruw, gepassioneerd en koud. En toch had dat beetje humor dat ze net bij hem had ontdekt, iets met haar gedaan. De laatste paar jaar was er weinig humor of gevatheid in haar leven geweest. Zelfs toen ze nog met Dave getrouwd was, waren de momenten dat ze met iets anders dan hun beider carrières bezig waren, schaars geweest.

Niet dat ze geen goede seks hadden gehad. Seks was altijd prettig wanneer twee mensen echt aandacht voor elkaar hadden. Mijn hemel, wat klonk ze braaf en saai.

Hoe zou de seks met Royd zijn? Het kon best dat hij helemaal niet veel aandacht voor haar zou hebben. En hij zou waarschijnlijk ook niet al te teder te werk gaan. Altijd als hij in haar nabijheid was, kon ze het beest dat in hem school, gewoon voelen. De fysieke signalen die hij gaf waren bijna tastbaar.

Wat zat ze nou te peinzen? *Altijd?* Was ze zó gevoelig voor zijn aanwezigheid? Daar was ze zich niet eens bewust van geweest. Behalve die ene keer...

Ze haalde diep adem. Oké, geef het maar toe. Je vindt hem fysiek aantrekkelijk. Maar dat hoeft nog niet te betekenen dat je gelijk met hem in bed moet springen. Die aantrekkingskracht zou heus wel overgaan, wanneer deze hele toestand eenmaal voorbij was. Het betekende alleen maar dat ze behoefte had aan seks en hij was nu toevallig voorhanden.

Haar mobiele telefoon ging. Royd.

'Hallo.'

'Cindy Hodge is bij haar moeder in Catskills. Ik heb haar gesproken en gezegd dat ze zich gedeisd moest houden.'

Wat een enorme opluchting. 'Godzijdank.'

'Tot straks.' Hij hing op.

Hij had zijn belofte gehouden en nu moest zij zich eens gaan concentreren op de belangrijke dingen. Ze liep naar het bureautje en pakte er een stapeltje papier en een pen uit. Toen liet ze zich in de gemakkelijke stoel bij het raam vallen.

Denk na over je patiënte Elspeth.

Denk na over Randy Lourdes, die lijdt echt aan ernstige slapeloosheid.

Denk niet aan Royd, naakt, gisteravond in zijn kamer.

Denk niet aan Royd, hoe hij relaxed en sensueel in die stoel hing en dingen zei die heel uitdagend en redelijk amusant waren.

Denk gewoon niet aan Royd. Punt.

9

Simpson was laat.

Dave Edmunds keek nog een keer op zijn horloge. Waar bleef die vent in vredesnaam? Het was al erg genoeg dat hij zich had laten omlullen om die Simpson hier op een verlaten landweggetje te ontmoeten. In eerste instantie had hij dan ook nee gezegd, maar hij begreep ook wel dat ze deze onderhandelingen absoluut geheim wilden houden. Bovendien wilde hij zelf evenmin dat ze in de publiciteit zouden komen. Dat zou het minieme voordeel dat hij nog had nadat hij had gehoord dat Sophie en Michael helemaal niet in dat huis hadden gezeten, volkomen tenietdoen. Natuurlijk was hij blij dat ze misschien nog in leven waren en hij zou er alles aan doen om ze te vinden. Maar totdat er absoluut bewijs was en ze levend en wel ergens opdoken, had hij de kans om te onderhandelen en er een goede deal uit te slepen. Iemand moest hier dik betalen en dan kon het maar het beste aan hem zijn. Het moest verdomme mogelijk zijn om genoeg geld uit hen persen om een leuk sommetje voor zichzelf opzij te kunnen zetten en Michael naar een privéschool te sturen.

En die ambtenaren van publieke werken konden maar beter beseffen wat voor beerput hij zou opentrekken als ze niet wilden onderhandelen. Maar dat deden ze natuurlijk wel, anders had Simpson niet gebeld en toegegeven dat hij voor het nutsbedrijf werkte en deze afspraak had gearrangeerd.

Maar nu kwam die klootzak van een Simpson niet opdagen. Een psychologische truc?

Nee, daar kwam hij aangereden. Hij herkende de auto. Toen hij langs de kant van de weg stil bleef staan, liep Edmunds erheen. Simpson draaide het raampje naar beneden.

'Je bent laat.' Edmunds keek ongeduldig op zijn horloge. 'Twintig minuten. Ik heb er een ontzettende hekel aan wanneer mensen te laat komen. Heb je enig idee hoeveel zaken ik op het spel zou zetten als ik te laat in de rechtszaal zou verschijnen?'

'Sorry,' zei Simpson. 'Ik werd opgehouden op kantoor. Het is dan misschien wel weekend, maar dit is niet zomaar iets. Toen ik u door de telefoon sprak, noemde u een bedrag waar u niet onder wilde gaan en toen mijn meerderen hoorden hoeveel dat is, stonden ze op hun achterste benen.'

'Neem me niet in de zeik, verdomme. Ik heb ze waar ik ze hebben wil. Ze kunnen schikken, of ik kan bleek en bevend op die getuigenbank in de rechtszaal gaan zitten en de jury een zielig verhaal vertellen over hoe het nutsbedrijf het leven van mijn zoon op het spel heeft gezet.'

'Denkt u werkelijk dat u ons een poot uit kunt draaien, nu er geen fysieke schade is?'

'Dat weten we nog helemaal niet. Misschien heeft mijn exvrouw wel een hersenschudding en loopt ze ergens verdwaasd en gewond rond. Ze is tenslotte nog nergens gesignaleerd. Misschien moet ik wel privédetectives gaan inhuren. En die kosten een hoop geld.' Ga tot het gaatje. 'Je hebt geen idee hoe moeilijk ik het jullie kan maken. Ik kan ervoor zorgen dat tegen het eind van de week iedere huiseigenaar in die buurt een proces tegen het nutsbedrijf begint, vanwege de gevaarlijke fysieke en geestelijke omstandigheden. Het is veel verstandiger als jullie nu een deal met mij sluiten en ik geen amok ga maken.'

'Ja, dat vonden mijn meerderen ook.' Simpson glimlachte. 'Ze wilden alleen dat ik probeerde iets van de prijs af te krijgen. Ik zei al dat u niet zou toegeven.' Hij was even stil. 'Maar ik heb geen toestemming om verder in te gaan op de deal die u wilt sluiten. Als u het goedvindt, komt er iemand hierheen om voor het nutsbedrijf te onderhandelen.'

'Wie?'

'George Londrum.'

'Die van publieke werken?' Edmunds floot zacht. 'Ik heb begrepen dat hij al zijn aandelen heeft verkocht, toen hij zijn tegenwoordige functie ging bekleden.'

'Maar dat betekent niet dat hij geen interesse heeft in de gezondheid en het floreren van het nutsbedrijf. Hij zit nog ongeveer twee jaar bij publieke werken en daarna wil hij natuurlijk een prettige werkplek om naar terug te keren.'

'Maar het nutsbedrijf zal niet echt gezond meer zijn, als ik moeilijk ga doen.'

'Zal ik hem dan maar bellen en zeggen dat u met hem wilt onderhandelen? Hij staat een paar kilometer hiervandaan, bij de benzinepomp, te wachten.'

Edmunds dacht even na. Ach, waarom ook niet. Londrum was een politicus en hij wist heel goed hoe je met politici om moest gaan. En gezien het feit dat hij er nu in ieder geval zeker van was dat hij nog steeds interessant was voor het nutsbedrijf, was de eerste ronde al gewonnen. 'Natuurlijk, zeg maar dat hij hierheen moet komen. Ik neem die klootzak wel te grazen.'

Simpson glimlachte. 'Uitermate kleurrijk uitgedrukt.' Hij toetste een nummer in op zijn mobiele telefoon. 'Meneer Edmunds zegt dat hij het enorm op prijs stelt om met u te mogen onderhandelen.' Hij draaide het raampje weer naar boven. 'Als u er geen bezwaar tegen heeft, vertrek ik nu weer. Ik weet zeker dat u allebei geen getuigen wenst bij de besprekingen. Meneer Londrum zal hier over een paar minuten zijn. U kent hem van gezicht?'

'Vanzelfsprekend.' Toen Simpson wegreed, bleef hij hem even nakijken. Verdomme. Was hij nou maar niet te bang geweest om afluisterapparatuur te dragen bij deze ontmoeting. Maar hij had ook niet verwacht dat Londrum voor het nutsbedrijf zou optreden.

Simpson hield even in, toen hij om de hoek een gestroomlijnde Lincoln passeerde. Hij stak kort zijn hand op en vervolgde zijn weg.

Een Lincoln, dacht Edmunds. Die Londrum kwam natuurlijk in zo'n grote luxueuze slee. Dacht zeker indruk op hem te maken en hem zo te intimideren. Mooi niet.

Terwijl hij keek hoe de auto langzaam naar hem toe kwam rijden, rechtte Edmunds zijn schouders.

'Jezus.' Jock gooide zijn kaarten neer, zodra het alarm op de monitor in de bibliotheek afging. 'Michael.' Hij sprong meteen op. 'Dit had ik natuurlijk moeten verwachten. We hebben geluk gehad dat er gisteravond niets aan de hand was.'

'Blijf jij maar zitten.' MacDuff stond op en liep met grote stappen naar de deur. 'Ik ga wel.'

'Nee, hij is mijn verantwoordelijkheid en ik heb Sophie beloofd dat... Hijként je niet eens.'

'Dan gaat daar nu verandering in komen.' Met een glimlach om zijn mond keek hij Jock aan. 'Vertrouw me nou maar. Ik heb zelfs goed voor jóú gezorgd, toen je hartstikke gek was. Dat kan ik heus ook wel voor dat joch.'

'Maar waarom zou je dat in vredesnaam willen?' Jock was hem achternagelopen tot in de hal. 'Het is mijn...'

'Ik heb hem hier laten komen.' MacDuff rende met twee treden tegelijk de trap op. 'Het is tijd dat ik hem leer kennen.'

'Omdat hij een van de jouwen is,' zei Jock zachtjes.

'Nog niet. Zo makkelijk gaat dat niet. Maar jij bent op hem gesteld en dat maakt het voor mij moeilijk.' Hij rende over de overloop. 'Blijf daar beneden, tenzij ik je roep. Ik kan dit echt wel aan, Jock.' Op het moment dat een luid geschreeuw de stilte van de nacht verscheurde, gooide hij de deur van Michaels kamer open. De jongen zat rechtop in zijn bed, zijn borstkas ging zwoegend op en neer en hij hapte naar adem.

In één seconde stond MacDuff bij Michaels bed en schudde hem zachtjes door elkaar. 'Wakker worden, jochie. Er is niets wat je kwaad kan doen.'

De tranen stroomden over Michaels wangen en hij opende zijn ogen.

Maar meteen toen hij MacDuff in het oog kreeg, slaakte hij opnieuw een ijselijke gil en rukte zich los om naar de andere kant van het bed te rollen. Razendsnel rukte hij de lamp van het nachtkastje, trok het snoer in één ruk uit het stopcontact en smeet de lamp in de richting van MacDuff.

Die kon hem nog maar nauwelijks ontwijken. 'Verdomme, jongen, ik wil niet...' MacDuff dook naar de andere kant van het bed en greep Michael stevig vast. 'Hou eens op, Jock lacht zich suf als hij ziet dat ik door jou verwond ben.'

'Jock?' Meteen voelde hij dat Michael zijn verzet opgaf. 'Jock? Waar is Jock?'

'Beneden. Tegen zijn zin in wacht hij tot ik de trap weer afkom.' MacDuff duwde de jongen een stukje van zich af. 'Weet je nu weer wie ik ben?'

'De laird.' Michael likte langs zijn lippen. 'Het spijt me, meneer. Ik wilde niet...'

'Stop maar met die excuses. Ik heb je aan het schrikken gemaakt, dus had ik het kunnen verwachten.' Hij trok een gezicht. 'Maar niet dat je een lamp naar mijn kop zou smijten.'

'Ik besefte niet wie...'

'Dat weet ik wel.' De jongen zat nog steeds te bibberen en probeerde dat te verbergen. Gun dat joch een kans om zijn eer te redden. MacDuff stond op en liep naar het raam. 'Het is benauwd hierbinnen.' Hij gooide het raam open. 'Geen frisse lucht. Daar zou ik ook nachtmerries van krijgen.'

Michael zei even niets. 'Dat is niet de reden dat ik nachtmerries heb. Ik denk dat u dat wel weet, meneer.'

MacDuff wierp een blik over zijn schouder. Hij kon nog steeds het bloed in de slapen van dat jochie zien kloppen, maar hij leek wel wat kalmer te worden. 'Ja, dat weet ik ook, maar het leek me een goed idee om op dit moment te zeggen.'

'Gaat u me er iets over vragen?'

'Waarom zou ik? Daar heb ik niets mee te maken.'

'Maar waarom bent u dan hier?'

'Ik heb jou hier uitgenodigd. Als je een probleem hebt, is het mijn verantwoordelijkheid om je daarbij te helpen. En dat kan ik niet als ik je niet ken, Michael.'

'Jock heeft me hier gebracht,' zei hij haperend. 'Ik wil u niet tot last zijn.'

'Als je een last voor me was, had ik niet tegen Jock gezegd dat je hier welkom was.' Hij was even stil. 'Ik zal het heel duidelijk zeggen. Ik ga je geen vragen stellen en ik ben niet je moeder.'

'Ja.' Er verscheen een heel klein glimlachje om zijn mond. 'Ik zou geen lamp naar mam hebben gegooid.'

'Nee, dat mag ik hopen.' MacDuff trok zijn wenkbrauwen op. 'Het is hier op de Run absoluut niet toegestaan om met vrouwen te vechten.'

'Het gaat nu wel weer, u kunt best weer naar beneden gaan.'

'Hou eens op met te proberen van me af te komen. Ik krijg de indruk dat ik het als invaller niet helemaal goed aanpak. Wat doet je moeder altijd als je wakker wordt uit zo'n nachtmerrie?'

'Maar u bent mijn moeder toch niet,' antwoordde Michael ernstig.

'Slimmerik.'

Michaels ogen werden groot. 'Het spijt me, meneer. Ik flapte het er gewoon uit. Ik weet dat dat niet beleefd was en ook niet...'

'Hou nou eens op om me te behandelen alsof ik een vreselijke boeman ben. Ik ga heus je kop er niet afhakken, hoor.'

'Maar u bent oud en een soort lord en mam zou zeggen dat ik heel beleefd tegen u moest zijn.'

Hij protesteerde. 'Ik ben helemaal niet oud.'

'Ouder dan Jock.'

'De halve wereld is ouder dan Jock. Ik ben in de dertig en ik heb een aantal rijke, interessante jaren achter me, waardoor ik de uitzonderlijke persoon ben geworden die ik ben.' MacDuff ontdekte een glimp van geamuseerdheid in Michaels ogen, voordat die snel zijn blik op de grond richtte. 'En jij zit me uit te lachen. Jullie Amerikanen hebben geen respect.'

'Kent u veel Amerikanen?'

'Een paar. Nou, vertel me eens wat je moeder doet na zo'n voorval.'

'Ze maakt een kop warme chocola en praat met me.'

'Nou, ik ben niet van plan om naar beneden te gaan en chocola te gaan maken en we kennen elkaar nog niet goed genoeg om een diepgaand gesprek met elkaar te hebben.'

'Ik kan weer gaan slapen. U hoeft helemaal niets voor me te doen.'

'Ben je gek. Het is hier een vreemde omgeving voor je en het zou een heleboel tijd kosten om wat te ontspannen. Ik denk dat ik het beter uit je kan slaan.'

Michael verstijfde. 'Meneer?'

'Niet letterlijk. Jock heeft me verteld dat je voetbalt.'

'Ja.'

'Toen ik nog op school zat, voetbalde ik ook. Zullen we naar beneden gaan om een balletje te trappen op de Run? Ik garandeer je dat je geen pap meer kunt zeggen tegen de tijd dat we stoppen.'

'Nu? Midden in de nacht?'

'Waarom niet? Heb je iets beters te doen dan? Doe je schoenen aan en kom op.'

Michael gooide de deken van zich af. Zijn gezicht gloeide van opwinding. 'Run? Waar is dat, die Run?'

'Het is een stuk land op het klif dat uitkijkt over de zee, aan de achterkant van het kasteel. Mijn voorouders kwamen uit de Highlands en hadden de gewoonte om daar allerlei wedstrijdjes te doen in kracht en behendigheid. De grond is er vlak en ik tover wel ergens een bal vandaan.'

'En als ik nou per ongeluk de bal over dat klif schop en hij in de zee valt?'

MacDuff liep naar de deur. 'Nou dan gooi ik je natuurlijk ook de zee in. Wat dacht je dan?'

Nate Kelly leek inderdaad een beetje op Fred Astaire, dacht Sophie, toen hij haar richting op kwam lopen. Maar zijn stap was minder swingend en meer doelgericht.

'We moeten snel zijn,' zei hij tegen Royd, toen hij nog op een paar meter van hen vandaan was. 'Als de stroom wordt afgesneden moeten we binnen zijn en in de buurt van het kantoor van personeelszaken.' Hij wierp een blik op haar. 'Sophie Dunston?'

'Ja.'

'Fijn je te ontmoeten. Als je vlak achter me blijft en precies doet wat ik zeg, is er een kans dat we hier levend vandaan komen.' Hij draaide zich om en liep in de richting van het terrein. 'Ga jij ook mee naar binnen, Royd?'

'Nee, ik blijf hier buiten, voor het geval je iemand nodig hebt om je uit de problemen te halen.'

'Er is niets aan de hand, zolang de stroom het maar niet doet. Rond deze tijd is er niemand op de personeelsafdeling.'

'Beroemde laatste woorden. Ik weet uit ervaring dat je in een situatie als deze nergens op kunt rekenen,' merkte Royd tegen haar op. 'Je laatste kans. Laat het aan Kelly over.'

'En de kans missen om die disk te pakken te krijgen? Als Kelly elk papier en elke disk in die kluis moet bekijken, is de stroom allang weer aangesloten voor hij dat kantoortje uitkomt. Ik ben in staat om meteen te zien of die disk daar ligt.'

'Dat is waar,' zei Kelly. 'Maar het kan zijn dat het je niet lukt om op tijd buiten te zijn. Zodra je de kluis hebt doorzocht, ben je op jezelf aangewezen. Als de lichten weer aangaan, moet ik in de beveiligingsruimte zitten en net doen of ik daar al de hele tijd ben geweest.' Hij keek over zijn schouder in de richting van Royd. 'Tenzij jij wilt dat ik het risico neem en haar terugbreng tot waar jij op dat moment bent?'

'Nee,' antwoordde Royd kortaf. 'Het is haar keus. Ik riskeer jou, of de kans dat je je positie hier op het terrein verliest, in geen geval. Als ik merk dat er problemen zijn, ga ik zelf naar binnen om haar op te halen.'

'Absoluut niet,' zei Sophie. 'Niemand gaat een extra risico lopen om mij. Jullie doen gewoon allebei jullie werk en ik het mijne. Ik kom er heus wel zonder jullie uit...' Plotseling zei ze niets meer. Nu ze eenmaal boven op de heuvel waren aangekomen, strekte het terrein zich opeens voor hen uit. Het onderzoekscentrum had twee verdiepingen en was helemaal omheind door een ijzeren hek, dat afgesloten werd door zware ijzeren kettingen. Elk raam was verlicht en ze zag drie grote vrachtwagens op het laadplatform staan, met allerlei mensen erbij, die heen en weer liepen om spullen in te laden. Een akelig gevoel bekroop haar en dat probeerde ze verborgen te houden voor de anderen. 'Hoe komen we in vredesnaam langs al die mensen?'

'We gaan via de kelder aan de andere kant van het terrein. Daar is het veel minder druk. Eén bewaker, en die staat meestal op de hoek te kijken naar het inladen van de vrachtwagens,' vertelde Kelly. 'Ik heb de deur van de kelder en het hek aan de zuidkant van het gebouw van het slot gelaten, toen ik naar buiten kwam.' Half rennend en half glijdend daalde hij de heuvel af. 'Alles wat in de kelder opgeslagen stond is al ingeladen en verhuisd, dus de kans dat we een bewaker tegen het lijf lopen is heel klein. Als we binnen zijn, gaan we meteen links via de noodtrappen naar de eerste verdieping. Dan links, na ongeveer honderd meter rechts en na zo'n meter of twintig zijn we er. Heb je dat?'

'Links de noodtrap op, tweede verdieping, naar links, honderd meter rechts, twintig meter.'

'Goed. Niet vergeten. Prent elke stap die je doet goed in je hoofd. Je moet in je eentje terug. Ik heb een infraroodbril voor je, maar alles kan er op de terugweg soms opeens heel anders uitzien.'

'Geen zaklampen?'

'We gebruiken er alleen eentje in het kantoor van personeelszaken, omdat we licht nodig hebben om het slot van de kluis te kraken en om te zien wat erin zit. Maar de kantoortjes op de tweede verdieping hebben wanden van glas en we willen niet dat je door iemand die de verdieping controleert wordt gezien, als je met een zaklamp door de gangen loopt. Zodra we het kantoor verlaten, neem ik de trap aan de achterkant om terug te gaan naar het kantoor van de beveiliging en moet jij via de noodtrappen weer terug naar het laadplatform. Begrepen?'

Ze knikte en staarde strak voor zich uit naar het onderzoekscentrum, zodat ze niet zouden merken dat ze met de seconde banger werd. 'Moet ik geen wapen hebben?'

'Nee,' antwoordde Royd. 'Dan kom je misschien in de verleiding om het te gebruiken en we willen dat je iedere confrontatie uit de weg gaat. Dat is veiliger voor Kelly en ook voor jou, trouwens.'

'En je wilt Kelly's dekmantel absoluut niet op het spel zetten.'

'Nee, absoluut niet,' merkte Royd kil op. 'Ik ben blij dat je de prioriteiten in deze situatie goed beseft.'

'Ik heb er nooit aan getwijfeld wat die prioriteiten waren.' Ze hadden het hek nu bijna bereikt en ze voelde haar handen klam worden. 'En jij bent hier bij het hek als ik het red om terug te komen?'

'Of ik kom achter je aan, als je er een puinhoop van maakt.' Hij glimlachte flauwtjes. 'Zoals je al zei, ik kan me niet veroorloven dat je Kelly's dekmantel verknalt.'

'Ik ga er helemaal geen puinhoop van maken.' Mijn god, ze hoopte maar dat dat waar was. Ze had niet verwacht dat ze zó bang zou zijn.

'Wacht hier.' Kelly deed het hek open en glipte naar binnen.

Twee minuten later was hij alweer terug. 'De bewaker staat op de hoek naar het inladen te kijken. Jij blijft hier en houdt hem in de gaten, Royd. Ik zorg ervoor dat ze binnenkomt.' Hij greep Sophies hand vast. 'Laag blijven en rennen!'

Ze rende.

Tien meter tot de deur van de kelder.

Jezus, de lichten waren zo fel. Als de bewaker zelfs maar per ongeluk even omkeek, zou hij hen zal zien.

Nog één meter.

Binnen.

Even werd ze helemaal overspoeld door een gevoel van opluchting, maar Kelly gaf haar niet de kans om op adem te komen. Hij trok haar mee naar de deur van de noodtrappen. 'Opschieten. We hebben nog drie minuten voordat de stroom uitvalt.'

Binnen twee minuten waren ze de zes trappen naar de eerste verdieping opgerend. Kelly tuurde de duisternis in of hij nog iemand in de met glas ommuurde kantoortjes kon ontdekken. 'Leeg. Opschieten. Met een beetje geluk bereiken we het kantoor van personeelszaken voordat de stroom...'

Donker.

Aardedonker.

'Pech,' zei Kelly, terwijl hij zijn bril opzette en de gang door begon te rennen. 'Vlak bij me blijven. Waarschijnlijk hebben we minder tijd dan we dachten. De timer stond waarschijnlijk niet helemaal goed. We hadden nog een minuut meer moeten hebben...'

Shit.

Royd rolde onder een van de auto's op de parkeerplaats, toen hij het geschreeuw van de beveiligingsmensen hoorde en zag dat ze verward in het rond liepen. Hij keek op zijn horloge.

De timer stond waarschijnlijk niet goed.

En als de timer niet te vertrouwen was, kon dat betekenen dat het hele plan zou mislukken.

Moest hij achter hen aan naar binnen gaan?

Nee, er moest altijd iemand back-up zijn bij een klus die zo gevaarlijk was als deze.

En hij had tegen Sophie gezegd dat ze het in haar eentje moest doen.

Geef het nou maar toe, alleen maar omdat je hoopte dat ze zich terug zou trekken.

Niet helemaal. Hij had haar duidelijk willen maken dat zij, als zij per se die klus wilde doen, ook degene was die het risico liep.

Oké. Niet naar binnen. Verken de omgeving. Probeer een manier te vinden om haar hier weg te krijgen als ze het redt om die deur uit te komen, voordat de boel hier als een kerstboom verlicht wordt. Kelly had zijn best gedaan, maar zijn verantwoordelijkheid eindigde, zodra Sophie uit die kelderdeur kwam.

Hij keek weer op zijn horloge. Er waren twee minuten verstreken. Nog tien.

Hij begon onder de auto vandaan te kruipen.

'Nog tien minuten,' mompelde Sophie, terwijl ze de zaklamp op de combinatie van de kluis richtte.

'Sst.' Kelly hield zijn oor tegen het stalen slot van de kluis gedrukt. Zijn handen draaiden voorzichtig, nauwkeurig, aan het slot.

Prachtige handen, elegante vingers, dacht ze afwezig. Belachelijk om de handen van een kluiskraker te bewonderen. Even belachelijk als het feit dat ze op dit moment hier was en haar leven met hem riskeerde.

In godsnaam, krijg dat ding open.

Zeven minuten.

De laatste minuut had wel een uur geduurd.

Zes minuten.

Ze voelde haar hart gejaagd kloppen in haar hals. Schiet op. Schiet op.

Ja, de deur van de kluis zwaaide open!

Kelly ging opzij. 'Het duurde langer dan ik dacht. Je hebt maar een paar minuten om door alles heen te gaan, als je genoeg tijd wilt overhouden om hier weg te komen.'

'Bedankt.' Haar handen doorzochten de eerste doos met diskettes in de safe. 'Hier zit hij niet in.' Ze begon aan de tweede doos. 'Hier ook niet, verdomme.'

'Het is bijna tijd.'

'Hier is het...' Toen, opeens, daar, achter in de doos. Sanbornes codering, dezelfde die op de REM-4-diskettes had gestaan.

'Heb je iets gevonden?'

'Het is niet dezelfde. Ik weet niet of...' Ze sprong op en keek gejaagd het kantoortje rond. Ze moest een laptop met een batterij zien te vinden. Er stond er een en ze rende erheen. 'Ik ga hem kopiëren.'

Kelly vloekte. 'Daar heb je niet genoeg tijd voor.'

Terwijl de laptop opstartte, zocht ze het bureau af naar een lege disk. Eerst saven naar de harddisk en dan een kopie maken... 'Ik ben hier niet gekomen om met lege handen weg te gaan.'

'Neem dat ding dan mee.'

'Dat ga ik ook doen,' zei ze fel. 'Volgens mij is het niet de goede, maar iets uit Sanbornes privécollectie. Misschien kunnen we er iets mee.' Snel keek ze over haar schouder. 'Ga maar. Jij hebt extra tijd nodig om terug op je plek te komen en die timer weg te halen. Ik verwijder de gegevens weer van de laptop, leg die disk terug in de kluis en geef een draai aan het combinatieslot. Ik ben zo klaar.'

Hij keek op zijn horloge en rende toen naar de deur. 'Op zijn hoogst drie minuten, Sophie. Anders heb je niet genoeg tijd om weg te komen.'

En weg was hij.

Kom op computer, kom op, verdomme.

Plotseling lichtte het scherm op!

Het kostte drie minuten om de disk te kopiëren. Toen gaf ze een tik op de toets die de kopie weer van de harde schijf wiste, zette het origineel in de kluis, draaide aan het combinatieslot en holde door de gang in de richting van de noodtrappen.

Minder dan twee minuten.

Met twee treden tegelijk sprong ze naar beneden.

Eén trap.

Twee.

Vier.

Zes.

Ze vloog door de deur van de noodtrappen.

Nog één minuut. Vliegensvlug rende ze de kelder door en rukte de deur open.

De lichten floepten aan!

'Mee!' Royd greep haar pols en sleurde haar zo ongeveer naar de parkeerplaats. Daar duwde hij haar op de grond en onder de eerste de beste auto. 'Je bent gek. Waarom zo op het nippertje?'

'Hou je kop. Dat moest gewoon.' Ze kon geen adem halen. 'En ik heb Kelly eerder weggestuurd. Hij had nog genoeg tijd om de timer weg te halen.'

'Ja, maar als we nu gepakt worden, zijn we nog verder van huis. Laten we hopen dat iedereen naar binnen gaat, om het gebouw te doorzoeken.'

'Kunnen we door het hek?'

'Nee, dat risico kunnen we niet nemen. Ik zag dat ze bewakers naar de omheining stuurden om te kijken of er tekenen van inbraak zijn.'

'Maar helpt het niet als ze ontdekken dat de stroomuitval gewoon toeval was?'

'Het kost tijd om dat uit te vinden.' Hij begon zich onder de auto uit te wurmen. 'Tot dat ogenblik moeten we ons koest proberen te houden en er maar het beste van hopen.'

'Hier, op de parkeerplaats?'

'Nee, veel te open. Ik ga vooruit om zeker te weten dat de weg vrij is. We laten ons hieruit rijden in een van die verhuiswagens.'

'Wat?'

'Heb je een beter idee?'

'Nee.' Maar ze herinnerde zich dat er een hoop mensen om die wagens heen hadden gekrioeld, eerder op de avond. 'Ik weet alleen niet of het wel zal lukken.'

'Ik ook niet, maar het is onze beste kans. We kunnen niet terug het onderzoekscentrum in en als we door een van de hekken proberen te ontsnappen, wordt er geheid op ons geschoten. We moeten maar hopen dat Kelly de stroomuitval zo goed heeft geregeld, dat het er niet verdacht uitziet en dat jij geen sporen hebt nagelaten.'

Had ze dat gedaan? Ze had natuurlijk enorm veel haast gehad, maar ze had wel geprobeerd daarop te letten.

'Ik ben niet blij met die stilte.'

'Ik denk niet dat er wat dat betreft een probleem is.'

'Dat is je geraden ook,' zei hij grimmig, terwijl hij verder kroop. 'Ik hou niet van het idee om als een muis in de val te lopen.'

Tot zover verliep alles goed, dacht Sophie.

Het plein rondom de vrachtwagens leek verlaten. Ja, waarom ook niet? Waarschijnlijk zat er niets belangrijks in die vrachtwagens en iedereen was naar binnen om uit te zoeken wat er in vredesnaam aan de hand was geweest.

'Omhoog.' Royd gaf haar een zetje de wagen in en kwam direct achter haar aan. 'Die metalen kast.' Hij liep met grote stappen naar de kast en deed de deuren open. 'Verdomme, planken,' mopperde hij binnensmonds. Hij stak zijn hand in zijn zak en pakte er een sleutelhanger uit met een paar stukken gereedschap eraan. 'Hou jij de boel achter de wagen in de gaten, dan probeer ik die planken weg te halen.'

Ze hurkte bij de deur van de wagen, die op een kier stond. 'Wat is dat? Een Zwitsers zakmes?'

'Zoiets, maar dan een stuk beter. Wat gebeurt er binnen?'

'Een hoop gedoe. Allerlei bewakers die in het rond lopen...'

En op dat moment deed er eentje de deur van de fabriek open!

'Opschieten!'

'Dat doe ik. Nog maar één plank. De bovenste kan wel blijven zitten.'

'Er komt een bewaker aan... Nee, hij blijft stilstaan. Hij praat tegen iemand die nog binnen is.'

'Klaar.' Hij sprong op en droeg de planken naar de leren bank die in een hoek stond. 'Kruip er maar in.' De planken verdwenen achter de bank. 'We kunnen er wel niet in staan, maar er is genoeg ruimte om onszelf te verbergen.'

'Er is niet veel plaats,' zei ze, toen ze in de kast dook. Ze kon die bewaker nog steeds horen praten. Blijf praten. Blijf praten. 'En jij bent nou ook niet bepaald een dwerg.'

'Dat is een understatement.' Hij kroop in de kast en sloot een van de deuren. Toen pakte hij de scharnieren van de andere deur vast en zwaaide die ook dicht. 'Maar goed dat jij mager genoeg bent om als tegenwicht te dienen. Nou, mond houden tot ze de motor starten.'

Aardedonker.

En overrompelend dicht bij elkaar.

Hulpeloze angst.

Haar hart klopte zó luid dat ze er zeker van was dat Royd het kon horen.

'Het komt wel goed,' fluisterde hij. 'Het zijn niet zulke slimmeriken, anders hadden ze de vrachtwagens niet onbewaakt achtergelaten. Grote kans dat ze ze niet gaan doorzoeken.'

Ze knikte onzeker, maar gaf geen antwoord. Ze durfde niets te doen wat hun kansen zou kunnen verminderen.

De tijd kroop afschuwelijk langzaam voorbij.

Vijf minuten.

Tien minuten.

Twintig minuten.

Dertig minuten.

Veertig minuten.

De deur van de vrachtwagen werd met zoveel kracht dichtgegooid, dat hun metalen kast ervan ratelde.

Er ging een vlaag van opluchting door haar heen.

Zouden ze bij de hoofdingang stoppen?

Nee, blijkbaar werden ze doorgewuifd.

Ze liet zich weer tegen het koele metaal van de kast aanzakken.

'Ik zei toch dat het wel goed zou gaan,' hoorde ze Royd boven het geloei van de motor uit. 'Kelly is een expert. Hoogstwaarschijnlijk is de stroomuitval zonder ook maar een vleugje verdenking door de controle gekomen.'

'Ik heb een hekel aan mensen die zeggen: ik zei het toch.'

'Ja, ik moet toegeven dat dat een fout van me is. Ik heb zo vaak gelijk dat het heel irritant voor anderen kan zijn.'

Maakte hij nog grappen ook. Zaten ze met zijn tweeën opgesloten in deze benauwde metalen doodskist en bleef hij nog zo koel als wat. Ze kon hem wel vermóórden.

'We mogen wel blij zijn dat ze niet op de normale manier gaan overladen in een schip.'

'Wat?'

'Meestal verpakken ze alles in een verzegelde container, die dan met een kraan op het schip wordt geplaatst. In dat geval zouden we ongelofelijk veel pech hebben gehad.'

'En waarom doen ze dat nu dan niet?'

'Dat moet je aan Sanborne vragen. Hij moet speciale afspraken hebben gemaakt dat alles met de hand geladen moet worden.'

'En hoe worden wij geacht deze vrachtwagen te verlaten als we eenmaal op de plaats van bestemming zijn?' vroeg ze met opeengeklemde kaken.

'Dat zien we dan wel.'

'Zo werk ik niet. Jíj ziet maar, ik wil een plan.'

'Oké. Laten we een plan maken. Jij eerst.'

'Als ze beginnen uit te laden, vinden ze ons. Dus moeten we daarvóór proberen weg te komen.'

'Goed plan. En mijn plan is om te wachten tot ze de deuren opendoen en ze dan óf te vermoorden als ze aan het uitladen zijn, óf proberen te ontsnappen als ze bezig zijn met het uitladen van een of ander stuk kantoormeubilair. Kortom: we zien het dan wel.'

'Ik hoef zeker niet te vragen welke optie je liever hebt.'

'Ach ja, ik ben zo'n bloeddorstige klootzak dat ik natuurlijk niet kan wachten tot ik weer iemand kan vermoorden.'

'Nee, dat bedoelde ik niet... Jij maakt me woedend. Ik heb niet het recht om je te beschuldigen omdat je...'

'O, in godsnaam, hou je mond,' zei hij ruw. 'Je hebt het recht om alles wat je wilt tegen me te zeggen, zonder meteen in die schuldgevoelens te zwelgen.' Hij veranderde van onderwerp. 'Heb je die disk gevonden?'

'Nee, niet helemaal.'

'Je hebt hem gevonden of niet.'

'Ik heb die REM-4-disk niet gevonden, maar wel een andere met dezelfde speciale codes van Sanborne erop en daar heb ik een kopie van gemaakt.'

'Hoezo?'

'Omdat ik wil weten wat erop staat.' Ze was even stil. 'En ik ben woedend dat ik die klote-REM-4-disk niet heb gevonden.

Verdomme, ik móést dat ding hebben.'
'Ja, dat was nogal duidelijk, dat je dat vond. Het had op een ramp uit kunnen draaien.'
'Maar jij liet me naar binnen gaan.'
'Ja, en daar zou je bang van moeten worden. Zelfs als er maar een uiterst kleine kans op succes is, stuur ik je er al opuit om het te proberen. Ondanks de belofte die ik jou en Jock heb gedaan. En daarna zal ik altijd mijn best doen om je er weer levend uit te krijgen.'
'Ik zou niet anders willen. Nee, dat is niet waar. Als je mijn zoon ooit in gevaar brengt, maak ik je eigenhandig af.'
'Dat spreekt vanzelf. We hebben allemaal een knop die dat grenzeloze in ons naar boven doet komen.'
'Grenzeloze?'
'Die ene knop die al het kwade én al het goede in ons kan activeren. De doos van Pandora. Iets of iemand dat ervoor kan zorgen dat je werkelijk alles doet wat nodig is.'
'En dat is voor mij Michael?'
'Denk je niet?'
Al het goede én al het kwade...
'Ja, ik denk het wel, ja. Maar ik wil Sanborne alleen al vermoorden om alles wat hij mijn familie heeft aangedaan. Dus moeten er meer van die knoppen bestaan.'
'In jouw geval hebben ze allemaal te maken met mensen van wie je houdt.'
Ja, dat was waar. 'En bij jou, Royd?'
'Pure haat.'
Ze huiverde. Even was ze geneigd om er niet verder op in te gaan, maar ze kon de verleiding niet weerstaan om meer te vragen. 'Haat is het resultaat. Maar waar werd die door veroorzaakt. Wat was de aanleiding? Garwood?'
'Misschien.'
'Royd.'
Het bleef stil. 'Het duurde heel lang voordat REM-4 begon te werken bij mij. Ik verzette me er hevig tegen, en dat frustreerde Sanborne en Boch enorm. Ze zochten naar allerlei methoden om het effect te versterken, net als Thomas Reilly bij Jock deed. Boch kwam met een geweldig idee. Het was hun gelukt mij

daarheen te krijgen, omdat ze mijn jongere broer, Todd, naar Garwood hadden weten te lokken. Hij was daar aan een muur vastgeketend en iedere keer dat ik niet gehoorzaamde aan hun instructies, sloegen ze hem en kreeg hij niets te drinken. Dat had een voor hen bevredigende psychologische werking op mij, als het werd gecombineerd met REM-4. In minder dan geen tijd was ik de zombie geworden die ze wilden. Maar Todd had toen geen nut meer voor hen, en bovendien was hij al bijna dood door de martelingen en doordat hij ondervoed was geraakt. Dus vermoordden ze hem voor mijn ogen. Dat moest dan de laatste test voorstellen. Vanaf dat moment hadden ze nogal veel vertrouwen in me. Mijn god, wat waren ze stom. Dat bewijst maar weer eens hoe weinig Sanborne weet over de menselijke natuur. De moord op Todd was de eerste steen die afbrokkelde van de muur die ze om me heen hadden gebouwd. Het duurde nog twee maanden voordat die hele muur instortte, maar dat gebeurde wél.'

'Christus.'

'Ik kan je verzekeren dat Christus er niets mee te maken had. Zowel Sanborne als Boch heeft geen contact met welke God dan ook.'

'Ik bedoelde...' Ze kwam niet verder omdat haar stem het begaf.

Het bleef even stil. 'Huil je?'

Ze gaf geen antwoord.

Hij stak zijn hand uit en raakte zachtjes haar wang aan. 'Je huilt. Ik denk dat ik dat had moeten verwachten, maar op de een of andere manier stond ik er niet bij stil.'

'Hoezo niet?' Ze probeerde haar stem onder controle te krijgen. 'Je loopt me altijd te vertellen hoe soft ik ben.'

Eerst kwam er geen antwoord. 'Ik wilde niet op je gevoel spelen. Jij vroeg het en ik gaf gewoon antwoord. Wat er in Garwood is gebeurd, is gebeurd, en nu voorbij.'

Maar hij had nog steeds nachtmerries die hij niet op wilde geven, omdat ze het vuur van zijn haat laaiend hielden. 'Het is helemaal niet voorbij.' Ze veegde met de rug van haar hand langs haar ogen. 'Het is ontzettend stom om dat te beweren. Je leeft er nog elke dag mee.'

'Nee, ik ben aan een nieuwe bladzijde in mijn leven begonnen en deze keer heb ik er de controle over.' Hij pauzeerde even. 'En jij hebt dat net zo goed. Zolang je geest en je wil aan jezelf toebehoren, kan niemand je eronder krijgen.'

'Dat weet ik,' zei ze vermoeid. 'Dat hoef je me heus niet te vertellen. Ik heb waarschijnlijk... Ik denk dat het komt omdat ik er zo op gebrand was om die disk te vinden, veel meer dan ik me had gerealiseerd.'

'We vinden hem wel. We slaan gewoon om naar een nieuwe bladzijde.' Zijn stem klonk volkomen overtuigd. 'Eigenlijk gaan we dat al doen zodra we deze vrachtwagen uit zijn. Ik wil dat jij dekking zoekt, dan ga ik een beetje rondkijken. Kelly vertelde dat ze de vrachtwagens ergens aan een kade uitladen. Ik wil de naam van het schip waar alles in gaat te weten zien te komen. Dan kunnen we het schip en zijn bestemming natrekken.'

'Ervan uitgaande dat we hier uitkomen zonder iedereen op tilt te zetten, omdat jij de chauffeurs hebt gedood,' zei ze droog. 'Wat zou je dan doen?'

'Nou, Sophie.' Ze hoorde een glimlach in zijn stem. 'Dan moet ik gewoon weer een bladzijde omslaan.'

'Alles lijkt in orde,' vertelde Gerald Kennett toen Sanborne de telefoon opnam. 'De stroomuitval blijkt te zijn veroorzaakt door overbelasting van het net. Er was een piek en daardoor brandde de hoofdzekering door.'

'En het noodaggregaat dan?'

'De hoofdverdeler bij de overdrachtsschakelaar was doorgebrand. Alles binnen een straal van vijfenzeventig kilometer zat zonder stroom.'

'Maar ik vind het nog steeds vreemd.'

'De beveiliging heeft het terrein tot op het bot uitgekamd. Geen indringers en er lijkt niets anders dan anders te zijn.'

' "Lijkt" is voor mij niet goed genoeg. Ik rijd nu weg van huis om de boel zelf te komen checken.'

'Wat u wilt. Ik probeerde u alleen de moeite te besparen.'

'Is het niet in je opgekomen dat problemen met de elektriciteit een beetje té toevallig zijn nu dat Dunston-mens nog los rondloopt?'

'De stroomstoring was toeval. En zelfs als het geen toeval zou zijn, zou de uitval geregeld moeten zijn door een insider met veel meer technische kennis dan Sophie Dunston heeft.'

'Ik hou niet van toeval.' Sanborne verbrak de verbinding.

10

De vrachtwagen was gestopt.

Ze kon de plotselinge spanning in Royd gewoon voelen. 'Stil,' fluisterde hij, terwijl hij voorzichtig de deur van de kast opende. 'Hier blijven tot ik je een teken geef dat je tevoorschijn kunt komen. Dan volg je me en moet je heel snel zijn.'

Dacht hij dat ze in slow motion de vrachtwagen uit zou stappen? vroeg ze zich geërgerd af. Kalm blijven. Het kwam door de zenuwen dat ze zo snel geïrriteerd was. Royd zat nu bij de deur, gehurkt achter een stapel kleden. Hij had een pistool in zijn hand.

Iemand opende de deur van de vrachtwagen, terwijl hij tegen iemand praatte die achter hem stond. 'Ga die Portugese klootzakken op het schip eens halen om te helpen. We hebben alleen maar orders om de vaten persoonlijk uit te laden en er zitten toch alleen maar meubels op deze rit. Ik ben niet van plan om al die rotzooi eigenhandig uit de vrachtwagen te halen.'

Er klonk gelach en toen ging de deur open.

Er stond een korte, stevige man, die nog steeds over zijn schouder tegen iemand praatte. Toen draaide hij zich om en verdween uit haar gezichtsveld.

Royd stond op en maakte een gebaar naar haar.

Jezus, die chauffeur kon niet meer dan een paar meter weg zijn.

Ach, verdomme, het enige wat ze kon doen was hopen dat Royd wist wat hij deed. Snel kroop ze uit de kast en haastte zich naar de achterkant van de vrachtwagen.

Toen Royd haar van de wagen af hielp, werd ze overvallen door de geur van de natte, zilte lucht. In een flits zag ze een kade met allerlei loodsen en een schip dat ervoor lag afgemeerd.

Het schip...

Geen chauffeur. Waar was die gebleven?

Plotseling hoorde ze het geluid van metaal op metaal, toen de chauffeur de deuren openmaakte van de vrachtwagen die vlak achter hen stond.

Vlug dook ze Royd achterna, die zich onder de vrachtwagen liet rollen naar de voorkant toe. Mijn hemel, het leek wel of ze vanavond alleen maar onder auto's lag. Eerst op de parkeerplaats van het terrein en nou weer onder deze vrachtwagen. Maar de gigantische banden van deze achttienwielige truck boden veel betere bescherming dan die van een gewone auto.

En dat was maar goed ook, want op het moment dat ze Royd bereikte, hoorde ze Portugees praten; de zeelui waren dus vlakbij. Zonder echt naar haar te kijken, gebaarde Royd dat ze plat op de grond moest gaan liggen naast een van de wielen. Zijn blik bleef ondertussen gericht op de andere kant van de vrachtwagen.

Ze hield haar adem in.

Vijf man.

Ze liepen ontspannen een beetje rond, duidelijk niet van plan om snel te beginnen met uitladen. Gelukkig liepen ze de truck waar zij onder zaten voorbij, naar de wagen achter hen.

'Twintig meter verder is een loods,' fluisterde Royd. 'Maar we weten niet of die op slot is en of ie leeg is. Dus verstoppen we ons achter die olievaten ervoor en proberen dan aan de achterkant te komen.'

Ze gaf hem een kort knikje als teken dat ze het begrepen had. 'Ga dan, verdomme. Als ze eenmaal beginnen met uitladen, zijn ze overal.'

Hij keek haar even aan en glimlachte. 'Goed. Ik ben al weg. En vanaf nu ben je in je eentje.'

Een ogenblik later kroop hij onder de wagen vandaan en rende in de richting van de loods.

Vlug keek ze nog even naar de andere vrachtwagen en ging hem toen achterna.

Twintig meter? Het leken er eerder honderd. Elke seconde verwachtte ze geschreeuw achter zich te horen. En toen was ze er en dook achter de olievaten. Royd was al op de hoek van de loods en het volgende moment was hij uit het zicht verdwenen. Nou, het was wel duidelijk dat hij het echt had gemeend, toen hij had gezegd dat ze vanaf nu in haar eentje was. Ze maakte zich zo klein mogelijk en racete naar de hoek.

'Heel goed.' Hij stond haar om de hoek op te wachten. 'Wacht hier, terwijl ik dichter bij dat schip probeer te komen.' Hij draaide zich om en wilde de kade weer opgaan. 'Zodra ik terug ben, maken we dat we hier wegkomen.'

Een vlaag van paniek overviel haar. 'Waarom moet je terug naar dat schip?'

'Ik had een beetje haast en heb de naam van die boot niet goed kunnen zien.'

'Ik wel. *Constanza*.'

Verbaasd keek hij haar aan. 'Weet je dat zeker?'

'Natuurlijk weet ik dat zeker. Het was het eerste wat ik zag toen ik die auto uitsprong. Nou, hoe komen we hier verdomme weg?'

Hij draaide zich opnieuw om en rende in looppas naar de achterkant van de loods. 'Met hoge snelheid en uiterst voorzichtig.'

Het kostte Sophie en Royd vier uur om terug in hun motel te komen. Eerst met een taxi naar het vliegveld en toen in een daar gehuurde auto de twee uur durende rit terug.

Terwijl Royd de deur van het slot draaide, voelde Sophie zich opeens volkomen uitgeput. '*Constanza*. Dat moet ik meteen opzoeken op de computer. Het schip moet wel als Portugees geregistreerd staan en daarom...'

'Ga nou eerst maar een paar uur slapen.' Royd duwde de deur open. 'Dat kan heus geen kwaad en dan loop je ook geen gevaar om achter je toetsenbord in slaap te vallen.'

'Ik val heus niet in slaap. En die vrachtwagenchauffeur hoorde ik iets zeggen over vaten. Wat zou hij daar in vredesnaam mee bedoeld hebben?' Ze liep naar de tussendeur. 'Ik neem even een douche om wakker te worden. Ik moet...' Toen ze een blik van zichzelf in de spiegel opving, hield ze abrupt haar mond dicht. 'Mijn god, ik zie eruit of ik net een tornado heb overleefd.' Ze raakte de olievlek op haar wang even aan, die moest ze bij die olievaten hebben opgelopen. 'Waarom heb je dat niet gezegd? En waarom ben jíj eigenlijk ook niet zo smerig?'

'Dat was ik ook. Maar er viel jou niet veel meer op toen we eenmaal weg hadden weten te komen van die kade. Ik denk dat je een beetje gespannen was. Ik heb me op het vliegveld een beetje toonbaar gemaakt, voordat ik die auto ging huren en jou oppikte.'

'Gespannen' was nogal een understatement. Het was een uitputtende en angstwekkende avond geweest. Waarschijnlijk zou ze het niet eens gemerkt hebben als hij zijn kleren gewoon had achtergelaten op het vliegveld en haar in z'n nakie had opgepikt. Ze schudde haar hoofd. 'Het verbaast me dat die taxichauffeur ons zo heeft meegenomen.'

'Ach, de meeste taxichauffeurs zijn niet zo kieskeurig over hun vrachtjes op dat uur van de nacht, en ik heb hem natuurlijk een dikke fooi gegeven. Eigenlijk was het goed dat je zo vuil was, want daardoor was je bijna niet herkenbaar. Als ik nou eens achter je computer ging zitten en alvast begin met het onderzoek naar de *Constanza*, terwijl jij een douche neemt. Dat spaart tijd.'

Ze knikte. Dat klonk logisch en ze wilde ontzettend graag zo snel mogelijk die informatie zien te krijgen. 'De computer zit in mijn weekendtas. Ik ben zo klaar.'

'Doe maar rustig aan.' Hij liep naar haar weekendtas die tegen de muur stond en ritste hem open. 'Zoals ik al zei: de *Constanza* gaat er niet zomaar opeens vandoor. Het onderzoekscentrum is nog niet zover dat het al echt kan worden opgedoekt.'

'Ik wil het gewoon weten.' Ze pakte een T-shirt voor de nacht en een badjas uit haar tas en liep naar de badkamer. 'Ik wil gewoon alles te weten komen over wat Sanborne van plan is.'

'Dacht je dat ik dat niet wilde?' Hij deed de laptop open. 'En ik sta er niet om bekend dat ik veel geduld heb.'

'Echt? Dat had ik nou nooit gedacht.' Ze deed de badkamerdeur achter zich dicht en begon zich uit te kleden. Gewoon doorgaan. Ze zou zich heus wel beter voelen als ze al dat vuil en die vermoeidheid van zich af had gespoeld. En de avond was geen totale mislukking geweest. Ze had de REM-4-disk dan wel niet gevonden, maar ze had wel een kopie van iets wat Sanborne waarschijnlijk belangrijk vond. En ze waren niet gepakt, verwond of gedood en dat was natuurlijk allesbehalve een mislukking te noemen. Bovendien kenden ze de naam van het schip dat alle apparatuur vervoerde.

Ze stapte onder de douche en liet het warme water een paar minuten over zich heen stromen, voordat ze de shampoo pakte. Wat zou Michael nu aan het doen zijn? Het was bijna vier uur 's nachts hier en dat betekende dat het negen uur was op MacDuffs Run. Ze had hem, zoals ze had beloofd, gisteren gebeld en hij had opgewonden, zelfs gelukkig, geklonken. De nacht daarvoor had hij een nachtmerrie gehad en MacDuff had toen voor hem gezorgd. God, wat hoopte ze dat hij het naar zijn zin had. In ieder geval was hij daar veilig en dat was nu het allerbelangrijkste.

Hou je goed en blijf gelukkig, Michael. Ik werk er hard aan om je weer naar huis te halen.

Royd keek even op, toen ze tien minuten later de badkamer uit kwam. 'Kom eens hier. Er is iets wat je moet zien.'

'De *Constanza*?' Snel liep ze naar het bureau. 'Ben je iets te weten gekomen?"

Hij schudde zijn hoofd. 'Ik wilde eerst het plaatselijke nieuws even zien.' Hij draaide de laptop naar haar toe. 'De politie heeft een verklaring uitgegeven dat er na de brand geen lichamen in jouw huis zijn gevonden en dat je officieel op de lijst van vermiste personen staat.'

Ze fronste haar wenkbrauwen. 'Maar dat is toch oud nieuws. Je zei dat de brandweer dat al had uitgevonden. Waarom doe je dan alsof het groot n...'

'Er staat iets in de tweede alinea wat we niet hadden verwacht. Lees maar even door.'

'Waar heb je het over. Ik zie niets... O, mijn god.' Haar blik vloog naar zijn gezicht. 'Dave?' fluisterde ze. 'Is Dave dood?'

'Ja, het lijkt erop. Ik heb het verhaal nog eens in de krant opgezocht. Zijn lichaam is gistermiddag in een greppel buiten de stad gevonden.'

Haar blik richtte zich weer op de computer. 'Doodgeschoten. Dader onbekend.'

'Behalve dan dat de politie een paar verdenkingen heeft.'

Ze schudde haar hoofd om helder te worden na die afschuwelijke shock. 'Mij? Zijn ze naar mij op zoek? Denken ze dat ík het heb gedaan?' Ze liet zich op het bed vallen. 'Mijn god.'

'Voor hen is het logisch. Je blaast eerst je huis op en hoopt dat iedereen denkt dat je dood bent. En daarna vermoord je je ex-man.'

'Maar uiteindelijk weet ik toch dat ze erachter zouden komen dat ik niet gedood ben tijdens die explosie.'

'Je moet je realiseren dat de politie ervan uitgaat dat je niet helemaal stabiel bent en niet helder nadenkt.'

'Maar waarom zou ik Dave in vredesnaam willen vermoorden?'

'Na een scheiding zijn er meestal nog allerlei zaken waarover onenigheid is. Was dat bij jullie niet zo?'

'Natuurlijk wel. Maar daarom zou ik nog niet...' Haar lichaam begon te trillen. 'In godsnaam, hij was mijn geliefde. Hij is de vader van mijn kind.'

'En hij trouwde met een andere vrouw, nadat hij van jou was gescheiden en je de weg kwijtraakte.'

'Ik ben de weg helemaal niet kwijtgeraakt,' zei ze met opeengeklemde kaken. 'Ze hadden me heus niet ontslagen als ik niet stabiel was.'

'Nee? Er zijn allerlei verhalen over gestoorden die te vroeg werden ontslagen en die aan het moorden sloegen.'

'Hou je kop!'

'Ik speel alleen de advocaat van de duivel maar. In dit artikel staat dat Edmunds volgens zijn vrouw meteen nadat hij een telefoontje kreeg, vertrok. Hij leek erg opgewonden, maar wilde haar niet vertellen waar hij naartoe ging. Het is logisch dat hij er niet veel zin in had om zijn huidige vrouw te vertellen dat hij een ontmoeting had met zijn ex-vrouw.'

'Jean was helemaal niet jaloers op mij.'

'Hoezo niet? Jij bent mooi, slim en Michaels moeder.'

'Ze was gewoon... Zíj was de vrouw die met Dave had moeten trouwen en dat wist ze. Het enige wat ze wilde was huisvrouw zijn en Dave te ondersteunen op iedere manier dat ze kon. Ze wist dat ik helemaal geen bedreiging voor haar was en ze wilde alleen maar het beste voor Michael.'

'Maar ik wil wedden dat ze er nu anders over denkt. Een treurende weduwe wil altijd wraak.'

'Kun je even stil zijn?' Ze bracht haar trillende hand naar haar hoofd. 'Ik moet even nadenken.'

'Ik probeer je te helpen bij het nadenken. Je bent van slag en...' Hij stopte. 'En je hebt waarschijnlijk verdriet over die klootzak. Dat blokkeert je.'

Geschokt reageerde ze: 'Hij was helemaal geen klootzak. Hij had fouten, net zoals iedereen en...'

'Oké, oké.' Met ingehouden woede klapte Royd de laptop dicht. 'Wat weet ik er nou van? Maar ík zou mijn partner niet in de steek laten als ze slechte tijden doormaakte. Huwelijksbanden zouden veel en veel sterker moeten zijn dan dat. Hij had er voor je moeten zíjn.'

'Je hebt er geen idee van hoe moeilijk het was om met een kind als Michael te leven.'

'Jíj hebt het toch gedaan. Jíj bent niet weggelopen.' En voor ze antwoord kon geven vervolgde hij: 'Wees maar verdrietig als je dat met alle geweld wilt. Maar laat het nooit je zelfbehoud in de weg staan. Dit is echt een gevaarlijke situatie en die moeten we aankunnen.'

'Jíj weet toch dat ik hem niet heb vermoord.' Ze wreef over haar slapen. 'Ik ben niet eens in de buurt van die greppel geweest. Als de politie echt onderzoek doet, komen ze daar wel achter.'

'Denk je? Niet als degene die hem heeft vermoord wist waar hij mee bezig was. Ik denk niet dat Sanborne nu opnieuw een Caprio heeft gestuurd. Nu zette hij een topman in.'

'Wat bedoel je?'

'Dat hij al het forensisch bewijs dat de politie naar hem zou kunnen leiden vernietigd zal hebben en een paar dingen heeft achtergelaten die jou in verband brengen met de moord.'

'Hoe dan?'

'DNA. Tegenwoordig de beste vriend van een moordenaar. Tenminste als hij zelf heeft kunnen ontkomen.'

'Ik weet zeker dat jou dat wel zou lukken,' merkte ze bitter op.

'Ja, daar ben ik heel goed in. Maar je hoeft je geen zorgen te maken over mij, je kunt je beter zorgen maken over die envelop of die paar haren die de politie zal vinden.'

'Envelop?'

'Dat was een van de dingen die onze leraren op Garfield suggereerden. Als je aan een envelop hebt gelikt, is je DNA nog jaren daarna te traceren. En als ze een haar van je te pakken weten te krijgen is dat net zo'n verrader. Had Sanborne toegang tot jouw correspondentie, toen je nog voor hem werkte?'

'Ja, natuurlijk.'

'En heb je bijvoorbeeld een kam of borstel in je kluisje op het werk liggen?'

Ze knikte.

'Dan weet ik bijna zeker dat de politie een aantal dingen heeft gevonden die naar het DNA-lab zijn gestuurd en ben je de pineut. Snap je?'

Ja, ze begreep het en werd plotseling ontzettend bang. 'Dus Dave is vermoord om mij in de val te laten lopen?'

'Dikke kans van wel. Je blijkt een probleem te zijn en er is geen betere manier om je in diskrediet te brengen.'

Beduusd schudde ze haar hoofd. 'Het lijkt onmogelijk. Nee, dat is niet waar. Ik kan het gewoon niet geloven.'

'Dan zou ik daar maar snel mee beginnen.' Hij klonk net zo hard als hij er nu uitzag. 'Want we moeten een tegenzet gaan bedenken.'

'Royd, ik heb liever dat je even weggaat, ik heb tijd voor mezelf nodig.'

'Straks. Je mag om Edmunds rouwen, maar pas als je de implicaties van het gebeurde beseft.' Hij sloeg zijn armen over elkaar en leunde naar achteren in zijn stoel. 'Voor jou is het het belangrijkste om je te realiseren dat er op je gejaagd wordt. En die jacht betreft ook Michael.'

'Michael zit veilig in Schotland.'

'Denk je dat MacDuff bereid is om hem verborgen te houden, als dat betekent dat hij in de clinch komt te liggen met de Amerikaanse wet?'

'Dat weet ik niet. Maar Jock zou hem niets laten overkomen.' Maar kon Jock hem wel een schuilplaats bieden als MacDuff hem een plek op zijn landgoed weigerde? Ze wist het gewoon niet. 'Misschien lukt het ze wel niet om hem op te sporen.' Er kwam een gedachte in haar op. 'Maar misschien ook wel. Misschien heeft Dave Jean wel iets verteld over Jock. Mijn god, daar heb ik nooit bij stilgestaan.'

'Om veilig te zijn, moeten we van het slechtste scenario uitgaan. Ten eerste word je verdacht en kan het nogal wat voeten in de aarde hebben om die verdenking weg te nemen. Ten tweede, zolang je verdacht wordt zal niemand je geloven en zit Sanborne op rozen. Ten derde: Michael kan zowel door Sanborne of Boch als door de politie belaagd worden. Mee eens?'

'Mee eens.'

'Oké, dan kun je nu gaan slapen.' Hij stond op. 'Ik moest zeker weten dat je al die dingen besefte, voordat ik hier weg kon. Het is op het moment belangrijker dat je je de situatie realiseert, dan dat je met je hoofd bij het heengaan van Edmunds zit.'

'Nee, dat is helemaal niet waar.' Ze voelde tranen prikken achter haar ogen. 'Ik moet allebei die dingen in mijn hoofd hebben. Ik was verdomme met hem getróúwd. Jij bent misschien in staat om dingen in een hokje te stoppen tot je er tijd voor hebt, maar ik niet. Ik ben niet zo ijskoud als jij.'

'Koud? Was ik maar koud. Dat zou de dingen een heel stuk makkelijker maken voor me.' Hij ging voor haar op zijn knieën zitten. 'Wil je getroost worden? Dan doe ik dat. Hoewel ik niet vind dat hij dat gejank verdient.'

Ze verstijfde. 'Ik jank helemaal niet. En ik wil ook niet dat je me...' Ze hield op met praten toen hij haar in zijn armen trok. 'Laat me los. Wat denk je dat je...'

'Hou je mond,' zei hij schor, met zijn hand op de achterkant van haar hoofd, dat hij tegen zijn overhemd aandrukte. 'Huil maar, als je dat wilt. Ik kan je geen begrip geven, maar ik heb een brede schouder en ik respecteer jouw recht om er anders over te denken.' Zijn hand streek door haar haar. 'Ik respecteer jóú.'

Die grote hand van hem in haar haar voelde zo'n beetje als de poot van een beer, schoot het door haar heen. Hij deed nogal onhandig en dat zou haar normaliter hebben geïrriteerd, maar op de een of andere vreemde manier voelde het nu troostend.

'Laat me los. Dit is... raar.'
'Ja, dat is waar, maar ik ben nu de enige die je hebt. Het is beter dan een nat kussen, toch?'
'Nauwelijks,' fluisterde ze. Instinctief versterkten haar armen hun greep op hem. Het was niet de waarheid. Ze voelde de pijn en de shock wegebben, het leek net alsof hij die overnam, alsof hij ze dwong om haar te verlaten. 'Dit hoef je helemaal niet te doen. Ik zou zoiets nooit van je verwachten.'
'Mijzelf verrast het ook. Ik weet niet helemaal hoe ik dit soort dingen moet doen en daar baal ik ontzettend van. Ik ben niet goed in van die gevoelige dingen. Seks is makkelijk, maar ik kan niet...' Hij haalde diep adem. 'Ik had het helemaal niet over seks moeten hebben op dit moment. Het ontglipte me. Nou ja, wat kun je ook anders verwachten. Ik ben tenslotte een man.'
'En je hebt diep respect voor me.'
Hij duwde haar van zich af, zodat hij haar aan kon kijken. 'Dat meende ik. Je bent slim en aardig en je bent een goede moeder. En dat laatste kan ik weten, want ik heb een aantal pleegmoeders gehad die echt helemaal niets voorstelden. En het is niet jouw schuld dat je een beetje gestoord bent geworden.'
'Ik bén helemaal niet gestoord. God, jij moet wel de meest tactloze man op de wereld zijn en daar kan ik nu niet...'
'Sst.' Hij trok haar opnieuw in zijn armen. 'Ik hou mijn mond. Of tenminste, dat zal ik proberen. Maar als je Edmunds gaat ophemelen, kan ik je niets beloven. Hij verdiende je gewoon niet.'
'Hij was een goede vent. Het is niet zijn fout dat hij een vrouw trouwde die...' Ze onderbrak zichzelf. Ze kon hem toch niet overtuigen en het was eigenlijk wel fijn dat ze iemand had die helemaal aan haar kant stond. Tenminste op dit moment van verdriet en wanhoop. Morgen zou hij waarschijnlijk weer afstandelijk zijn, maar nu was hij hier en bood haar de steun aan die ze hard nodig had. 'En hij zou nog leven, als ik er niet was geweest.'
'Geweldig. Je hebt weer een slachtoffer gemaakt. Word je er nooit moe van, al die schuld maar op je nemen?' Hij stond op en trok haar met zich mee. 'Als hij echt samen met je was geweest, zouden jullie sámen de strijd hebben aangebonden met

Sanborne. En dan was hij waarschijnlijk nu niet dood.' Hij duwde haar neer op het bed en ging naast haar liggen. 'Je hoeft niet opeens te verstijven. Ik ga je heus niet bespringen, hoor. Ik kan alleen niet de hele avond zo blijven zitten, want dan krijg ik kramp.' Hij nam haar weer in zijn armen. 'Zo goed? Zo niet, dan ga ik naar mijn eigen kamer, dat beloof ik je.'

'Is dat de waarheid?' vroeg ze met onvaste stem.

'Wie weet. Zoals ik al zei: ik ben niet zo gevoelig. Ik heb de neiging om als een bulldozer over alles heen te walsen, als ik denk dat ik gelijk heb. Dus zou ik waarschijnlijk mijn best gaan doen om je op andere gedachten te brengen.'

Hij dramde door en ze wilde nu geen ruzie. En hij probeerde haar echt te helpen, vanavond was hij geen bedreiging. Ze was er blij om, want hij was iemand aan wie ze zich in de duisternis, die nu wel heel erg dicht in de buurt kwam, vast kon houden. 'Je praat te veel.' Haar ogen vielen dicht. 'Laat me nou maar gewoon slapen, Royd.'

'Natuurlijk.' Hij trok de deken op en stopte die om hen heen in. 'Slaap lekker, Sophie. Ik zorg wel dat je veilig bent.'

Hij zou er wel voor zorgen dat ze veilig... Gek, dat had Dave nooit tegen haar gezegd. In hun huwelijk hadden dat soort primitieve basisbehoeften eigenlijk nooit een rol gespeeld. Ze had om hem moeten lachen, ze was vol bewondering geweest voor zijn geweldige intelligentie en ze had zijn lichaam aantrekkelijk gevonden. In het begin van hun relatie hadden ze dezelfde doelen gehad en later hadden ze Michael. Hij had van Michael gehouden...

'Shit,' zei Royd ruw. 'Hou op met dat gehuil, ik kan er niet tegen.'

'Jammer dan.' Ze deed haar ogen open en keek naar zijn fronsende gezicht. 'Heb jij niet gehuild toen je broer doodging?'

Het was even stil. 'Ja, maar dat was ik zelf. Ik wil niet dat jíj huilt. En ik wist niet dat ik me dan zo zou voelen.' Hij klemde zijn lippen op elkaar. 'Maar als het moet, dan moet je maar gewoon huilen.'

'Dankjewel,' zei ze ironisch. 'Dat zal ik doen.'

Hij legde zijn hoofd weer op het kussen. 'Ik zeg alleen maar de verkeerde dingen. Je zult Jock hier wel liever gehad hebben.

Hij zou wel weten hoe hij zoiets aan moest pakken.'

'Nee, ik wil helemaal niet dat Jock hier is, ik wil dat hij bij Michael is.' Ze deed haar ogen weer dicht. 'En ja, hij zou veel gevoeliger zijn dan jij. Maar ik denk dat je me echt probeert te helpen en dat waardeer ik. Gun me een paar uur en ik heb jullie geen van tweeën meer nodig.'

'Oké.' Die grote hand van hem streek weer door haar haar. 'Ik doe wat je wilt... voor de komende paar uur tenminste.'

Opnieuw was ze zich bewust van die ontroerende onhandigheid. In het gewone leven was hij een van de meest gracieuze mannen die ze ooit had gezien, maar nu niet. Dit was duidelijk een nieuwe situatie voor hem en hij had er enorm veel moeite mee. Maar hij deed het allemaal voor haar. 'Dankjewel.' En deze keer klonk er geen sarcasme in haar stem.

'Graag gedaan.' Hij nestelde zich wat dichter in haar buurt. Hij fluisterde: 'En ik ben blij dat Jock hier niet is...'

Ze sliep.

Nu moest hij haar eigenlijk loslaten.

Nog niet. Royd staarde voor zich uit in de duisternis, zijn armen stevig om Sophie heen. Hij wilde niet dat ze wakker werd en dan besefte dat ze in haar eentje was. Ze voelde zich al zo alleen en kwetsbaar op dit moment. Misschien was hij niet degene die ze eigenlijk in haar buurt had willen hebben, maar het was nou eenmaal niet anders. Op dit moment was híj de veilige haven in de storm die over haar heen kwam en het feit dat ze hem als zodanig accepteerde, was een signaal hoe alleen ze zich eigenlijk voelde.

Waarom, vroeg hij zich af, had hij in vredesnaam zo zijn best gedaan om haar om te praten dat ze hem bij haar moest laten blijven? Hij gaf niks om haar pijn, zolang ze goed functioneerde.

Gelul, hij gaf er wel om.

Hij gaf om háár. Nou was hij toch te veel bij haar betrokken geraakt. Hij had haar geobserveerd, met haar gepraat, de uitdrukking op haar gezicht gezien, haar moed. Het mocht niets voor hem betekenen en daarom had hij tegen zijn gevoelens gevochten. Maar het had niet gewerkt. Dwing jezelf om afstandelijk te zijn, Royd. Onderdruk die neiging om haar aan te raken, te strelen, op haar gemak te stellen.

Seks.

O ja, seks. Zeker. Zijn opgewondenheid op dit moment was er het bewijs van. Het was niet makkelijk om hier zo naast haar te liggen en geen initiatief te nemen. Waarom zou hij eigenlijk niet? dacht hij roekeloos. Hij had er nooit om bekendgestaan dat hij zich inhield, en Sophie was op dit moment heel kwetsbaar. Hij kon er wel voor zorgen dat ze seks met hem wilde. Hoezo probeerde hij nou opeens de nobele zeikerd uit te hangen? Hij had altijd gewoon seks gehad als hij dat wilde, zolang hij de vrouw maar geen pijn deed. Sophie kon heus wel tegen een stootje en ze gaf niets om hem. Eén nachtje zou haar heus geen kwaad doen.

Als het tenminste bij één nachtje bleef. Hij was er niet van overtuigd dat dat genoeg voor hem zou zijn.

Hou op met daar steeds aan te denken. Hij had haar een belofte gedaan en dat maakte hem alleen maar meer...

Ze bewoog zich dichter tegen hem aan en kreunde zachtjes.

Shit.

Haar gezicht was niet meer dan een bleke vlek in het donker, maar toch kon hij de donkere wimpers op haar wangen zien liggen. Ze zag er net zo hulpeloos uit als een kind.

Maar verdomme, ze wás helemaal geen kind. Ze was een volwassen vrouw met een kind, die de laatste paar jaar door een hel was gegaan. Seks kon een troost zijn. Het hoefde niet...

Maar bij seks tussen hen zou er helemaal geen sprake zijn van troost, dus hou nu maar op met redenen te verzinnen, waardoor je toch kunt krijgen wat je zo graag wilt. Er zou helemaal geen seks tussen hen zijn, omdat hij dat had beloofd.

Ze rook naar citroenshampoo en zeep.

Hou je koest. Denk aan iets anders. Hij was geen kind meer. Hij mocht dan wel niet gewend zijn om zich in te houden, maar als het moest, kon hij alles.

Hoopte hij.

Ze kroop dichter tegen hem aan.

Dat werd nog een heel lange nacht.

11

De late ochtendzon stroomde de hotelkamer binnen, toen Sophie de volgende ochtend haar ogen opende.

Royd lag niet meer naast haar en een gevoel van eenzaamheid overviel haar. Stommerd. Natuurlijk was ze alleen. Die nacht was ze af en toe half wakker geworden en dan had hij steeds naast haar gelegen, maar dat betekende nog niet dat...

'Goedemorgen.' Royd stond in de deuropening. 'Hoe gaat het?'

'Beter.' Haar mond vertrok. 'Of misschien ook wel niet. Misschien ben ik gewoon verdoofd. Maar ik kan nu tenminste wel weer nadenken.'

'Dan kun je beter meteen in de douche gaan en je aankleden. We moeten hier weg.'

'Nu?' Ze ging rechtop zitten. 'Meteen?'

'Hoe eerder, hoe beter.' Hij gooide de krant naar haar toe. 'Je staat alweer op de eerste pagina. Herkauwen van hetzelfde verhaal, maar het is een goede foto en we willen niet dat je herkend wordt.' Hij was even stil. 'En er is ook een foto van Michael. De politie is bezorgd over zijn veiligheid.'

'Ik ook.' Ze keek naar beneden, naar de foto van Michael. 'Denken ze dat ik mijn eigen zoon zou ombrengen? Denken ze dat ik gestoord ben of zo?'

'Je vader heeft je moeder gedood.'

'En gestoordheid zit dus in de familie?' Ze zwaaide haar voeten op de grond. 'Ik ben in een halfuurtje klaar om te gaan. Is dat snel genoeg?'

Hij schudde zijn hoofd. 'Ik begin wel vast in te pakken voor je.'

Ze kwam het bed uit en liep naar de badkamer. 'Dat doe ik wel.'

'Ik zit toch op hete kolen, dus dan kan ik maar beter iets te doen hebben.' Hij liep naar het bureau en haalde de stekkers uit haar laptop.

Hij zag er inderdaad rusteloos en gespannen uit. 'Zoek dan de *Constanza* op. Gisteravond ben ik er niet meer aan toe gekomen.'

'Ja, je had andere dingen aan je hoofd,' zei hij. 'Maar toen ik vanmorgen opstond ben ik er meteen ingedoken. Het is een Portugees schip dat onder Libanese vlag vaart. Tweeënveertig jaar oud en het wordt verhuurd aan de hoogste bieder.' Hij wachtte even. 'Het is interessant dat de laatste huurder Said Ben Kaffir was.'

Ze bleef bij de deur stil staan. 'En wie is dat?'

'Een wapenhandelaar die levert aan iedere religieuze fanatiekeling in Europa en het Midden-Oosten.'

'Wapenhandelaar,' herhaalde ze. 'En REM-4 creëert natuurlijk een ongelofelijk machtig wapen.'

'Alles van mensen die zelfmoordaanslagen plegen, tot ervaren moordenaars die zonder vragen te stellen bereid zijn hun leven op het spel te zetten.'

'En jij denkt dat Ben Kaffir iets te maken heeft met de plannen van Sanborne?'

Hij haalde zijn schouders op. 'Geen idee, maar het is wel een interessant toeval.' Hij stopte de laptop in de tas. 'Dat ik verder moet uitzoeken, zodra ik de gelegenheid daarvoor heb. Opschieten, Sophie. Een kwartier. Ik zie je bij de auto.'

'Tien minuten,' zei ze. Hij gedroeg zich kortaf en zakelijk en totaal anders dan de man die haar de hele nacht in zijn armen had gehouden, dacht ze, terwijl ze de badkamerdeur dichtdeed. Nee, dat was niet waar.

Royd mocht zich dan gisteravond heel anders hebben gedragen, maar dit was nou niet echt een Jekyll-en-Hyde-verandering te noemen. Hij had haar wel vastgehouden en proberen te helpen, maar hij was onhandig geweest in die rol en hij was de eerste om toe te geven dat hij alleen maar verkeerde dingen had gezegd.

Maar hij was wel eerlijk geweest en die openheid had geen

spoor van onechtheid gehad. Misschien was het daarom dat ze zijn vriendelijkheid had geaccepteerd. Hij had gemeend wat hij zei. En dat was op zichzelf al een troost.

Maar zoiets kon ze natuurlijk niet nóg een keer accepteren, dacht ze een beetje terneergeslagen. Door het feit dat hij naar Garwood was gestuurd, had ze hem in wezen al veel te veel ontnomen. Nu moesten ze samenwerken, omdat dat waarschijnlijk de enige manier was om Sanborne en Boch uit te schakelen, maar ze moest ervoor waken dat hij haar niet meer gaf dan absoluut noodzakelijk.

Royd wierp even een blik op zijn horloge, toen ze in de auto stapte. 'Tien minuten. Jij bent een vrouw van je woord.' Hij startte de motor. 'Ik heb uitgecheckt en Kelly gebeld. Geen overdreven activiteit op het terrein. Sanborne is er geweest en heeft iedereen ondervraagd, maar Kelly wordt niet verdacht. En Sanborne liep als eerste rechtstreeks naar de personeelsafdeling om de kluis te controleren. Dat betekent dat die disk die je hebt gekopieerd, misschien wel heel waardevol is. Doe hem maar in de computer, dan kunnen we dat meteen checken.'

'Niet nu. Dat doen we later wel.'

Hij keek even opzij. 'Later?'

'Als we in Schotland zijn.'

Hij glimlachte. 'Gaan we naar MacDuffs Run?'

'Ja, natuurlijk. Ik ben degene die Michael moet vertellen dat zijn vader dood is. En Michael zou gevonden kunnen worden door zowel Sanborne als de politie. Ik kén MacDuff niet eens. Ik heb Jock op zijn woord geloofd in alles wat hij over hem vertelde. Maar op deze manier kan ik er niet zeker van zijn dat hij Michael zal beschermen en hem voor degenen die naar hem op zoek zijn, verborgen zal houden. Het is tijd dat ik hem ontmoet, zodat ik zelf een oordeel over hem kan vellen. Ik moet het zeker weten.'

'Ja, dat begrijp ik.' Zijn glimlach verdween. 'Maar hij is bij bijna iedereen veiliger dan bij jou, Sophie.'

'Ja, dat weet ik.' Haar handen knepen zich nerveus samen. Mijn god, wat voelde ze zich hulpeloos. 'En Jock heeft alle vertrouwen in MacDuff. Maar ík moet hem vertrouwen.'

Hij knikte. 'Dan moeten we naar Schotland.'

Er maakte zich een enorme opluchting van haar meester. 'Je hoeft niet mee. Ik wil je niet in gevaar brengen. Ik moet alleen een manier vinden om de juiste papieren te krijgen om het land uit te komen. Net zoiets als MacDuff voor Michael heeft geregeld. Dat kun jij ook wel voor elkaar krijgen, is het niet?'

'Waarschijnlijk.' Hij reed achteruit de parkeerplaats uit. 'Maar dat ga ik niet regelen. Dat zou veel te gevaarlijk zijn en bovendien moeten we snel te werk gaan. We zullen het zonder papieren moeten doen.'

'Wat?'

'Ik kan een vliegtuig besturen en ik heb een hele hoop over smokkelen geleerd, toen ik in Azië zat. Ik denk dat ik jou wel hiervandaan naar Schotland kan krijgen.'

'En hoe zit het met de extra terrorismebeveiliging?'

'Nou en...? Wat hebben we te verliezen?' Hij trok zijn wenkbrauwen op. 'Behalve dan natuurlijk ons leven, als ze ons uit de lucht schieten.'

'Zouden ze dat doen, denk je?'

'Nee, als dát zo was, zou ik er niet aan beginnen.' Zijn glimlach verflauwde. 'Vertrouw me nou maar, Sophie.'

'Daar heb ik nou juist problemen mee, met vertrouwen.'

'Ja, dat is duidelijk. Maar dit is niet de eerste keer dat ik zoiets doe, Sophie.'

Ze keek naar zijn gezicht. Nee, er zouden wel niet zoveel 'eerste keren' meer voor hem zijn. 'Oké, we doen het. Wanneer kun je een vliegtuig hebben geregeld?'

'Dat is al gebeurd.' Hij keek op zijn horloge. 'Het moet over ongeveer een uur klaar staan op het vliegveld van Montkeyes, tegen de tijd dat wij daar arriveren.'

Verbijsterd keek ze hem aan. 'Wat? Montkeyes?'

'Dat is een privévliegveld tussen Richmond in Virginia en hier. Heel privé. Heel discreet.'

'En jij hebt dat al geregeld?'

'Ik ken je onderhand wel een beetje. Ik wist wat nu nummer één op de agenda zou zijn. Ik heb zelfs Jock al gebeld en hem gezegd dat hij ervoor moest zorgen dat Michael niet van iemand anders hoort dat Edmunds dood is.' Hij trok een gezicht.

'Ik hoopte alleen maar dat je niet zou eisen dat we Michael weghalen van MacDuffs Run.'

'Dat zou nog kunnen gebeuren.'

'Dan hoort dat gewoon bij het spel en zal ik ermee om moeten gaan.'

'Nee, ík moet ermee omgaan. Michael is míjn verantwoordelijkheid.' Ze keek van hem weg. 'Ik wou dat ik zonder je hulp kon. Ik heb net een hele preek tegen mezelf gehouden dat ik niet langer op je moest leunen en meteen daarna vraag ik je dít.'

'Maak je er niet druk om. Ik krijg er altijd wel iets voor terug.'

Er was iets in zijn stem wat ervoor zorgde dat haar ogen naar zijn gezicht vlogen. Maar de uitdrukking erop vertelde haar niets.

Hij keek even opzij en glimlachte. 'Je twijfelt aan me. Mijn god, ik ben geen edele ridder op een wit paard. Je verwart me met Jock. Na gisteravond moet je toch weten dat ik geen bron van naastenliefde ben.'

'Gisteravond was een verrassing voor me,' zei ze langzaam.

'Voor mij ook.' Zijn handen klemden zich steviger om het stuur. 'Op meer dan één manier. Ik ben nou eenmaal niet echt een tolerant mens, of een man die zijn best doet om zich in te houden.'

Ze verstijfde. 'Je hoeft helemaal niet tolerant tegen me te zijn. Dat heb ik helemaal niet nodig. Wat mijn gevoelens voor Dave waren, is míjn zaak.'

'Ik had het niet over Edmunds.' Hij drukte de knop van de radio in. 'Die betekent voor mij geen probleem waar ik niet mee om zou kunnen gaan. Als je echt nog om hem had gegeven, had je me wel een klap voor mijn kop verkocht gisteren. En dat deed je niet, dus neem ik aan dat die relatie ver genoeg achter je ligt om in te zien dat er een kern van waarheid in mijn opmerking school.'

Haar eerste impuls was om dat te ontkennen, maar hij had eigenlijk wel een beetje gelijk. Waarom had ze de waarheid toen Dave nog in leven was gewoon geaccepteerd, maar na zijn dood opeens niet meer onder ogen willen zien?

'Het is goed.' Royd reageerde op de uitdrukking op haar gezicht. 'Als iemand overlijdt, is het normaal om te denken dat ze beter hadden verdiend dan ze in werkelijkheid hadden gekregen. Tenzij het zo iemand is als ik, die afschuwelijk jaloers wordt en dan reageert als de klootzak die ik ben.'

'Jaloers?'

'Ja, dat heb ik gezegd,' zei hij kortaf. 'Dat deed ik expres, omdat ik wil dat je erover nadenkt. Ik wil met je naar bed. Dat wil ik al zowat vanaf de dag dat ik je voor het eerst ontmoette.'

Ze voelde zich plotseling heel warm worden. Onderdrukken. Belachelijk. 'Je zei al dat je veel te lang in je eentje in de jungle had gezeten,' antwoordde ze met onvaste stem.

'Nee, niet zomaar met íémand naar bed, met jóú.'

'Ja hoor, vast.'

'Maar ik dring nu niet aan. Dus vergeet het maar, leun lekker achterover en geniet van de muziek.'

'Vergeet het maar?' Ze keek hem ongelovig aan. 'Je wilt helemaal niet dat ik het vergeet.'

'Nee, om de dooie dood niet. Ik wil dat je het opslaat en af en toe tevoorschijn haalt om het te koesteren en dat je langzaam aan het idee went.'

Ze likte langs haar lippen. 'Dat gaat niet gebeuren.'

Hij negeerde haar woorden. 'Ik denk dat je me lekker zult vinden. Ik ben niet gladjes en gepolijst. Ik fluister geen lieve woordjes in je oor. Ik hoor niet in de wereld die jij met Edmunds hebt gedeeld. De enige opleiding die ik heb gehad na de middelbare school, is wat ik mezelf heb geleerd. Ik ben gewoon zoals ik ben, niet bang dat ik de concurrentie niet aankan. Ik kan alles wat ik moet kunnen. Ik wil wedden dat ik jou met veel meer passie wil dan welke andere man dan ook. En ik zal er de tijd voor nemen om ervoor te zorgen dat jij mij even heftig wilt als ik jou nu.'

Ze staarde hem aan, terwijl ze probeerde te bedenken hoe ze hierop moest reageren.

'Je zult me lekker vinden,' herhaalde hij zachtjes.

'Ik wil je helemaal niet...'

'Zoals ik al zei: ik dring nu niet aan.' Hij drukte het gaspedaal dieper in. 'Ik weet waar je prioriteiten liggen. We hebben werk te doen.' Hij glimlachte. 'Denk er gewoon over na.'

Hoe kon ze anders? Verdomme.

Zijn grote lijf was maar een paar centimeter van haar verwijderd en ze voelde dat haar hart sneller klopte.

Ze leunde achterover en deed haar ogen dicht.

Luister naar de muziek, hield ze zichzelf voor.

Luister naar de muziek.

'Hoe zit het nou?' begon Boch, zodra Sanborne de telefoon oppakte. 'Heeft de politie haar al gevonden?'

'Voor zover ik weet niet. Mijn contact bij de politie zegt dat ze nog steeds aan het zoeken zijn.'

Boch vloekte. 'Ze moet echt worden uitgeschakeld. Zolang ze vrij rondloopt, vormt ze een bedreiging voor de onderhandelingen. Jij zei dat je een val voor haar hebt opgezet die zou werken.'

'Die zal ook werken. Op het moment dat ze wordt opgepakt, is ze op weg naar de gevangenis. Het DNA-bewijs is overtuigend.'

'Als jouw man geen fouten heeft gemaakt.'

'Hij heeft geen fouten gemaakt. Ik heb hem voorzien van haar haar en een uitstekend vervalst briefje met haar speeksel op de gomrand van de envelop, waarin ze Edmunds vraagt haar te ontmoeten. En ik heb hem gezegd dat hij alle andere sporen op de plaats delict moest laten verdwijnen.'

'En de auto?'

'Ligt op de bodem van de zee.' Hij voegde eraan toe: 'Het is alleen een kwestie van wachten tot de politie haar oppakt. Dus heb geduld.'

'Rot op met dat geduld. Zodra ze de kans krijgt, begint ze tegen iedere journalist meteen te roepen over REM-4.'

'Voorlopig krijgt ze de kans niet om met journalisten te praten, ze zal eerst juridische hulp krijgen. En dat is meteen de kans voor mijn mannetje op het politiebureau om bij haar binnen te komen.'

'Wat gaat hij gebruiken?'

'Cyanide.' Hij glimlachte. 'Is dat niet de meest traditionele manier om zelfmoord te plegen? Jammer dat die vrouwelijke politieagenten niets vinden als ze haar fouilleren. Maar ze is ten slotte arts en heeft zodoende toegang tot allerlei dodelijke pillen.'

'En hoe zit het met die jongen? Die moet verdomme ook uit de weg geruimd worden. Niemand heeft sympathie voor een moeder die haar eigen kind doodt. We moeten ze vinden vóór de politie dat doet.'

'Ik vermoed dat ze die jongen ergens heeft weggestopt, toen ze besefte dat hij in gevaar was.'

Boch was even stil. 'Jock Gavin?'

'Dat lijkt me logisch. En Gavin stond onder de hoede van een Schotse lord, ene MacDuff. Ik heb dezelfde man die Edmunds heeft omgebracht naar zijn kasteel gestuurd om daar de boel in de gaten te houden en te kijken wat hij te weten kan komen.'

'Gavin is een expert. Het zal niet makkelijk zijn om de jongen van hem weg te krijgen.'

'Ach, niets dat de moeite waard is, is makkelijk. Degene die ik heb gestuurd heeft orders om eerst contact met mij op te nemen, voor hij tot actie overgaat. We willen natuurlijk niet dat een internationaal incident nog meer stof doet opwaaien.'

'Wie heb je gestuurd? Ken ik hem?'

'O ja, je kent hem.' Hij pauzeerde even. 'Sol Devlin.'

'Holy shit!'

'Ik hoop dat je het ermee eens bent dat hij goed genoeg is. Hij is tenslotte een van jouw pupillen. Je was enorm trots op hem toen hij klaar was op Garwood.' En hij voegde er sluw aan toe: 'Of misschien kwam dat meer omdat je een succesverhaal nodig had, nadat Royd ervandoor ging.'

'Devlin wás een succes. Hij was bijna perfect, alles wat Royd had moeten zijn.'

'Ja, dat vind ik ook. Dodelijk en gehoorzaam. Dat is de reden dat ik hem heb bewaard voor zo'n bijzondere opdracht als deze.'

'Ik had hem als voorbeeld voor Ben Kaffir willen gebruiken.'

'Dat is van later zorg. Dit is nu belangrijker.'

Boch was stil. 'Oké, ik neem aan dat je gelijk hebt.'

Natuurlijk heb ik gelijk, dacht Sanborne zuur. Rancuneuze klootzak.

'En hoe ga je die jongen ombrengen?"

'Met hetzelfde pistool als waarmee Edmunds is gedood. Maar als die trut naar hem op weg is, is het beter om te wachten totdat ze dicht genoeg bij hem in de buurt is om verdacht te worden. Daarom heb ik tegen Devlin gezegd dat hij de boel in de gaten moest houden, maar niet tot actie mocht overgaan.'

'En zo niet? Wat gebeurt er als de politie haar oppakt?'

'Dan doden we de jongen en gooien hem in zee, zodat niemand kan nagaan waneer dat precies is gebeurd. Bovendien heeft Devlin niet al de DNA-sporen gebruikt op de plaats waar Edmunds is omgekomen. Het komt allemaal op zijn pootjes terecht.' Hij had er genoeg van zichzelf steeds maar te moeten verdedigen ten opzichte van Boch. 'Ik moet nu ophangen.'

'Wacht even. Heb je de analyse van de laatste resultaten al, die Gorshank ons heeft gestuurd?'

'Nee, nog niet, maar die zal nu wel gauw komen.'

'Maar onafhankelijk van de uitslag moeten we toch gewoon verdergaan met onze plannen.'

Gorshanks resultaten bepaalden juist helemaal hoe ze verder moesten, dacht Sanborne ongeduldig. Waarom kon die zak dat niet inzien? Boch gebruikte zijn gewone stoomwalstechniek en Sanborne had geen zin om nu met hem in discussie te gaan. 'Daar hebben we het later nog wel over. Ik moet nu contact opnemen met Devlin.' Hij drukte de toets in die de verbinding verbrak en toetste direct het nummer van Devlins mobiele telefoon in. 'Waar zit je?' vroeg hij toen Devlin opnam.

'In de heuvels boven het kasteel. Ik heb nog niemand rondom het kasteel gezien, ik moet dichterbij zien te komen.'

'Wat houdt je tegen?'

'Er is een schapenboerderij hier beneden. Ik moet steeds wegduiken om niet gezien te worden.'

'Smoesjes. Als je dichter bij het kasteel moet komen, doe dat dan gewoon.'

'Als dat is wat u wilt.' Hij klonk niet onderdanig. Zijn stem was rustig en zonder uitdrukking, maar Sanborne kreeg niet het gevoel dat hij met een zombie praatte. In Garwood was het een programmaonderdeel geweest dat iedereen daar leerde zich in elk opzicht normaal te gedragen, behalve dan op het gebied van gehoorzaamheid. Ja, Devlin was bijna perfect. Sanborne kon hem voor zich zien zoals hij nu op die heuvel stond, gedrongen en gespierd, met zijn zandkleurige, kortgeknipte haar. Een geweldige machine, totaal onder zíjn commando. Het was enerverend om zoveel controle te hebben over een menselijk wezen. Hij voelde een vlaag van opwinding door zich heen gaan. Geld was reuze interessant, maar dat kon voor hem toch het plezier van iemand totaal kunnen domineren, niet evenaren. Het grootste gedeelte van zijn volwassen leven was hij een machtig man geweest, maar dit was toch iets anders, dit was uitermate spannend. 'Maak geen fouten en ga doen wat je moet doen.' Hij hing op.

Sol Devlin verbrak de verbinding.

Ga doen wat je moet doen.

Hij voelde dat hij er zin in kreeg. Wat had hij er een hekel aan als Sanborne hem restricties oplegde en soms probeerde hij dat expres te voorkomen door iets te zeggen of te doen dat Sanborne dwong hem zijn gang te laten gaan. Meestal realiseerde Sanborne zich niet eens dat de slaaf hém bestuurde.

Bij de gedachte verscheen er een glimlach op zijn gezicht. Hij had geen idee of hij zonder Sanborne zou kunnen, als hij dat probeerde. Ooit had hij een poging ondernomen en dat was erg pijnlijk geweest. Te pijnlijk, omdat hij niet eens wist of hij wel een leven wilde zonder het doel dat Sanborne hem gaf. Bovendien werd hij goed gevoed en voorzien van vrouwen en drugs.

En hij vond zijn werk leuk.

Hoeveel daarvan was geconditioneerd? Dat maakte hem niets uit. Hij had er plezier in en daar ging het om. Zoals nu, hij had al zin in wat er komen ging.

Gauw al. Binnen een paar uur.

Devlin draaide zich om en keek nog eens naar de boerderij die een paar honderd meter lager lag.

'Mijn moeder komt hierheen.' Michael hing langzaam de telefoon op. 'Ze zei dat ze hier over een paar uur is.'

Dat had MacDuff al sinds gisteravond verwacht, toen Jock hem had verteld dat Edmunds dood was. 'En hoe vind je dat?' vroeg MacDuff rustig.

'Oké, denk ik. Ze wilde nu niet praten. En ze klonk... bezorgd.'

'Dat ze bezorgd is, is logisch, na de dingen die ik van Jock en jou heb gehoord.'

Michael sloeg zijn ogen op. 'Maar is er nog iets anders aan de hand? Iets wat u wel weet, maar niet vertelt?'

Moest hij nu tegen hem liegen? Nee, de jongen had al veel te veel meemaakt om daar ook nog bedrog aan toe te voegen. 'Ja, maar ik ga je niet vertellen wát. Dat moet je moeder doen.'

Michael fronste zijn voorhoofd. 'Maar ik wil helemaal niet wachten.'

'Dat is dan jammer.' MacDuff glimlachte. 'We krijgen nou eenmaal niet altijd wat we graag zouden willen.' Hij stond op. 'Maar ik stel me beschikbaar om je te helpen je gedachten te verzetten. Heb je zin om mee te gaan naar de Run voor een partijtje voetbal?'

'Dat zal mijn gedachten heus niet verzetten.'

'Wedden? Ik zorg ervoor dat je zó hard moet werken dat je geen energie meer over hebt om ergens over na te denken.' Hij liep naar de deur. 'Kom op, dan pikken we Jock op en zetten hem in het doel.'

Michael aarzelde. 'Maar u zei dat ik deze laden moest doorzoeken om te kijken of er nog oude papieren in lagen.'

'Voor vandaag heb je genoeg gedaan.' MacDuff liep de deur uit. 'Ik heb een beetje lichaamsbeweging nodig.'

'Wat doen die stomme schapen hier midden op de weg?' Sophies handen knepen zich samen in haar schoot. 'Daar moesten ze beter op letten.'

'De herder is waarschijnlijk in de buurt. We zijn in Schotland, dan moet je rekening houden met dat soort dingen.' Royd manoeuvreerde de auto voorzichtig door de kudde heen. 'Geen probleem.'

'Dat weet ik ook wel.' Sophie likte langs haar lippen. 'Ik ben gewoon nerveus. In hemelsnaam, zorg dat je ze niet aanrijdt.'

'Echt waar? Dat had ik nou nooit kunnen vermoeden, dat je nerveus bent.' Royd zette het grote licht aan. 'Kijk, daar heb je MacDuffs Run, recht voor ons.'

Het was een enorm intimiderend kasteel dat voor hen opdoemde. Het deed haar denken aan iets uit *Ivanhoe*. 'Schiet dan op. Ik moet Michael zien.'

'Ga je het hem vanavond vertellen?'

'Het heeft geen zin om het uit te stellen. Hij moet het te weten komen van mij.' Ze keek bezorgd. 'Maar ik kan er niet zeker van zijn dat ik niet midden in mijn verhaal wordt gestoord door iemand die binnen komt stormen om me te arresteren.'

'Ik denk dat je er wel op kunt rekenen dat dát niet gebeurt,' zei Royd. 'Van wat ik van Jock hoor, laat MacDuff zich niet verrassen.'

'Ik ben nergens meer zeker van... Stop!' Bijna waren ze tegen een van de schapen op gereden, die terug de weg op was gerend. Sophie stapte uit, joeg het beest naar de kant van de weg en kwam toen de auto weer in. 'As het zo doorgaat duurt het nog de hele nacht voordat we bij de poort zijn.'

'Ik denk dat we er nu doorheen zijn.' Royd drukte voorzichtig het gaspedaal in en de auto reed verder de weg af. 'Ik zal goed uitkijken voor het vee.'

'Het is jouw fout niet. We zitten hier aan het einde van de wereld en het verbaast me dat MacDuff geen betere...'

'Halt.' Een bewaker stapte uit de duisternis, naast de poort van het kasteel. Hij droeg een M-16 en toen de auto stopte scheen hij met een zaklamp in hun gezicht. 'Mevrouw Dunston?'

'Ja.' Ze hield haar hand voor haar ogen tegen het felle licht. 'Doe dat ding maar uit.'

'Straks.' Hij keek naar een foto in zijn hand. 'Sorry.' Hij richtte de lichtbundel ergens anders op. 'Ik moest er zeker van zijn. De laird heeft weinig geduld met mensen die stomme fouten maken. Ik ben James Campbell.'

'Hoe kom je aan die foto?'

'Van Jock.' Hij wierp een blik op Royd. 'U bent meneer Royd?'

Royd knikte. 'Kunt u nu een stapje opzij doen, zodat we naar binnen kunnen rijden?'

Hij schudde zijn hoofd. 'De laird zei dat ik u naar de Run moest sturen als u aankwam. Hij en de jongen zijn daar.' Hij wees naar rechts. 'Als u uitstapt en om het kasteel heen in de richting van het klif loopt, komt u er vanzelf.'

'Dit bevalt me niet.' Royd opende het portier. 'Ik ga wel, Sophie. Rijd jij de poort maar binnen. Ik kan me niet voorstellen dat MacDuff het risico neemt om Michael in zijn eentje buiten de poort van het kasteel laten.'

'Risico?' Er klonk verontwaardiging in de stem van James Campbell. 'Er is geen risico, de laird is erbij.'

Hij had net zo goed kunnen zeggen: Superman is erbij, dacht Sophie. Blijkbaar had deze man net zoveel respect voor de laird als Jock. Dat was geruststellend. 'Ik ga met je mee.' Ze stapte uit en ging naast Royd staan. 'Is Jock daar ook?'

Campbell knikte. .

'Bel hem dan maar om te zeggen dat we eraan komen,' zei Sophie, terwijl ze naast Royd ging lopen.

'Je zou dit ook aan mij over kunnen laten,' zei Royd zachtjes.

'Ja, dat zou kunnen.' Ze ging iets harder lopen. 'Maar ik betwijfel of er iets over te laten valt. Ik denk niet dat een van Sanbornes mannen zijn tenten net buiten de poort op zou slaan.'

'En je wilt Michael zo snel mogelijk zien.'

'Ja,' fluisterde ze. 'Ik kijk hier niet naar uit en wil het zo snel mogelijk achter de rug hebben.'

'Kan ik vooruit lopen om de boel te checken?'

'We doen dit samen en ik heb de beslissing genomen. Als het de een of andere val is, dan...'

'Michael.'

Ja, ze was zijn moeder en moest in leven blijven om hem te kunnen beschermen. Ze haalde diep adem en bleef stilstaan. 'Oké. Doe maar dan. Als je over vijf minuten niet terug bent, ga ik terug naar het kasteel en glip ik langs die Campbell de poort binnen.'

'Dat is niet makkelijk om langs Campbell te glippen,' zei Jock, die opeens vlak voor hen op het pad stond. Hij liep in zijn blote bast en baadde in het zweet, maar hij glimlachte. 'En als je daarin zou slagen, zou ik de arme man moeten ontslaan.' Hij hief zijn hand op in een afwerend gebaar en trok zijn neus op. 'Hoi, Sophie. Ik zou je wel willen omhelzen, maar op het moment ben ik nogal walgelijk. MacDuff en Michael zorgen ervoor dat ik me te pletter moet rennen.'

'Wat?'

'Kom maar mee.' Hij draaide zich om en verdween in het donker.

Terwijl ze achter hem aan gingen, fronste ze geïrriteerd haar wenkbrauwen. Waar ging dit in vredesnaam over? Zorgden ervoor dat hij zich te pletter liep?

Toen ze de hoek van het kasteel omliepen, zagen ze de Run voor zich liggen. Het was een vlak stuk grond dat aan alle kanten werd omzoomd door gigantische, gladde rotsen.

En Michael en een lange, donkerharige man, net als Jock zonder hemd en bedekt met zweet, raceten eroverheen. Het haar van die man was bijeengebonden met een zakdoek. En allebei liepen ze te lachen en te hijgen. Ze zagen eruit alsof ze zich nergens zorgen over hoefden te maken.

Sophie keek een beetje geschokt naar hen. Michael zag er helemaal niet uit zoals ze zich had voorgesteld. Hij zag er zo... vrij uit. Even voelde ze zich ontzettend gelukkig, en meteen daarop ging er een scheut door haar heen omdat ze hem dat geluk nu moest ontnemen.

'Mam!' Michael keek op en had haar gezien. En holde meteen naar haar toe.

Ze liet zich op haar knieën vallen en hij wierp zich op haar. Meteen sloot ze hem in zijn armen en drukte hem stevig tegen zich aan. Hij rook naar zout, zweet en zeep. Mijn god, wat hield ze van hem. Ze schraapte haar keel. 'Wat ben je daar aan het doen? Aan het spelen? Hoor jij niet in bed te liggen?'

'Ik wachtte op jou.' Hij deed een stap naar achteren. 'En de laird maakt het niet uit. Hij zegt altijd dat voetbal goed voor je is, op elk moment van de dag of van de nacht.'

'Ik ben bang dat ik het daar niet mee eens kan zijn.' Ze veegde zijn haar uit zijn gezicht. 'Maar je ziet er absoluut niet slecht uit.'

'Ik voel me ook goed.' Hij keek over zijn schouder. 'Dit is mijn moeder. En dit is de graaf van Connaught, lord van MacDuffs Run. Hij heeft nog allerlei andere namen, maar die weet ik niet meer. Ik denk dat we er nu mee op moeten houden, sir.'

'Jammer.' De laird kwam naar hen toelopen. 'Wat fijn om u te ontmoeten, mevrouw Dunston. Ik hoop dat u een rustige reis heeft gehad.'

'Jawel. Tot we in uw kudde schapen terechtkwamen op de weg hiernaartoe.'

Hij fronste zijn voorhoofd. 'Echt waar?'

'Ja, echt waar.' Ze dwong zichzelf om Michael los te laten. 'Ik moet even met mijn zoon praten. Wilt u ons misschien even alleen laten?'

'Nee.' MacDuff draaide zich naar Royd en stak zijn hand uit. 'U bent Royd?'

'Ja.' Langzaam schudde hij de uitgestoken hand.

'Zou u Michael en mevrouw Dunston naar het kasteel willen begeleiden? Ik moet even met Jock praten. Ik zal vragen of hij James even belt, zodat die u uw kamers kan laten zien.'

'Michael en ik kunnen hier met elkaar praten,' zei Sophie.

MacDuff schudde zijn hoofd. 'Deze plek is nu speciaal voor hem, dus moeten we die niet besmetten. Je kunt beter ergens anders met hem praten.' Hij draaide zich om en liep naar Jock.

Arrogante klootzak.

'Besmet?' Michaels angstige blik was op haar gezicht gevestigd.

Ze sloeg haar arm om zijn schouder. 'We gaan eerst terug naar het kasteel.'

'Ik wist wel dat er iets aan de hand was,' fluisterde hij. 'Vertel het.'

'Ik probeer niets voor je verborgen te houden,' zei ze vriendelijk. 'Maar blijkbaar kan dat niet hier. We gaan naar je kamer.' Zachtjes gaf ze hem een duwtje in de richting van het pad. 'Royd?'

'Ik loop vlak achter je tot je bij het kasteel bent en ik weet dat je veilig bent. Daarna heb je me niet nodig, denk ik?'

Eigenlijk wilde ze zeggen dat ze hem wél nodig had. Ze was gewend geraakt aan zijn kameraadschap en zijn kracht, waar ze de afgelopen dagen onbewust op had kunnen leunen. Maar dit had niets te maken met de reden waarom ze samenwerkten. Dit was iets tussen haar en haar zoon. Ze knikte, terwijl ze het pad opliep. 'Nee, ik heb je niet nodig.'

Royd keek Sophie en Michael na, toen ze de binnenplaats overliepen in de richting van de voordeur. Sophie had haar schouders opgetrokken, alsof ze zich schrap zette voor een klap. Hij had die houding eerder gezien. Het leek wel of ze sinds het moment dat hij haar had leren kennen, niets anders dan pijnlijke klappen te verwerken had gekregen en ze die iedere keer weer met die volhardende kracht had opgevangen.

Toen de deur achter hen dichtviel, balde hij zijn vuisten. Jezus, wat voelde hij zich hulpeloos. Ze had verdriet en zou nog meer pijn voelen als ze Michael over zijn vader moest vertellen.

Maar daar kon hij helemaal niets tegen doen. Hij was de buitenstaander. Dus onderdruk die neiging om nu achter ze aan te rennen, en doe iets nuttigs. Hij draaide zich om en liep door de poort terug naar de plek waar Jock, MacDuff en Campbell met elkaar stonden te praten.

Hij onderbrak het gesprek. 'Oké, wat is het probleem?'

MacDuff trok zijn wenkbrauwen op. 'Probleem?'

'Die verdomde schapen. Toen Sophie je vertelde over die schapen op de weg, reageerde je... achterdochtig. En meteen daarop wilde je met Jock praten. Wat is er aan de hand?'

'Het zou toeval kunnen zijn,' zei MacDuff. 'Misschien wilde ik wel tegen Jock zeggen dat hij mevrouw Dunston moest gaan troosten, nu ze dat nodig heeft.'

'Gelul.'

Campbell deed een stap naar voren. 'Men praat niet op die manier tegen de laird,' zei hij zachtjes. 'Wilt u dat hij weggaat, sir?'

'Rustig, James, het is in orde,' zei MacDuff. 'Ga jij een paar mannen verzamelen en kom hier over tien minuten terug.'

'Weet u het zeker?' vroeg Campbell. 'Het is geen moeite.'

Jock grinnikte. 'Daar zou ik maar niet zo zeker van zijn. Hij zou zelfs *mij* moeite kosten, James.' Hij wees met zijn duim naar het kasteel. 'Tien minuten.'

Campbell draaide zich om en liep met grote stappen door de poort.

'De schapen,' herhaalde Royd.

'Vertel het hem maar,' zei Jock tegen MacDuff. 'Als het is wat we denken, kunnen we hem goed gebruiken.'

MacDuff bleef even stil en haalde toen zijn schouders op. 'Je hebt gelijk.' Hij wierp een blik naar boven, naar de heuvel. 'De schapen hadden niet op de weg moeten zijn. De heuvels hier zijn mijn eigendom, maar Steven Dermot en zijn zoon mogen er wat mij betreft hun kudde laten grazen. Zijn familie heeft dat recht al generaties lang. Steven is uitermate bescheiden en respecteert mijn rechten. Ik heb nog nooit meegemaakt dat hij een van zijn schapen op de weg liet lopen.'

Royd volgde MacDuffs blik naar de heuvel. 'Controleren jullie Dermot.' Hij begon zich om te draaien. 'Dan ga ik op verkenning uit.'

'Geen vragen? Geen discussies over toeval?' vroeg MacDuff.

'Een van de eerste regels die ik op mijn training leerde, was dat alles wat anders dan anders is, verdacht is.' Over zijn schouder keek hij naar Jock. 'Ga je mee?'

'Ik denk dat jij het wel alleen af kan.' En zachtjes voegde hij eraan toe: 'Ik ben opgegroeid met Stevens zoon, Mark. We speelden altijd samen hier in de heuvels. Ik ga met MacDuff naar de boerderij.'

Royd knikte. 'Als ik niemand zie, kom ik terug en zal ik jullie dekking geven.'

'Daar hebben we James en nog een paar man voor,' zei MacDuff. 'Ik heb wel een aantal mannen over, die met jou mee zouden kunnen.'

'Nee, die zouden me alleen maar in de weg lopen.'

'Ze kennen het terrein.'

'Ze zouden me in de weg lopen,' herhaalde Royd. 'Ik wil op niemand anders moeten letten dan op mezelf.'

'Campbell en de anderen zijn geen hulpeloze watjes,' zei MacDuff. 'Ze zaten samen met mij bij de mariniers.'

'Mooi. Neem jij ze maar mee.' En hij liep de weg af.

Werd hij in de gaten gehouden? Waarschijnlijk. Maar over een paar honderd meter zou hij uit het schootsveld zijn. Dan zou hij verdwijnen tussen de bomen aan de voet van de heuvel.

'Aangebrande kloothommel,' mompelde MacDuff, terwijl hij zich in de richting van Jock keerde. 'Ik ben er gewoon pissig over. Hij kan maar beter verdomd goed zijn. Is hij altijd zo?'

'Hij is heel goed,' antwoordde Jock. 'En ja, hij is ongelofelijk onbeschoft. Misschien is hij nu wat erger dan normaal. Ik denk dat hij nogal gefrustreerd is. De dingen gaan blijkbaar niet zoals hij wil.'

'Is dat ooit wel het geval in het leven?'

'Royd heeft met Sophie te maken en hij heeft er geen idee van wat hij met haar aanmoet.' Hij haalde zijn schouders op. 'Of beter gezegd hoe hij met haar om moet gaan. Het strookt niet met zijn bulldozermethodes om zich in te moeten houden en rekening te houden met een ander, terwijl het hem alleen om Boch en Sanborne gaat.' Over de schouder van MacDuff zag hij de mannen naderen. 'Daar heb je James en de jongens. Laten we naar de boerderij gaan.'

12

Iemand hield hem in de gaten.

Royd stond stil in de duisternis van een boom en luisterde.

De wind ritselde door de bladeren. In de verte klonk het geblaat van schapen.

Boven hem lag de top van de heuvel met een paar bomen. Als daar iemand zat verborgen, zou Royd een gemakkelijk doelwit zijn zodra hij uit de beschutting van de pijnbomen kwam en de heuvel verder op zou klimmen.

Als er daarboven iemand zat. Het zou niet de positie zijn die híj had gekozen. Je had er wel goed zicht om iemand neer te schieten, maar daarna zou het een probleem zijn om ongezien weg te komen. De heuvel bood niet veel begroeiing om je achter te verschuilen. Het zou veel beter zijn om hier aan de voet van de heuvel te blijven, met voldoende dekking en de weg vlakbij voor het geval je snel weg moest komen.

Maar buiten dat vóélde hij gewoon dat die zak in de buurt was.

En dichtbij ook nog. Heel dichtbij.

Zou hij een geweer of een pistool hebben? Twijfelachtig. Als hij een wapen had, wilde hij dat blijkbaar niet gebruiken of had hij al eerder op hem moeten schieten. Royd was snel geweest, had zigzaggend door de bomen gerend, maar een kogel was toch de beste manier om een vijand uit te schakelen. Hij deed een stap opzij, en nog een zodat hij in het licht van de maan te zien was, en dook weer terug de bosjes in.

Geen schot. Niets. Misschien wilde hij het lawaai van een schot niet.

Maar hij zat daar wel ergens te wachten.

Dus zou Royd ook wachten.

Hij ging dichter bij de boom staan. Drie minuten. Vier minuten.

Kom op. Doe iets. Ik blijf hier de hele nacht als het moet, klootzak.

Geen geluid, behalve de wind en de schapen.

Er gingen weer zes minuten voorbij.

De fluistering van een geluid op een paar meter van hem vandaan. Een soort glijden.

Pythons gleden. Maar mannen ook, als ze tegen de takken van een boom aankwamen.

Of uit een boom kwamen.

Hij wachtte. Kom maar.

Hoe lang geleden was het dat hij dat glijdende fluisterende geluid had gehoord? Twee minuten? Drie?

Tijd genoeg voor die slang om bij Royd in de buurt te komen.

Niet bewegen. Zorg dat hij niet in de gaten heeft dat jij weet dat hij eraan komt.

Er was niets te horen. Die zak was goed.

Maar Royd voelde de achterkant van zijn nek verstijven.

Achter hem. Iedere zenuw en iedere instinctieve reactie schreeuwde moord en brand in hem. Maar hij draaide enorm beheerst en langzaam zijn hoofd opzij.

Dichterbij.

Uit zijn ooghoek ving hij een glimp van een beweging op.

Nu!

Hij liet zich op de grond vallen en schopte met zijn benen naar die van de andere man, een meter verder.

Die viel op de grond.

Even zag Royd een korte, compacte man, voordat die rotzak wegrolde en het mes dat hij in zijn hand hield in zijn richting gooide.

Instinctief hief Royd zijn arm op.

Pijn.

Royd kon het mes zijn onderarm voelen doorklieven. Meteen trok hij het eruit en gooide het terug. Het trof de man in de schouder.

'Royd?' Mijn god, die lul lachte. 'Dat had Sanborne me niet verteld. Wat een genoegen.'

Jezus, Devlin.

Devlin hief luisterend zijn hoofd op. 'Ach jeetje, het genoegen kan maar van korte duur zijn. We worden gestoord. Wat jammer nou.' Hij rolde weg en smeerde hem.

Royd trok zijn wapen en ging achter hem aan.

Jezus, hij bloedde als een rund. Maar er was geen tijd om de wond af te binden.

Hij ving een glimp op van Devlin, die de heuvel af zigzagde. Hij richtte en vuurde.

Mis. Devlin was weggedoken achter een boom.

Het geluid op de heuvel, waardoor Devlin het hazenpad had gekozen, kwam dichterbij. Jock en MacDuff?

Devlin rende in een voor een gewonde ongelofelijk hoog tempo door het bos.

Te snel.

Het bloed stroomde uit Royds arm. Als hij dat niet gauw kon stoppen, kon het zijn dood wel zijn.

Shit.

Nog een keer een schot afvuren?

Maar Devlin was al buiten zijn bereik.

Royd vloekte. Oké, geef het op. Er komt wel een ander moment. Met Devlin zou er altijd een ander moment komen.

Zorg dat Jock en MacDuff hier komen en laat ze die wond snel verbinden. Misschien konden zij wel achter Devlin aan.

Niet dat ze hem te pakken zouden krijgen met zoveel voorsprong. Devlin was té goed.

Maak je daar later maar druk om.

Hij hief zijn hand met het pistool erin omhoog en schoot in de lucht. Daarna drukte hij zijn vingers op de pulserende ader boven de wond en wachtte op Jock.

'Het is niet in orde. Je moet naar een dokter.' Jock was klaar met het aanleggen van een noodverband. 'Je hebt nogal wat bloed verloren.'

'Later, ik heb het wel erger meegemaakt.' Hij stond op. 'Ik wou er alleen voor zorgen dat dat verdomde bloeden ophield.'

Hij pakte zijn telefoon. 'En ik moet Sophie bellen om te horen of alles goed met haar gaat.'

'Met Michael en haar is alles heus wel in orde,' zei Jock. 'Het kasteel wordt bewaakt als een fort. En alleen een gek zou vlak nadat jij hem uit zijn schuilplaats hebt weten te lokken, achter hen aangaan.'

'Precies.' Hij toetste Sophies nummer in. Ze nam op bij het derde belsignaal. Er ging een vlaag van opluchting door hem heen.

'Hoe gaat het met Michael?'

'Wat denk je?' Ze was even stil. 'En je belt me heus niet om te vragen hoe het met mijn zoon gaat. Waar zit je?'

Hij gaf geen antwoord. 'Ik ben snel terug. Er was een probleem.'

'Wat voor soort probleem?'

'Het is voorlopig opgelost. Ik vertel het later wel. Ga jij maar terug naar Michael.' Hij verbrak de verbinding.

Boos en gefrustreerd drukte ze de toets in die de verbinding beëindigde. Dat ophangen van hem was de laatste druppel. Wat bot dat hij niet even tijd had genomen om het uit te leggen.

'Ik zei toch dat alles oké zou zijn,' zei Jock. 'MacDuff had haar daar heus niet alleen achtergelaten, als hij er niet zeker van was dat het kon.'

'Oké, oké. Excuseer me dat ik niet hetzelfde geloof in MacDuff heb als jij. Ik moest het gewoon zeker weten.'

'Dacht je nou echt dat er een kans was dat Devlin vanavond nog achter haar aan zou gaan?'

'Als hij dacht dat hij ook maar de kleinste kans had om Michael en Sophie vanavond te pakken te nemen, dan had hij het geprobeerd. Hij houdt ervan om veel risico te nemen.' Royd zag MacDuff en vijf van zijn mannen uit het bos komen. 'Niet gelukt om hem in te halen?' riep hij in hun richting. 'Ik zei toch dat het tijd verknoeien was. Waarschijnlijk had hij een auto hier vlakbij staan en is hij nu al halverwege Aberdeen.'

'Ik heb de politie gebeld en hun de beschrijving die jij me gaf doorgegeven,' zei MacDuff. 'Ze zullen naar hem uitkijken. We maken nog een kans.'

Royd schudde zijn hoofd. 'Weinig kans. Hij weet wat hij doet.'

'Garwood?' vroeg Jock.

Royd knikte. 'Een van de besten. Of de slechtsten. Het is maar hoe je het bekijkt.' Hij was even stil. 'Zijn jullie nog naar de boerderij geweest?'

MacDuff schudde zijn hoofd. 'We waren onderweg, maar toen hoorden we het schot.' Hij gebaarde naar Campbell en de mannen achter zich. 'Ga maar terug naar het kasteel. Wij redden het verder wel.'

'Waarschijnlijk valt er weinig meer te redden,' merkte Royd op. 'Ik denk niet dat Devlin iemand bij zich had. Hij werkt het liefst alleen. Maar ik ga wel met je mee.'

MacDuff haalde zijn schouders op. 'Wat je wilt.' Hij draaide zich om en liep de heuvel weer op, met zijn mannen achter zich aan.

Jock kwam niet in beweging, maar keek Royd doordringend aan. 'Er valt niets te redden?' herhaalde hij.

'Ik heb me verkeerd uitgedrukt,' zei Royd. 'Bij Devlin valt er altijd wel iets te redden.'

'Wat dan?'

Mijn god, wat was hij duizelig, dacht Royd, toen hij achter MacDuff aan liep. 'Het opruimen.'

Die klote-Royd. Hier zat ze niet op te wachten. Er was iets aan de hand en zij werd erbuiten...

'Mam.'

Meteen draaide ze zich weer om naar het bed. Vergeet Royd. Haar aandacht moest hier zijn vanavond.

'Ik kom.' Ze zette de telefoon terug op de tafel en liep naar hem toe. 'Het was niets. Royd die ons checkte.' Ze glipte het bed in en trok hem dicht tegen zich aan. 'Hij vroeg hoe het met je was.'

'Goed.'

Maar dat was helemaal niet zo. Hij was geschokt door het nieuws, precies zoals ze had verwacht. 'Dat heb ik hem ook gezegd.'

Even was hij stil. 'Waarom?' fluisterde Michael. De tranen

rolden over zijn wangen. 'Waarom papa, mam?'

'Dat heb ik je al verteld.' Sophie probeerde haar stem rustig te houden. 'Ik weet het niet echt. Maar ik denk dat het iets te maken heeft met de dingen die ik doe, Michael. Ik heb er nooit bij stilgestaan dat dat ook maar enig effect op je vader zou kunnen hebben. Maar als je mij dat verwijt, dan kan ik dat goed begrijpen.'

'Verwijt?' Hij verborg zijn gezicht tegen haar schouder. 'Jij probeert er alleen maar voor te zorgen dat de slechten gedwongen worden om ermee op te houden. Het is hun schuld.' Zijn handen knelden zich aan haar trui vast. 'Ik... hield van hem, mam.'

'Dat weet ik, lieverd.'

'Ik... schaam me een beetje. Soms werd ik boos op hem.'

'Is dat zo?' Ze aaide over zijn haar. 'Waarom?'

'Hij gaf me het gevoel... Hij wilde mij niet echt in de buurt hebben. Niet echt.'

'Natuurlijk wel.'

Hij schudde zijn hoofd. 'Ik was een obstakel voor hem. En ik was een last voor hem. Ik denk dat hij dacht dat ik... gek was.'

'Dat is niet waar.' Maar een jongen die zo gevoelig was als Michael, pikte dat soort signalen als Dave had uitgezonden wel op. 'En het was jouw fout niet.'

'Ik was een obstakel voor hem,' herhaalde hij.

'Luister, Michael. Als een man en vrouw samen een kind krijgen, is het hun plicht om er voor dat kind te zijn, wat er ook gebeurt. Dat is gewoon hun plicht. Zo hoort dat in een gezin. Jij hebt alles gedaan wat je kon om met de problemen die je hebt om te gaan en hij had er voor je moeten zijn. Híj was degene die faalde, niet jij.' Ze trok hem nog dichter tegen zich aan. 'Dus hou nou eens op met dat denken over schuld. Denk aan de goede dingen die je met hem hebt gehad. Ik weet nog dat je die speelgoed-Hummer kreeg toen je vijf werd en jullie er de hele dag mee hebben gespeeld. Weet je dat nog, Michael?'

'Ja.' De tranen rolden weer over zijn wangen. 'Weet je zeker dat ik hem niet ongelukkig maakte?'

'Nee, natuurlijk niet. Als iemand doodgaat, is het eerste wat iedereen zich afvraagt of ze wel aardig genoeg tegen die persoon zijn geweest.' Dat was bijna hetzelfde als wat Royd vanmorgen tegen haar had gezegd, realiseerde ze zich. 'Nou, je bent echt aardig genoeg geweest. Dat zweer ik je.'

'Weet je het zeker?'

'Ja, dat weet ik zeker.' Wat een vreemde wereld, dacht ze triest. Gisteravond had ze in de armen van Royd gelegen en werd ze door hem getroost. En vanavond lag ze hier in bed en troostte ze haar zoon. Jezus, ze wou maar dat het niet meer nodig was dat er iemand werd getroost. 'Ga je proberen te slapen? Ik laat je niet alleen, dat beloof ik.'

'Je hoeft hier niet te blijven.' Maar hij sloeg zijn armen steviger om haar heen. 'Ik ben geen baby meer. En ik wil nooit een plicht voor je zijn. Niet zoals bij papa.'

Verdomme. Ze had het helemaal verkeerd gezegd. 'Plicht is helemaal niet iets slechts. Als het om iemand gaat van wie je houdt, kan het juist iets zijn waarvan je blij wordt.' Ze gaf hem een kus op zijn wang. 'Jíj bent iemand van wie ik blij word, Michael. Mijn eigen blijmaker. Daar mag je nooit aan twijfelen...'

Overal was bloed. Op de vloer, de tafel, het stroomde vanonder de deur naar de andere kamer.

MacDuff stond in de deuropening van de bescheiden boerderij en begon te vloeken.

'Het opruimen,' mompelde Royd, terwijl hij over de schouder van MacDuff naar de met bloed besmeurde chaos keek.

'Hou je kop,' zei MacDuff ruw. 'James, hoeveel mensen wonen hier nu?'

'De oude Dermot, zijn vrouw, zijn zoon. En zijn zoon bracht zijn kleine meisje mee vanuit Glasgow, toen hij gescheiden was.' James maakte zijn lippen nat. 'Dat bloed... Wilt u dat ik die andere kamer onderzoek?'

'Nee, dat doe ik zelf wel.' Hij liep met grote stappen door de kamer en gooide de deur open. En bevroor. 'O, mijn god.'

Jock en Royd liepen achter hem aan.

'Jezus,' zei Jock, zijn blik op de slachting die er blijkbaar had plaatsgevonden. 'Dermot?'

'Moeilijk te zeggen,' antwoordde MacDuff met schorre stem.

'Iemand heeft zijn gezicht helemaal bewerkt.' Hij liep de kamer in. 'En ze zijn niet opgehouden bij Dermot.'

Er lag een vrouw op de vloer. Grijs, mager, met bruine ogen die hen levenloos aankeken. Er sijpelde bloed uit haar mondhoek.

'Margaret, Dermots vrouw.' Jocks mond verstrakte. 'De klootzak.' Zijn blik doorzocht de kamer. 'Waar is Dermots zoon, Mark, en zijn kind?'

'Misschien hebben ze weg kunnen komen.' Het gezicht van James Campbell was lijkbleek. 'Mijn god, ik hoop dat ze hebben kunnen ontsnappen.'

'Ga ze zoeken,' zei Royd. 'Zoek in de rest van de boerderij en op het terrein. Ik hoop dat je gelijk hebt, maar Devlin laat zelden iemand ontsnappen.'

'Een kind?' vroeg Campbell. 'Een kind zou toch geen...'

'Zoek ze,' zei Jock.

Campbell knikte stijfjes en liep de kamer uit.

Jock viel naast Dermot op zijn knieën en keek neer op de puinhoop die er van het gezicht van de oude man was gemaakt. 'Dit is te erg. Hij moet er een tijd over hebben gedaan. Is dit een afschrikwekkend voorbeeld, of heeft hij er gewoon plezier in, Royd?'

'Hij heeft er plezier in,' antwoordde Royd. 'Zelfs voor hij de REM-4-procedure doorliep, was hij al een moordenaar. Sanborne koos hem uit omdat hij dacht dat de training dan een beter effect zou hebben.' Hij draaide zich om naar MacDuff, die naar Dermot stond te kijken. 'Eens neem ik hem hiervoor te grazen.' Royds mond vertrok. 'Nee, ik pak hem om mezelf te beschermen. Ik heb hem geraakt toen ik een mes naar hem gooide en dat is iets wat hij niet licht zal vergeten. Die gek herinnert zich alles heel erg lang.'

'Maar ik ook.' MacDuffs mond was als een streep. 'En ik ben degene die die klootzak zijn ballen af gaat snijden. Dermot was een van *mijn* mensen.' Hij draaide om. 'Kom, we moeten Dermots zoon zien te vinden.'

Toen ze het huis verlieten, liepen ze Campbell tegen het lijf.

'De put.' Hij slikte toen hij in de richting van de put een stukje verderop knikte. 'Hij ligt aan de andere kant van de put.'

‘Dood?’ vroeg MacDuff.

Campbell knikte. ‘Hij moet wel vijftig keer zijn gestoken.’

MacDuff kon even niets zeggen. ‘En het kleine meisje?’

‘We denken dat ze in de put ligt. We hebben met een zaklamp naar beneden geschenen.’ Hij moest weer slikken. ‘Of liever gezegd, er liggen stukken van haar in de put. Hij moet haar hebben... geslacht.’

MacDuff vloekte binnensmonds en liep naar de put.

‘U hoeft niet te gaan kijken, sir. Het ís de zoon van Dermot.’ Campbell liep hem achterna. ‘Ik ken hem. Ik zou me niet vergissen.’

‘Ik twijfel ook niet aan jou,’ zei MacDuff. ‘Ik moet hem gewoon even zien.’

‘Waarom?’ vroeg Royd, toen Jock en hij de laird inhaalden. ‘Dood is dood, MacDuff.’

‘Ik moet het zien om het goed te kunnen onthouden.’ MacDuff was bij de put aangekomen en staarde naar de man die daar op de grond lag. ‘De tijd belazert ons. Haat verdwijnt langzaam, tenzij je het vuur blijft aanwakkeren en een herinnering is daarvoor de beste brandstof. Misschien snappen jullie het niet, maar ik wil nooit meer vergeten wat die Devlin heeft gedaan, zelfs al duurt het nog jaren voordat ik hem in mijn handen krijg.’

‘O, dat begrijp ik maar al te goed,’ zei Royd.

MacDuff keek hem aan. ‘Ja, dat geloof ik.’ Hij zette zich schrap en scheen met de zaklamp in de put. Toen deed hij hem uit. ‘Je hebt gelijk, James,’ zei hij schor. ‘Hij heeft haar gewoon geslacht.’ Hij pakte zijn telefoon. ‘Ik bel de politie. Zorg dat hier iemand achterblijft om ze te ontvangen, Jock. De rest gaat terug naar het kasteel.’

‘Ik blijf wel hier,’ zei Jock. ‘Ik wil hem hier nu niet zo achterlaten. Hij was een vriend van me. Wat vertel ik de politie?’

‘Niets. Een psychopaat die toevallig deze plek heeft uitgekozen.’ MacDuff draaide zich om. ‘Ik wil niet dat ze mij in de weg gaan lopen.’ Hij liep terug naar de boerderij.

Royd keek hem na, terwijl hij gebaarde naar Campbell en zijn mannen dat ze met hem mee moesten lopen. ‘Een nogal indrukwekkende man,’ merkte hij op. ‘Volgens mij is hij echt van plan om achter Devlin aan te gaan.’

'Natuurlijk,' zei Jock. 'En ik zou niet in de schoenen van Devlin willen staan als hij hem vindt.'

Royd fronste zijn voorhoofd. 'Ik weet niet of ik er wel zo blij mee moet zijn dat hij zich er nu ook mee gaat bemoeien.'

'Je hebt geen keus. MacDuff is er nu gewoon bij betrokken. Hij was misschien wel op de achtergrond gebleven als het alleen om de bescherming van Michael was gegaan, maar nu zíjn mensen door Devlin zijn gedood, is daar geen kans meer op.' Royd liep achter Jock terug naar de boerderij. 'Jij kunt beter meteen naar het kasteel teruggaan en die arm laten verzorgen. Wil je dat ik een auto laat komen om je op te halen?'

Royd schudde zijn hoofd. 'Het lukt me wel.' Hij draaide zich om en liep het pad af dat MacDuff even daarvoor had genomen.

Devlin.

Waarom had Sanborne die gestoorde naar het kasteel gestuurd? Hij moet hebben beseft dat het dan wel eens op een bloedbad zou kunnen uitdraaien.

Of misschien ook wel niet. Devlin was altijd slim genoeg geweest om Sanborne te laten geloven dat hij de volledige controle over hem had. Tijdens die laatste weken waarin het Royd was gelukt om de effecten van REM-4 van zich af te schudden, was hij Devlin ervan gaan verdenken dat hij helemaal niet zo manipuleerbaar was als hij deed voorkomen, maar dat hij zélf eerder degene was die manipuleerde. Hij vond het gewoon leuk om te doen wat hij deed. Hij hield van het bloed en het machtige gevoel dat het ombrengen van iemand hem gaf. En hij kon helemaal in die passie opgaan onder de dekmantel van Sanborne. REM-4 had dan misschien wel een klein beetje effect gehad, maar Devlin had altijd al het karakter van een moordenaar gehad.

En nu had Devlin dan de kans gekregen om dat verlangen naar geweld eruit te laten komen. Michael en Sophie waren het eigenlijke doelwit, maar dat was niet genoeg voor hem geweest. Het afslachten van die familie had zijn behoefte aan geweld waarschijnlijk alleen nog maar aangewakkerd. En nu zou hij, zonder nog te stoppen, achter zijn eigenlijke doelwit aangaan.

Verdomde Sanborne.

Stemmen.

Sophie hief haar hoofd op. Ze had de schuiframen een tikje opengelaten en de stemmen kwamen van beneden van de binnenplaats.

Voorzichtig glipte ze het bed uit en liep naar het raam. Beneden zag ze MacDuff en een aantal van zijn mannen, en helemaal achteraan liep Royd. Er ging een vlaag van opluchting door haar heen. Nadat Michael eindelijk in slaap was gevallen, had ze zich zorgen liggen maken en hem vervloekt dat hij niet terug had gebeld.

Ze wierp een blik op Michael. Vast in slaap en de monitor stond aan. Ze kon wel éven weg. Zachtjes liep ze naar de deur.

Even later rende ze de trap af en wierp de voordeur open. 'Verdomme, Royd, waarom heb je in vredesnaam niet...' Midden in haar zin bleef ze steken, omdat ze het verband om zijn arm zag. 'Wat is er gebeurd?'

'Hij is een beetje beschadigd,' antwoordde MacDuff in Royds plaats. 'Jij bent toch arts? Lap hem maar weer op.' Hij liep langs haar heen het kasteel in.

Royd vertrok zijn gezicht in een grimas. 'MacDuff is vanavond in een nogal dictatoriale bui. Hij is van streek. Het kan zijn dat ik een paar hechtingen nodig heb, maar ik kan de plaatselijke arts ook wel bellen.'

Ze liep de trap van het bordes af. 'Hoe ben je gewond geraakt?' Jezus, haar stem klonk heel bibberig. 'En de plaatselijke arts kan je waarschijnlijk beter helpen dan ik. Dit is niet mijn specialiteit.'

'Geen probleem.' Hij probeerde langs haar heen te lopen. 'Ik zorg wel dat het goed komt.'

'Hoe ben je gewond geraakt?' vroeg ze nog een keer.

'Mes.'

'Je bent zo wit als een laken. Hoeveel bloed heb je verloren?'

'Niet zo veel.'

Toen kon ze zich niet meer inhouden. 'Mijn god, ik haat die macho's die bang zijn om een kleine zwakte toe te geven.' Ze duwde hem in de richting van de bordestrap. 'Ga naar binnen, dan kijk ik er even naar.'

'Oké.' Hij zwaaide gewoon op zijn benen, terwijl hij de trap opliep. 'Ik spreek een vrouw die sterker is dan ikzelf nooit tegen. En op dit moment heb je zeker meer kracht dan ik. Ben ik dan macho-af?'

'Misschien.' Ze liep achter hem aan en pakte zijn elleboog. 'We zullen moeten afwachten hoe verstandig je...'

Nu verloor hij bijna zijn evenwicht en viel half tegen de deurpost aan. 'Oeps.'

'O, in godsnaam.' Ze legde zijn goede arm rond haar schouder en keek hulpzoekend om zich heen. MacDuff en zijn mannen waren allemaal verdwenen. 'Ik kan niet hier beneden blijven. Ik moet terug naar Michael. Kun je de trap opkomen, denk je, als ik je help?'

'Geen probleem.'

'Er is wél een probleem.' Ze begon de trap op te lopen. 'Geef het toe.'

'Oké, er is een probleem.' Heel langzaam begon hij de trap op te lopen. 'Maar niets wat ik niet aankan.'

'Als je flauw gaat vallen moet je me waarschuwen. Ik wil niet dat we allebei de trap af donderen.'

'Ik ga wel alleen. Laat me maar...'

'Ik heb niet gezegd dat ik je in je eentje wil laten gaan. Ik zei dat je me moet waarschuwen, zodat ik ervoor kan zorgen dat we niet vallen. Ik laat je niet zelf gaan.'

'Doe niet zo stom. Het heeft geen zin als jij ook naar beneden dondert.'

'Geen van ons tweeën gaat...' Ze haalde diep adem. 'Hoewel... als je mijn intelligentie nog eens beledigt, breng je me enorm in de verleiding om je een duw te geven en je dood te laten bloeden.'

'Ik bloed al helemaal niet meer.'

'Ach, hou je kop nou maar.' Ze waren op de overloop aangekomen en ze pakte hem beter vast om aan de tweede trap te beginnen. 'Er bestaat zoiets als het dankbaar accepteren van hulp.'

Hij hield zijn mond. Toen ze eindelijk boven aan de trap waren, zei hij: 'Dat heb ik nooit goed gekund. Toen ik klein was wist ik al dat ik het in mijn eentje moest zien te redden. Ik kan me niet herinneren dat iemand me ooit hulp bij iets heeft aangeboden. En toen ik eenmaal in dienst ging, wilde ik alleen maar de beste zijn.'

'En iemand die de beste is kan niet om hulp vragen?'

'Ik niet,' antwoordde hij eenvoudig.

Ja, ze kon zich wel indenken dat hij zich niet zo kwetsbaar kon opstellen. Hij had te veel littekens, en dat harde, ruwe harnas van hem zou iedereen die achter dat sterke uiterlijk wilde komen, wel hebben afgeschrikt.

Jezus, ze voelde gewoon medelijden met hem. En niemand zat daar minder op te wachten dan Royd zelf, maar ze kon zich zo goed verplaatsen in dat kind en hoe verschrikkelijk alleen het zich moest hebben gevoeld. Nee, verplaatsen was niet het goede woord. Haar ouders waren alleen maar vol liefde en begrip geweest in haar jeugd. Pas na die verschrikkelijke dag aan het meer had ze zich heel alleen en verward gevoeld. En zelfs toen had ze Michael en Dave nog gehad, om het ergste gevoel van alleen zijn een beetje te dempen. Nee, het was medeleven dat ze voelde. Maar dat nam niet weg dat ze hem nu het liefst aan zou willen raken en hem troosten.

'Ophouden daarmee.' Hij keek haar geërgerd aan. 'Ik kan zien dat je weer sentimenteel gaat zitten doen. Dat wil ik niet. Richt dat flauwe gedoe maar op iemand anders.'

Ze keek hem vermoeid aan. Nu was hij gewond en zwak en moest hij nóg de ruwe en eigenwijze klootzak uithangen. 'Dat zal ik doen. En ik neem het die pleegouders van je niet kwalijk dat ze je nooit hebben geknuffeld. Je zou ze waarschijnlijk van je af hebben geslagen.'

'Waarschijnlijk, ja.' Hij glimlachte. 'Zo, dat is een stuk beter. Ik zie je liever zo. Maar ik zou je niet van me afslaan.' En hij voegde eraan toe: 'Tenzij je dat graag wilt, natuurlijk.'

Sensualiteit. Het ene moment had ze hem willen troosten en het volgende ogenblik had ze weer dat tintelende gevoel. Na alles wat er was gebeurd had ze verwacht dat haar lichaam minder heftig op hem zou reageren.

Snel keek ze van hem weg. 'Jij bent ook onverbeterlijk.' Ze duwde hem neer op een met fluweel beklede bank in de hal tegenover Michaels kamer. 'Hier blijven. Ik wil even bij Michael kijken. Of je kunt ook naar mijn kamer gaan, hiernaast, en daar op me wachten.'

'Ik denk dat ik maar hier blijf.' Hij liet zijn hoofd tegen de muur achter hem rusten en sloot zijn ogen. 'Neem de tijd.'

Met zijn ogen dicht leek hij nog kwetsbaarder en kon ze die harde woorden van hem bijna vergeten. Maar dat moest ze niet doen. Royd was helemaal niet kwetsbaar en ze moest ophouden met die softe gevoelens voor hem. 'Niet in slaap vallen en van die bank af donderen. Ik denk niet dat ik je op zou kunnen rapen.'

Hij glimlachte met gesloten ogen. 'Ik vertrouw op je. Dat lukt je heus wel.'

Zachtjes deed ze Michaels deur open en glipte naar binnen. Hij sliep nog steeds. Op het moment leek hij nergens last van te hebben, maar dat kon in één ogenblik opeens anders zijn. Hij zag er zo jong en hulpeloos uit. Kwetsbaar. Een paar minuten eerder had ze datzelfde over Royd gedacht en hij had dat aangevoeld en keihard afgewezen. Michael begon ook ieder spoortje van medelijden af te wijzen. Hij zou nooit onbeschoft tegen haar doen, maar zijn reactie was eigenlijk hetzelfde als die van Royd. Hij werd groot en wilde zijn eigen problemen oplossen.

Maar daar was hij nog niet echt toe in staat. Nog niet. Hem kon ze nog wel een tijdje liefdevol beschermen.

Ze stopte de deken nog eens in en liep terug naar de deur, die ze op een kier liet staan.

Royds ogen schoten open. 'Alles oké?'

Ze knikte.

Met moeite stond hij op en liep de hal door. 'Laten we zorgen dat we het snel achter de rug hebben. Ik weet dat je zo gauw mogelijk weer terug naar Michael wilt.'

'Ja, dat is waar.'

Hij stond onvast op zijn benen, maar ze probeerde niet weer om hem te helpen. Hij zou het heus wel redden en ze had geen zin om hem nu aan te raken. Dus liep ze achter hem aan en deed de deur open. 'Ik laat de deur open, dan kan ik hem horen.' Ze deed de plafonnière aan en knikte naar de stoel aan de andere kant van de kamer. 'Ga daar maar zitten. Ik moet snel naar beneden om een eerstehulpkoffer te halen, als ik MacDuff of een van zijn mannen tenminste kan vinden.'

'Ik denk niet dat het moeilijk zal zijn om MacDuff te vinden.

Hij is zeker nog niet naar bed.' Hij zeeg neer in de stoel. 'Er is een aantal dingen waar hij nog aandacht aan moet besteden.'

'Wat voor dingen...' Ze onderbrak zichzelf en liep naar de deur. 'Zodra ik je heb gehecht moet je het me vertellen. Zo niet, dan zal ik...'

'De hechtingen er weer uittrekken?'

'Nee, ik zou mijn eigen werk nooit kapotmaken. Ik verzin wel iets anders.'

'De hemel sta me bij,' mompelde hij.

'Opletten of je Michael hoort.' Vlug liep ze de kamer uit.

'Klaar.' Het verband zat om Royds arm en ze deed een stap terug. 'Het is een lelijke wond. Het is beter als je naar het ziekenhuis gaat en een bloedtransfusie krijgt en mijn hechtingen laat controleren.'

Hij schudde zijn hoofd.

Ze haalde haar schouders op. 'Je moet het zelf weten.'

'Ja, ik moet het zelf weten en ik genees vlug.' Hij was even stil. 'Ik denk dat de dingen vanaf nu in een stroomversnelling zullen komen.'

'Waarom? Vertel het nou maar. Wat is er vanavond gebeurd?'

'Die schapen waar we bijna tegenop reden op de weg. Dat was het signaal voor MacDuff en Jock. De herder die de schapen hield was erg betrouwbaar en zou zijn schapen nooit zo hebben laten rondlopen. Gezien de situatie moesten ze dat wel onderzoeken.'

'En wat hebben jullie gevonden?'

'Een van Sanbornes mannen, Devlin.' Hij knikte even naar zijn arm. 'In het bos. Hij kreeg een mes in zijn schouder en wist te ontsnappen. Ik vond toen dat ik je even moest bellen om te checken of alles in orde was.'

'En me verder verdomme niets vertellen,' siste ze tussen haar opeengeklemde tanden door.

'Daar was geen tijd voor en jij had je handen vol aan je zoon.'

'Hoezo was er geen tijd voor?"

Stilte. 'We moesten naar die herder en zijn familie toe.'

Sophie keek hem aandachtig aan. Hij had er geen problemen

mee gehad om haar over Devlin te vertellen, maar op de een of andere manier wilde hij niets zeggen over die herder.'En?'

'Dood. Op een afschuwelijke manier. De schaapherder, zijn vrouw, zijn zoon en zijn kleindochter, een klein meisje van een jaar of zeven.'

Er ging een schok door haar heen. 'Wát?'

'Je hebt me wel verstaan. Wil je dat ik het nog een keer zeg?'

'Waarom?' fluisterde ze.

Hij haalde zijn schouders op. 'Misschien is die herder Devlin wel tegen het lijf gelopen en is hij gedood omdat anders bekend zou worden dat Devlin hier rondliep.' Zijn mond verstrakte. 'Nee. Ik denk dat Devlin de kans had en die heeft genomen. Het is een bloeddorstige klootzak. Een klein jongetje zou niet genoeg zijn voor hem. Hij had meer slachtoffers nodig.'

'En jij dacht dat hij misschien wel rechtstreeks naar het kasteel door was gegaan?'

'Niet echt. Maar Devlin heeft een verbazend hoge pijngrens en ik moest het gewoon zeker weten,' antwoordde hij een beetje stijfjes. 'Ik moest je even horen. Ik had al zo'n vermoeden wat we op die boerderij aan zouden treffen. En ik wilde niet dat ik aan jou zou moeten denken, als ik moest aanzien hoe Devlin tekeer was gegaan. Ik wist dat het me zou raken.'

Haar ogen verwijdden zich. 'Natuurlijk raakt zoiets je.'

Hij schudde zijn hoofd. 'Het zou me niet veel hebben gedaan in de maanden nadat ik uit Garwood was ontsnapt. Toen leek het wel of al mijn emoties met een dikke laag eelt waren bedekt. Ik voelde gewoon niets.' Hij vertrok zijn gezicht in een grimas. 'Een van de bijwerkingen van REM-4. Dat duurde een hele tijd.'

'Mijn god.'

Hij schudde zijn hoofd. 'Nu stroom je weer helemaal over van de schuldgevoelens. Ik had het kunnen weten. Voor iemand als jij is zoiets bijna even erg als gehersenspoeld worden. Als het je je beter doet voelen: wat ik op die boerderij heb gezien, heeft me verscheurd. Dat kleine meisje...' Hij slikte. 'Ja, ik heb daar op die boerderij ontzettend veel gevoeld.'

'Het zorgt er niet voor dat ik me beter voel.' Haar stem klonk onvast. 'Ik wil niet dat je pijn hebt. Ik wil niet dat er iemand pijn heeft. Die arme mensen...' Ze haalde diep adem. 'Geen wonder dat MacDuff zo kortaf tegen me was. Hij vindt natuurlijk dat het mijn schuld is.'

'Misschien. Vraag hem dat anders morgenochtend. Ik weet wel dat hij woedend is op Devlin en wraak wil nemen. Als ik hem niet eerder te pakken heb.' Toen hij de uitdrukking op haar gezicht zag, voegde hij eraan toe: 'Ik laat me niet afleiden van ons doel. Ik hoef hem niet op te sporen, want ik weet zeker dat hij wel achter míj aankomt. Devlin houdt er niet van om door iemand verwond te worden en ik heb een mes in zijn schouder gegooid. Dus zelfs als Sanborne hem van deze opdracht afhaalt, dan zorgt hij er wel voor dat hij me vindt.'

'Geruststellend.'

'Ja, dat is het. Het maakt het makkelijker.' Met moeite stond hij op. 'Weet jij waar ik word geacht te slapen in dit museum?'

'Twee deuren verderop. Ik zal je wel hel...' Ze brak haar zin af. 'Ik was het even vergeten. Ga maar in je eentje. Als je flauwvalt op de gang, dan stap ik morgen op weg naar het ontbijt wel over je heen.'

'Zolang je maar niet óp me stapt.' Hij liep in de richting van de deur. 'Als jij of Michael me nodig heeft, roep maar.'

'Bedoel je als we "hulp" nodig hebben?'

'Touché.' Bij de deur bleef hij stilstaan. 'Wil je me uitkleden en in bed leggen? Dat sta ik echt wel toe, hoor.'

'Nee, dat wil ik niet. Je hebt je kans voorbij laten gaan.'

'Lafaard. Nou, misschien maar beter ook. Ik voel me vanavond niet helemaal mezelf.'

Ze keek hem na toen hij langzaam de kamer uitliep, in de verleiding om hem achterna te gaan. Hij moest zich klote voelen en was kwetsbaarder dan hij deed voorkomen. Hij was opener tegen haar geweest dan ooit tevoren en dat kwam ongetwijfeld voort uit pijn en shock. Waarschijnlijk had hij vanavond op die boerderij verlangd naar die laag eelt op zijn ziel, die het neveneffect van REM-4 was geweest.

Ach, een kleine bijwerking, had hij gezegd. Nog iets verschrikkelijks dat ze onder ogen moest zien. Hoeveel andere bijwerkingen had REM-4 gehad op al die mensen die in Garwood hadden gezeten?

Oké, één ding tegelijk. Als ze zich zo schuldig voelde over

Garwood, kon ze niet goed functioneren. Ze moest verder. Haar zoon beschermen en Sanborne en Boch uitschakelen.

En ze moest MacDuff de volgende ochtend onder ogen komen en van hem te horen krijgen dat zij en haar zoon weg moesten uit zijn kasteel en zijn leven. Hij kon niet anders, nu er mensen om wie hij had gegeven, zulke afschuwelijke dingen waren overkomen. Royd had gezegd dat hij woedend was en zíj was degene die de moordenaar naar dit vredige stukje land had gelokt.

Die confrontatie moet je morgen maar aangaan, dacht ze vermoeid, terwijl ze naar de deur liep. Nu moest ze bij Michael zijn en ervoor zorgen dat zijn eigen persoonlijke nachtmerrie hem vannacht niet opnieuw zou komen bezoeken.

13

'Kan ik u even spreken?'

MacDuff keek op van zijn bureau. 'Ik heb niet zo heel veel tijd, mevrouw Dunston. Binnen een uur is de politie hier, met een paar mensen van Scotland Yard.'

'Ik zal niet veel van uw tijd in beslag nemen.' Ze liep de bibliotheek binnen. 'We moeten praten.'

'Absoluut. Ik wilde u later te pakken zien te krijgen. Hoe is het met dat jochie?'

'Niet geweldig. Maar dat kun je natuurlijk ook niet verwachten. Ik heb hem maar even gezien voor hij onder de douche ging, maar hij leek wat beter dan gisteravond. En hij heeft vannacht geen nachtmerrie gehad. Dat had ik eigenlijk wel verwacht.'

'Sinds hij hier is, heeft hij er maar één gehad. Misschien ontgroeit hij ze.'

Ze schudde haar hoofd. 'Maar het gaat vooruit.'

'Ga zitten en hou op met dat geaarzel,' zei MacDuff. 'Ik ben dood- en doodmoe, en ik heb een vreselijke nacht achter de rug, maar die verdomde beleefdheid van me houdt me op de been totdat iemand me uit mijn lijden verlost. Het is het kruis dat ik met me meedraag, omdat ik ben opgevoed om de baas te zijn van deze hoop stenen.'

Ze liet zich in de stoel vallen die hij aanwees. 'Maar het is wel een geweldige hoop stenen en nog verrassend comfortabel ook.'

'Dat ben ik met u eens. En dat is ook waarom ik nog steeds strijd voer om het uit de handen van de National Trust te houden. Koffie?' Hij wachtte niet op haar antwoord en schonk een kopje in uit de kan op zijn bureau en gaf dat aan haar. 'Melk?'

Ze schudde haar hoofd. 'U bent enorm vriendelijk voor ons geweest. Ik verwachtte eigenlijk dat u boos op me zou zijn.'

'Ik bén boos. Woedend.' Hij leunde achterover in zijn stoel. 'Maar niet op u. Ik heb Michael hier laten komen en daarmee ben ik degene die verantwoordelijk is voor alle consequenties. Maar ik had verwacht dat alle eventuele acties tegen míj gericht zouden zijn en niet tegen mijn mensen. Die slachting gisteravond was volkomen zinloos.'

Er trok een huivering door haar heen. 'Ja, dat is waar. Royd zei dat het afschuwelijk was. Ik verwachtte dat u zou willen dat Michael en ik meteen zouden vertrekken.'

'En die klootzak van een Sanborne de indruk geven dat hij ook maar íéts gewonnen heeft? Dat hij die killers onze kant maar hoeft op te sturen en ik zo bang word dat ik Michael terugstuur, zodat hij een makkelijk doelwit wordt en een middel om tegen u te gebruiken?' MacDuffs ogen schitterden vervaarlijk van woede. 'Ik zorg ervoor dat jullie hier absoluut veilig zijn, al was het alleen maar om hem dwars te zitten.'

'Maar misschien moeten we hier sowieso weg. Er is een kans dat de politie hier komt, zodra ze erachter zijn dat Michael hier zit.' Haar mond vertrok. 'Waarschijnlijk denken ze dat ik gestoord genoeg ben om mijn eigen zoon iets aan te doen.'

'Ik zal proberen om Scotland Yard hier weg te houden.' Hij fronste zijn voorhoofd. 'Maar ik voel me niet helemaal gerust. Ik vind het niet prettig om Michael hier achter te laten als ik weg ben.'

Ze verstijfde. 'Gaat u weg dan?'

'Waarom verbaast dat u? Devlin heeft míjn mensen vermoord. Ik kan niet toestaan dat hij daarmee wegkomt.' Hij fronste nog een keer zijn voorhoofd. 'Maar maak u geen zorgen, ik zal ervoor zorgen dat hij veilig is.'

'Maar u zei dat u niet het gevoel had dat u dat kon garanderen.'

'Ik zei dat hij hier misschien niet veilig is, tenzij de juiste persoon hier de leiding heeft. En ik ben bezig om dat te regelen.'

'Maar dat hoeft helemaal niet. Hij is míjn verantwoordelijkheid. Ik ben degene die ervoor moet zorgen dat niemand hem iets aandoet.' Ze stond op. 'U doet wat u moet doen en ik zorg voor mijn zoon.'

'Nee, dat doet u niet.'

Ongelovig keek ze hem aan. 'Wát zei u?'

'Ik heb Royd en u misschien nodig. Jullie zitten tot over je nek in deze rotzooi en hebben veel meer informatie en inzicht dan ik. Ik kan het niet gebruiken dat u zich zorgen maakt over uw zoon en niet goed kunt functioneren.'

'Mijn god.' Ze schudde haar hoofd. 'U bent net zo erg als Royd.'

'Bedoelt u om ervoor te zorgen dat ik krijg wat ik wil? Ja, natuurlijk. Ik zou die jongen sowieso beschermen, maar als ik door u voor een fout te behoeden krijg wat ik wil, kunt u erop rekenen dat ik het doe.' Hij gebaarde met zijn hand. 'Zo, en ga nu maar op zoek naar Michael en Royd. Ik moet me concentreren op de politie en de inspecteur van Scotland Yard die de dood van Dermot onderzoekt. En hou uzelf buiten beeld. Ik wil niet dat ze in de gaten krijgen dat er vreemden hier op de Run zijn.'

'En dat wil ik ook niet,' zei ze droog. 'Ze zouden me waarschijnlijk ook van díé moorden verdenken.' Sophie deed de deur achter zich dicht en liep de gang in. Eigenlijk had ze geen idee wat ze van MacDuff had verwacht, maar hij had haar verrast. Het ene moment arrogant en dwingend, het volgende vol charisma. Het enige wat ze nu écht van hem wist, was dat hij een man was met wie je rekening diende te houden. En dus zou ze op haar tellen moeten passen, anders liep hij gewoon over haar heen.

'Je kijkt bezorgd.'

Toen ze opkeek, zag ze Jock in de voordeur staan. Hij glimlachte flauwtjes, maar die glimlach bereikte zijn ogen niet. Hij zag er gespannen en bedroefd uit. En dat was ook logisch, dacht ze vol medeleven. Hij was de hele nacht op geweest om bij de doden te waken. 'Kom je nu pas terug?'

Hij knikte. 'Ik moest blijven tot de inspecteur van Scotland Yard er was, de plaatselijke politie wilde me niet eerder laten gaan.' Hij trok een gezicht. 'Hoewel ze ongeveer de halve nacht met MacDuff aan de telefoon hebben gehangen om hem te laten zweren dat mijn alibi klopte.'

'Jij was natuurlijk ook niet de juiste persoon om achter te blijven. Met jouw achtergrond was het logisch...'

'Ja, dat weet ik. MacDuff was er ook niet blij mee. Maar Mark Dermot was een vriend van me.' Hij veranderde van onderwerp. 'Waarom zag je er zo geërgerd uit? Ik zag je net uit de bibliotheek komen.'

'Dan weet je waarom ik geïrriteerd ben. Die MacDuff van jou is verdomd arrogant. Ik heb hem verteld dat hij net zo erg is als Royd.'

'Ja, er zijn wat overeenkomsten. Allebei meedogenloze en recht-op-het-doel-aftypes. Wat is er gebeurd dat MacDuff je zo tegen de haren heeft ingestreken?'

'Hij deelde me mee dat hij, of ik dat nou wil of niet, voor Michael blijft zorgen, omdat ik veel te nuttig voor hem ben om alleen maar te moederen.'

Jock grinnikte. 'Hij moet goed moe zijn. Normaliter is hij veel diplomatieker. MacDuff kan enorm charmant zijn als hij er zin in heeft.'

'Nou, vanmorgen had hij er duidelijk geen zin in. Hij zei dat ik maar beter kon gaan en ervoor moest zorgen dat ik uit het zicht bleef en dat hij me later nog wel zou spreken.'

'En ga je dat ook doen?'

'Nee, geen sprake van.' Ze zuchtte moedeloos. 'Ja, ik zorg wel dat ik niet gezien word. Het zou natuurlijk stom zijn om dat niet te doen. Ik hoef Scotland Yard niet hijgend in mijn nek te hebben. Maar ik laat me door hem echt niet vertellen wat ik wel en wat ik niet mag doen. Ik neem mijn besluiten zelf.' Ze schudde haar hoofd. 'Hoewel de hemel weet dat ik de laatste tijd zo hard alle kanten op word geslingerd, dat ik wel een dronken matroos in een orkaan lijk.'

'MacDuff heeft het echt goed gedaan met Michael, Sophie,' zei Jock zachtjes.

'Ja, dat heb ik gemerkt. Niet iedere jongen van zijn leeftijd heeft zomaar een echte laird om mee te voetballen. En Michael zei nog iets over een schat. Heeft MacDuff dat verzonnen om hem bezig te houden?'

Hij haalde zijn schouders op. 'Er zijn allerlei verhalen. In ieder geval zorgt het ervoor dat Michael zich niet verveelt. Hij was tenslotte maar een klein mannetje, dat heel erg ver van huis was.'

'En daar ben ik ook dankbaar voor. Maar dat betekent nog niet dat ik MacDuff over me heen laat lopen.'

'Ik zal wel eens met hem praten.'

'Doe maar wat je niet laten kunt.' Ze draaide zich om en begon de trap op te lopen. 'Ik moet even checken hoe het met Royd is. Hij was nogal zwak. Hij had gisteravond nooit te voet terug moeten gaan naar het kasteel.'

'Ik heb hem aangeboden om een auto voor hem te regelen.'

'Ik geef niemand de schuld, behalve Royd zelf,' zei ze over haar schouder. 'Die idioot denkt dat hij zich moet gedragen als een soort Superman.'

'Je bent niet erg tactvol geweest,' zei Jock tegen MacDuff, toen hij de bibliotheek binnenliep. 'En Sophie houdt er helemaal niet van als ze wordt gecommandeerd wat ze wel en wat ze niet moet doen. Je mag van geluk spreken dat ze Michael niet heeft opgepakt en is vertrokken.'

MacDuff keek op. 'Ik was te aangeslagen om tactvol te kunnen zijn. En ik moest haar natuurlijk vertellen dat ze uit het zicht moet blijven zolang Scotland Yard hier is. Zijn ze al weg?'

'Over een kwartiertje. Hij heet inspecteur Mactavish en is geen onaardige vent.' Zijn glimlach verflauwde. 'Zolang hij me niet beschuldigt van die slachting. Hij dwong me te kijken toen ze dat kleine meisje uit de put naar boven haalden. Ik denk dat hij wilde zien hoe ik reageerde.'

MacDuff mompelde een vloek. 'Ik zei nog dat jij niet degene was die achter moest blijven om op Scotland Yard te wachten.'

'Mark was mijn vriend.' Het was even stil. 'Wanneer gaan we achter Devlin aan?'

'Snel. Ik moet eerst hier een paar dingen oplossen.' En grimmig voegde hij eraan toe: 'Plus Scotland Yard ervan overtuigen dat je geen terugval hebt en weer hartstikke gestoord bent.'

'Sophie gaat heus niet op je zitten wachten,' zei Jock. 'Tenzij je Royd zover krijgt dat hij een goed woordje voor je doet. Hém heeft ze geaccepteerd.'

'Dan praat ik wel met Royd.' Hij stond op. 'Ik ga naar buiten om met die inspecteur kennis te maken. Ik heb wat frisse lucht nodig.' Hij fronste zijn wenkbrauwen. 'En blijf jij ook maar uit zijn buurt. Ik wil niet dat hij nog meer van je te zien krijgt.'

'Uit het oog, uit het hart?'

'Wat je wilt, kan mij niet schelen.' Hij liep met flinke stappen naar de deur. 'Als je er maar voor zorgt dat je uit zijn gezichtsveld blijft.'

'Dan zal ik me nu gehoorzaam uit de voeten maken en me schuil gaan houden, samen met de andere ontduikers van de wet. Nog orders?'

'Gehoorzaam? Je weet niet eens wat dat betekent.' Bij de deur bleef hij stilstaan. 'En ja, je kunt iets voor me doen.'

'Tot uw orders.'

'Bel Jane MacGuire en probeer te achterhalen waar ze zit en of ze vanmiddag bereikbaar is voor een telefoontje van mij.'

'Waarom doe je dat zelf niet?'

'Het kan geen kwaad als jij de weg een beetje effent van tevoren. Ze heeft je altijd gemogen en weet dat je haar geen kwaad zult doen.'

'Nee, ze heeft me nooit als bedreigend gezien, ook niet in de tijd dat ik dat eigenlijk wel was. Ongelofelijk.' Hij boog zijn hoofd opzij. 'En jij denkt dat ze jou wél als een bedreiging ziet?'

'Misschien. Bel haar nou maar gewoon.'

Michael was niet in zijn kamer.

Verdomme, ze had toch gezegd dat hij op haar moest wachten.

'Er is niets aan de hand.'

Toen ze zich omdraaide, zag ze Royd in de deuropening staan. 'Michael wacht in míjn kamer op je. Ik kwam hier om te checken of alles in orde was en dacht toen dat jij eigenlijk wel liever zou hebben dat er iemand bij hem was. Dus heb ik hem gevraagd of hij me kon helpen om mijn verband te verschonen. Bezig blijven helpt.'

'Ja, dat klopt. Dankjewel.' Ze bekeek hem aandachtig. 'Je ziet er nog wel een beetje bleek uit, maar al beter dan daarstraks. Heb je goed geslapen?'

'Redelijk. Zou jij beneden wat te eten kunnen regelen?'

'Nu niet. Er is een inspecteur van Scotland Yard hier en MacDuff wil dat we uit het zicht blijven tot hij weg is.'

'Omdat het anders waarschijnlijk op een ramp uitdraait, zullen we daar maar mee akkoord gaan, vind je niet? Heb je al met MacDuff gepraat?'

Ze knikte. 'Je had gelijk. Hij is van plan om achter Devlin aan te gaan en hij wil ons inzetten om hem te vinden. Nee, dat is niet sterk genoeg uitgedrukt. Hij wil ons gebruiken. En hij denkt dat Michael hier niet veilig is als hij er zelf niet is. Dus probeert hij daar iets op te bedenken.'

'En daardoor ben jij van slag? Hoezo?'

'Ik heb geen bezwaar tegen iemand die er hier voor zorgt dat Michael veilig is. Maar het zit me dwars dat MacDuff totaal geen interesse heeft in hoe ík dat graag zou hebben.'

'Ik weet zeker dat jij ervoor zult zorgen dat hij van houding verandert.' Hij vertrok zijn gezicht in een grimas. 'Net zoals je dat bij mij hebt gedaan.'

'We hebben niet veel tijd en ik hoopte dat ik nog een tijdje op MacDuff zou kunnen rekenen.' Ze was stil. 'Denk je dat het Devlins opdracht was om Michael te vermoorden, of ging het om mij?'

'Het kan een van de twee zijn geweest of allebei.'

'Verdomme. Hoe kan ik dan in vredesnaam...'

'Er is iets wat je moet weten. Vanmorgen heb ik een telefoontje van Kelly gehad.'

Ze verstrakte. 'En?'

'Ik had hem opgedragen om dat schip in de gaten te houden. Het is gisteravond uitgevaren.'

'Wat? Maar jij zei dat ze het terrein nog niet helemaal leeg hadden.'

'Blijkbaar hadden ze alles wat ze nodig hebben en konden ze de rest achterlaten.'

'Godver. Hoe gaan ze dan...'

'Rustig. Kelly zit erbovenop. Hij heeft meteen een motorbootje gehuurd en had het schip al ingehaald vóór het echt het kanaal uit was. Hij probeert het schip te volgen en zelf uit het zicht te blijven. Het vaart in zuidelijke richting.'

'En Sanborne?'

Royd haalde zijn schouders op. 'Kelly kan maar op één plek tegelijk zijn. Maar als we het schip blijven traceren is de kans groot dat Sanborne en Boch op de plek waar het aankomt, staan te wachten.'

'En als dat niet zo is?'

'Dan zullen we op dat moment moeten bedenken hoe we ze weer in het vizier krijgen. Althans, ík. In ieder geval vertrek ik hier zo snel mogelijk en ga naar Kelly toe, maar jij hoeft natuurlijk niet mee. Als jij liever bij Michael blijft en...'

'Stil. Je weet best dat ik wel móét gaan.' Maar ze moest Michael ook beschermen. 'En jij hebt zelf beweerd dat je me waarschijnlijk nodig zult hebben. Hoe komt het opeens dat je hebt besloten dat ik overbodig ben?'

'Niemand is overbodig. Maar ik heb het mijn hele leven al zonder jou afgekund. Natuurlijk zou het handig zijn als je erbij bent, maar ik heb niets aan je als je loopt te piekeren over je zoon. Dus blijf maar uit mijn buurt.'

'Nou, dat is vriendelijk. Je moet echt de meest...' Ze onderbrak zichzelf en staarde verbouwereerd naar zijn dreigende gezicht. 'Mijn god, ik geloof dat je me probeert te beschermen. Bizar.'

'Helemaal niet bizar. Ik heb gezegd dat ik je, als het kon, zou beschermen.'

'En dus gooide je me voor de leeuwen bij elke kans die je kreeg.'

'Ik hoefde je helemaal niet te gooien. Ik heb je alleen de kans gelaten. Je hebt jezélf voor de leeuwen gegooid.' Hij haalde zijn schouders op. 'En nu is het niet langer een optie. Je moet doen wat je moet doen.'

'En dat zal ik ook heus wel doen, dus hou je kop. Vriendelijk en nobel gaat je niet goed af. Onbeschoft en meedogenloos past veel beter bij je.' Ze liep naar het raam en keek naar beneden, naar de binnenplaats. 'Er staat daar een auto geparkeerd. Die zal wel van de inspecteur zijn. We kunnen nog niet weg.' Ze draaide zich om en rommelde in haar tas. 'Dus kunnen we net zo goed die disk die ik van het onderzoekscentrum heb meegenomen, gaan bekijken. Ik stop hem in mijn computer om te zien wat erop staat. Kun jij ondertussen Michael gezelschap houden?'

'Ik wil die disk ook zien.'

'Ik zal je wel vertellen wat erop staat. Misschien is het helemaal niets.'

'Als dat ding in de brandkast lag, moet het wel een bepaalde waarde hebben.'

'Kan ik jullie ergens mee helpen?' Toen ze zich omdraaiden, zagen ze Jock in de deuropening staan. Hij keek van Sophie naar Royd. 'Heb ik het goed als ik zeg dat er hier een zekere spanning in de lucht hangt?'

'Ja, je kunt ons helpen,' zei Royd. 'Kun jij naar mijn kamer gaan en Michael afleiden, terwijl wij wat onderzoek doen?'

'Natuurlijk.' Jock draaide zich om. 'Het duurt niet lang meer voor ik hem mee kan nemen naar de Run. Hij vindt het leuk daar. En de inspecteur zal nu wel zo onderhand klaar zijn met de laird. MacDuff is een uiterst belangrijk man en zelfs Scotland Yard behandelt hem met eerbied.'

'Wacht even,' zei Sophie. 'Waarom kwam je eigenlijk hiernaartoe?'

'Om olie op het vuur te gooien. Niet tussen jou en Royd, maar ik heb met MacDuff gesproken en hij beseft dat hij niet erg tactvol is geweest. Hij wil echt het beste voor jou en je zoon, Sophie. Hij doet er alles aan om een oplossing te bedenken.'

'Zodat hij zijn handen vrij heeft om hier te vertrekken om wraak te nemen op Devlin.'

Jock glimlachte. 'O, dat hoop ik niet,' zei hij vriendelijk. 'Ik hoop dat hij dat voor mij overlaat. Ik heb daar al een paar geweldig gedetailleerde plannen voor.' Hij liep de kamer uit.

Terwijl ze hem nakeek, trok er een huivering door haar heen. Zo mooi als de morgenstond, maar zo dodelijk als een adder. Deze kant van Jock kende ze maar nauwelijks. 'Jezus.'

'Jíj hebt dat kleine meisje in de put niet gezien,' merkte Royd zachtjes op.

Ze knikte houterig. 'Het... verraste me gewoon.' Meteen draaide ze zich om, liep naar haar weekendtas en haalde daar haar computer uit. 'Ik moet aan het werk. Ik kan Michael niet al te lang alleen laten als hij van streek is.' Ze ging op het bed zitten, klapte haar laptop open en stopte de disk erin. 'Nou, laten we eens kijken wat we hier hebben.'

'Cijfers,' mompelde Royd.
'Formules,' corrigeerde ze afwezig. Ze verstijfde. 'REM-4.'
'Wat?'
'Het is niet mijn formule, maar die hebben ze wel als basis gebruikt.'
'Je wist dat dat was gebeurd.'
'Maar niet dat het zó was.' Haar blik zat aan het scherm vastgekleefd. 'Dit is iets anders.'
'Hoe anders?'
'Dat weet ik nog niet.' Ze scrolde naar beneden, naar de volgende pagina. 'Maar het bevalt me niets. Ga maar weg. Dit gaat nog wel een tijdje duren.'
'Is er iets wat ik zou kunnen doen?'
'Weggaan,' herhaalde ze. Weer scrolde ze naar beneden. Alleen maar formules. Ingewikkelde, complexe formules. Degene die dit had gedaan was briljant.
'Hoeveel tijd gaat het je kosten, denk je?'
Ze schudde haar hoofd.
'Oké, over een paar uur kom ik terug.'
Hij zei nog iets, maar dat hoorde ze niet meer. Ze was veel te verdiept in wat ze op het scherm zag. Ze begon een patroon te zien...

MacDuff belde Jane MacGuire laat in de namiddag.
Toen de telefoon voor de tweede keer overging, pakte ze hem al op. 'Wat ben jij van plan, MacDuff? Het is niets voor jou om Jock te laten bellen om de lucht te klaren.'
'Ik moest zeker weten dat je er zou zijn. Ik heb iets te bepraten.'
Even bleef het stil. 'Onzin. Ik vermoed dat jij wilde dat Jock en ik gezellig wat herinneringen aan vroeger ophaalden.'
'Dat kunnen wij samen ook,' zei hij zacht. 'Wij delen dezelfde herinneringen.'
'Maar met Jock zitten er geen scherpe kantjes aan de relatie.'
'Ik heb je alle tijd gegeven om die scherpe kantjes eraf te laten slijten. In die hele periode heb ik je maar twee keer gebeld. En ik was heel vaak in de verleiding, Jane.'

'Wat moet je van me, MacDuff?'
'Hoe gaat het met die fantastische Eve Duncan van je?'
'Doe niet zo sarcastisch. Ze ís fantastisch.'
'Ik deed helemaal niet sarcastisch. Ik bewonder haar. Hoe gaat het met haar?'
'Zoals gewoonlijk werkt ze zichzelf te pletter. Ze is door de artsenopleiding in Washington gevraagd om daar les te geven.'
'En Joe? Is Joe met haar mee?"
'Nee, Joe is hier gebleven.' Weer was het even stil en toen herhaalde ze: 'Wat moet je van me, MacDuff?'
'Een kleine gunst. Een stukje van je tijd.'
'Ik heb het ontzettend druk. Over een maand heb ik een expositie.'
'Ach, maar ik weet zeker dat je voor familie wel wat tijd vrij kan maken.'
'Ik ben geen familie van je.'
'Laten we daar nou maar niet over ruziën. Familie of geen familie, ik weet dat je een groot hart hebt en niet zou willen dat een onschuldig kind iets overkomt.'
'MacDuff.'
'Ik heb je echt nodig, Jane. Wil je naar me luisteren?'
'Ik laat me niet gebruiken door jou.'
'Een kind, Jane.'
Stilte. Een diepe zucht. 'Verdomme. Vertel het maar.'

Sophies handen waren helemaal klam. Rustig ademen. Het was nu al de derde keer dat ze door de formules heen was gegaan, om er zeker van te zijn dat ze alles goed had begrepen. Tegen beter weten in had ze gehoopt dat ze het mis had. Maar ze had het bij het rechte eind. De laatste paar zinnen op de disk gaven dat ook nog eens aan, maar ze had het eerst gewoon niet willen geloven.
Ze haalde de disk uit de computer en deed hem terug in het doosje. Het schemerde al. Bijna zonsondergang.
Sta op en ga het aan Royd vertellen. Hij was drie keer komen kijken hoe het ging en ze had hem drie keer genegeerd. Maar nu wilde ze deze nachtmerrie graag met iemand delen.
In de badkamer gooide ze wat water in haar gezicht. Dat was beter.

'Handdoek?' hoorde ze Royd vragen, die in de deuropening bleek te staan en een handdoek naar haar ophield.

'Bedankt.' Ze depte haar gezicht.

Vervolgens reikte hij een mok hete koffie aan. 'Je hebt de pot die ik voor je neer had gezet koud laten worden, dus ik denk dat je dit onderhand wel kunt gebruiken.'

'Ja.' De koffie was heet en sterk. 'Waar is Michael?'

'Ik kom net bij hem vandaan. Jock en ik hebben hem om de beurt gezelschap gehouden. Ze zijn nu op de Run.'

'Ik moet naar hem toe om hem te vertellen waarom ik niet bij hem kon zijn.'

'Straks. Leg mij eerst maar eens wat dingen uit,' zei Royd. 'Ten eerste waarom je zo wit ziet als een doek en staat te beven als iemand die aan malaria lijdt.'

'Ik sta helemaal niet te beven.' Maar opeens voelde ze dat dat wel zo was. Zo kon ze Michael niet onder ogen komen. En ze wilde inderdaad met Royd praten. 'Ik ben van m'n stuk.' Ze liep de slaapkamer weer in en liet zich op het bed neervallen. 'Ik heb het drie keer gecheckt, Royd. Het is gewoon waar.'

'Wat is gewoon waar?'

'Na Garwood is Sanborne een stap verder gegaan. Hij heeft een wetenschapper ingehuurd om de mogelijkheden van REM-4 uit te bouwen.'

'Uitbouwen?'

'REM-4 kon alleen in kleine hoeveelheden worden gefabriceerd. Dat was een van de problemen waaraan ik werkte. Het zou enorm kostbaar worden om voldoende te produceren voor het grote publiek.'

'En het is Sanbornes wetenschapper blijkbaar gelukt om dat probleem op te lossen?'

'Hij heeft de potentie van het middel enorm verhoogd, zodat het in water kan worden opgelost zonder zijn eigenschappen te verliezen.'

'Water?' Zijn blik was strak op haar gericht. 'Een glas water?'

Ze schudde haar hoofd. 'Een vat. Weet je nog dat die vrachtwagenchauffeur het had over vaten die op het schip werden geladen?'

Hij knikte. 'Ga verder.'

'Aan het einde van die lijst met formules stond er wat tekst. Hoewel er in het begin veel problemen waren, leken de uiteindelijke resultaten veelbelovend. Ene Gorshank belooft dat het eilandexperiment een succes zal blijken.'

'Eiland? We zoeken naar een eiland.'

'Waarschijnlijk.'

'Kennen we ook de voornaam van Gorshank?'

Ze schudde haar hoofd. 'Hij moet een van Sanbornes wetenschappers zijn, maar ik heb nooit van hem gehoord.'

'En het experiment?'

'Waarom zou Sanborne al die vaten met REM-4 nodig hebben?' Ze maakte haar lippen nat. 'We hebben het hier niet over een gecontroleerd, gelimiteerd experiment.'

'Wat denk je dan?'

'Dat hij die vaten ergens in een waterbron op het eiland gooit en dan afwacht wat er gebeurt.'

Hij knikte. 'Klinkt logisch.'

'Hoe kun je nou toch zo kalm reageren? Hij wil kijken of het lukt om zombies van die mensen daar te maken.'

'En de nieuwe formule daarna verkopen aan de hoogste bieder, die het dan weer in ónze waterleidingen kan laten belanden,' vulde Royd aan. 'Rampzalig.'

'Zo ver was ik nog niet eens,' zei Sophie. 'Ik wilde nog niet verder denken dan de ramp die zich gaat voltrekken op dat eiland.' Maar tegelijkertijd besefte ze dat die gedachte eigenlijk steeds in haar achterhoofd had gezeten. 'Het is nog in de experimentele fase. Er kunnen wel mensen aan doodgaan.'

'Of ze kunnen er heel dociel van worden en toelaten dat een terroristische beweging gewoon over ze heen loopt.'

'We moeten het zien te stoppen.'

'Ja.' Royd liep naar de deur. 'Maar we hebben in ieder geval een begin. Gorshank. Misschien is het vrijwel onmogelijk om Sanborne en Boch te lokaliseren, maar misschien kunnen we Gorshank wel te pakken krijgen.'

'Als we wisten wie of waar hij is.' Ze liep hem achterna de hal in. 'Jij hebt contacten. Kun je daar niet achter komen?'

'Ik kan het proberen. Maar we moeten snel zijn. We moeten

alle hulp aannemen die we maar kunnen krijgen.' Over zijn schouder keek hij haar aan. 'Ik betrek MacDuff erbij. Ik kan er niets aan doen als jij nog steeds boven op de kast zit wat hem aangaat. Ik heb met Jock gesproken en hij beweert dat MacDuff toegang heeft tot informatiebronnen die ík niet kan bereiken. Hij heeft overal contacten: van het Britse parlement tot en met de Amerikaanse politie.'

'Ik doe er niet moeilijk over.' Ze vertrok haar gezicht in een grimas. 'Hoewel ik niet geloof dat de politie ook maar naar iemand zal luisteren als het over mij gaat. Maar ik laat MacDuff natuurlijk alles doen wat hij kan om Sanborne te stoppen. Het is Michael over wie we het niet eens zijn.'

'Dat is iets tussen jullie twee.' Hij begon de trap af te lopen. 'Dat vechten jullie samen maar uit.'

'Bedankt,' zei ze ironisch. 'Je bent te vriendelijk.'

'Dat wil je toch van mij, is het niet?' antwoordde hij ruw. 'Je wilt niet dat ik me ergens mee bemoei en je dan misschien in de weg sta. Je hebt het wel vaak over hoe goed het is als mensen elkaar helpen, maar je bent al even erg als ik. Je bent al zo vaak gekwetst, dat je bang bent dat ik dat ook weer zal doen. En ja, misschien zal ik je ook wel ooit pijn doen, maar niet als het aan mij ligt. En iedereen die jou kwaad probeert te doen, zal ik vermoorden. Of je dat nou leuk vindt of niet.'

Geschokt door zijn uitbarsting bleef ze stilstaan om hem aan te staren.

'Te direct voor je?' Hij keek van haar weg en liep de trap verder af. 'Jammer dan. Slik het maar. Ik moest het kwijt. Ik heb me voor mijn doen heel diplomatiek gedragen en het zat me hoog.'

'Diplomatiek? Jij?'

'Ja, verdomme,' zei hij verongelijkt. 'En als je mee wilt naar MacDuff, zou ik maar gauw maken dat ik beneden kwam.' Hij liep de hal door naar de bibliotheek.

Langzaam volgde ze hem de trap af. De bazige boerenlul. Eigenlijk moest ze nu woedend op hem zijn. Hij had onbeschoft, veroordelend en zelfs dreigend gedaan.

Maar de dreigementen waren niet tegen haar gericht. Mijn hemel, hij had gezegd dat hij voor haar zou doden.

En het echt gemeend.

'Schiet op,' beet hij haar over zijn schouder toe.

Instinctief versnelde ze haar pas. Hij had gelijk. Ze moesten deze laatste ramp aan MacDuff voorleggen en kijken of hij hen kon helpen. Dit was niet het juiste moment om te gaan zitten piekeren over het raadsel dat Matt Royd heette.

'Gorshank,' herhaalde MacDuff. 'Geen initialen? Geen voornaam?'

'Alleen zijn achternaam,' antwoordde Sophie. 'Vanmiddag heb ik hem op internet proberen te vinden en bij allerlei universiteiten en wetenschappelijke instituten gezocht, maar niets gevonden.'

'Misschien is het wel geen Amerikaanse wetenschapper?'

Ze knikte. 'Misschien. Maar ik heb de internationale organisaties ook gecheckt. Geen Gorshank.'

'Er zijn veel Oost-Europese wetenschappers die in de voormalige Sovjet-Unie aan zeer kwalijke projecten hebben gewerkt. En het werd hun niet in dank afgenomen om zichzelf of het onderzoek waarmee ze bezig waren, aan de grote klok te hangen,' merkte Royd op. 'Na de ineenstorting raakten ze over de hele wereld verspreid.'

'Als hij bij een bepaalde groep hoort, zou hij wel ergens op een lijst kunnen staan,' zei MacDuff. 'Waarschijnlijk is hij dan bekend bij de CIA. Ik ken daar wel een paar man. Ik zal kijken wat ik voor elkaar kan krijgen.'

'Hoe lang duurt dat, denk je?'

MacDuff haalde zijn schouders op. 'Ik wou dat ik dat wist. Zelfs als ze hem kunnen identificeren, dan betekent dat nog niet dat ze hem ook kunnen vinden. Het kan zijn dat hij al op dat onbekende eiland zit.'

'Laten we dan maar hopen dat Sanborne hem daar niet nodig heeft voordat hij er zelf aankomt,' zei Sophie. 'Ze zijn ontzettend voorzichtig met die REM-4-formule en ik denk niet dat ze het risico willen lopen dat een wetenschapper die die formule kent, onderweg wordt opgepikt door een van hun klanten.'

'Ja, laten we daar maar op hopen,' zei MacDuff. 'Ik ga meteen aan het werk. Ik wil niet...'

Royds telefoon ging. 'Excuseer me even.' Hij drukte een toets in. 'Royd.' Hij luisterde. 'Shit. Nee, daar kun je niets aan doen. Je moet ook wel gesloopt zijn zo onderhand. Bel me als je weer terug bent in de haven.' Hij hing op. 'Kelly is de *Constanza* uit het oog verloren.'

'O, nee,' fluisterde Sophie.

'Hij is in een windhoos terechtgekomen. Het is nog een geluk dat hij daar levend uit is weten te komen. Maar hij kon ondertussen natuurlijk niet in de gaten houden waar de *Constanza* heenvoer. En tegen de tijd dat alles voorbij was, was er geen spoor meer van het schip te bekennen.'

Ze liet zich terug in de stoel zakken. 'Is er geen methode om het weer op te sporen?'

'Als hij de beschikking had over de allermodernste radarapparatuur, maakte hij misschien een kans. Maar toen hij dat bootje huurde was er geen tijd om meer te eisen dan alleen snelheid. Het was óf meteen in actie komen, óf het schip kwijtraken.' Hij keek MacDuff aan. 'Dus jij kunt beter aan het werk gaan en proberen een andere manier te vinden om ze te traceren.' Hij stond op. 'En ik ben hier weg. Ik wil niet aan de verkeerde kant van de oceaan zitten als je belt om te zeggen waar ik Gorshank en dat eiland kan vinden.' Hij liep met flinke stappen de bibliotheek uit.

'En jij wilt met hem mee.' MacDuff keek Sophie aan.

'Ik moet wel met hem mee.' Sophies handen balden zich samen. 'Ik heb deze beerput geopend en dus moet ik hem ook weer dicht zien te krijgen.'

MacDuff knikte langzaam. 'Michael?'

'Ja, natuurlijk is het Michael. Ik kan hem hier niet achterlaten als Jock en jij er niet zijn. Tenzij je van gedachten bent veranderd?'

'Nee, zodra ik heb gedaan wat jullie me hebben opgedragen, ben ik hier weg.' Even was het stil. 'Maar misschien heb ik wel een oplossing.'

'Oplossing?'

'Ik heb een vriendin die op het moment hiernaartoe op weg is. Binnen een paar uur moet ze hier aankomen.'

'Wie?'

'Jane MacGuire. Ze brengt haar adoptievader met zich mee en zij zullen hier zo lang blijven als nodig is.'

'En waarom zou ik er dan gerust op moeten zijn?'

'Omdat ik dat ook ben.' Hij glimlachte. 'En omdat haar vader rechercheur bij het politiekorps van Atlanta is en ik hem een van de slimste en capabelste mannen vind die ik ken.'

'De politie? Ben je gek geworden? Die nemen Michael meteen met zich mee. Ze denken dat ik een moordlustige maniak ben.'

'Ik heb de hele toestand uitgelegd. Joe Quinn denkt buiten de geijkte hokjes en hij weet heel goed dat de dingen niet altijd zo zijn als ze lijken. En hij houdt veel van Jane en vertrouwt haar. Wanneer hij ergens aan begint, blijft hij ook tot het eind. Ik laat Campbell en een aantal van mijn mannen hier achter, met de instructie dat ze Quinns orders onvoorwaardelijk moeten opvolgen. Dat zal geen problemen geven.'

Maar ze was nog steeds niet overtuigd. Een rechercheur op wie MacDuff vertrouwde. Het klonk veilig voor Michael. 'Ik weet niet...'

'Jane MacGuire is sterk, slim en heeft een goed hart,' zei MacDuff. 'Eigenlijk doe jij me een beetje aan haar denken. Daarom kwam ik er ook op om haar te vragen. Buiten het feit dat ze een doordouwer is, zat ze in wel twaalf verschillende pleeggezinnen voor ze werd geadopteerd. Ze weet heel goed hoe het is om alleen te zijn of om mishandeld te worden. En hoe ze terug kan vechten. Michael zal haar zeker mogen en ik kan niemand bedenken die beter met Michaels psychologische problemen om kan gaan dan Jane.' Hij glimlachte. 'Hoewel ik niet weet of ze ook kan voetballen. Dat zou wel eens een groot minpunt kunnen zijn.'

'Weet je zeker dat Michael...'

'Die zal echt veilig zijn. Dat weet ik zeker. En niet alleen veilig, maar er zal ook goed voor hem worden gezorgd. Dat kun je wel aan Jane overlaten. Het is een prima oplossing. Je kunt hem hier met een gerust hart achterlaten. Dat meen ik.'

Ja, dat geloofde ze nu ook wel. 'Ik wil haar en haar vader graag spreken.'

'Dat zal dan over de telefoon moeten,' zei MacDuff. 'Ik denk niet dat Royd op hun komst zal wachten.'

'Die wacht wel,' zei ze grimmig. 'Kan me niet schelen, al moet ik hem vastbinden. Ik moet eerst met Michael praten en dan bel ik Jane MacGuire. En misschien wil ik Joe Quinn ook wel spreken. Ik laat Royd er heus niet zonder mij vandoor gaan.'

'Je zult nog heel wat met hem te stellen hebben. Volgens mij is hij op zoek naar een excuus om jou hier achter te laten.'

'Hoezo denk je dat?'

Hij haalde zijn schouders op. 'Intuïtie? Royd zit misschien wel in een heel moeilijke positie. Hij moet kiezen tussen twee kwaden. En dat moet niet makkelijk zijn voor iemand die gewend is om zo rigoureus en recht op zijn doel af te gaan als hij. Aan de ene kant wil hij niet dat jij gevaar loopt, maar aan de andere kant ben jij degene die hem waarschijnlijk kan helpen om Sanborne te pakken te krijgen.'

'Geloof mij nou maar: Royd is niet gevoelig genoeg om zijn verstand door emoties te laten beïnvloeden.'

Ik zou voor je doden.

'Je herinnerde je net iets.' MacDuff keek aandachtig naar de uitdrukking op haar gezicht. 'Ik beweer niet dat Royd een gevoelige man is. Maar ik heb het idee dat hij reageert op een prikkel die niet in verband staat met de wraak, waardoor hij al zo lang wordt gemotiveerd. En dat zou hem wel eens onvoorspelbaar kunnen maken.'

'Nou, hij is al onvoorspelbaar sinds het moment dat ik hem leerde kennen.' Ze liep naar de deur. 'Kun jij voor mij een telefoongesprek met Jane MacGuire regelen? Ik ben binnen een uur terug.'

Hij knikte. 'Ik zal het proberen. Ze hangt nu ergens boven de Atlantische Oceaan, dus het kan wat tijd vergen.'

Plotseling schoot haar iets te binnen. 'Is ze zomaar op weg gegaan, zonder enig contact met mij gehad te hebben? Jullie twee moeten elkaar goed kennen.'

Hij glimlachte. 'Je zou kunnen zeggen dat we zielsverwanten zijn. Maar ze komt hier niet voor mij. Ze komt hier voor Michael. Toen ik haar over hem vertelde, kon ze niet wegblijven.' Hij pakte de telefoon. 'Nu kun jij Royd het beste gaan zoeken, terwijl ik Jane probeer te pakken te krijgen. Je gunt me niet veel tijd.'

Haastig liep ze de kamer uit de gang door. Royd had gezegd dat Michael en Jock op de Run waren, maar ze moest eerst Royd spreken. Ze had wel tegen MacDuff beweerd dat hij altijd al onvoorspelbaar was geweest, maar het leek toch wel of er iets was veranderd. Dat idee had ze nog veel sterker dan MacDuff.

Ze zou níét toestaan dat hij zonder haar ging, omdat hij plotseling een geweten begon te ontwikkelen over het feit dat hij haar leven in de waagschaal stelde.

Ze rende de trap op. Eerst zijn kamer. Dan de stallen, waar hij de huurauto had geparkeerd.

Hij zat op het bed, aan de telefoon. Zijn tas lag open naast hem. Zodra ze binnenstormde hing hij op. 'Kom je gedag zeggen?'

'Nee. Ik kwam je vertellen dat ik met je meega. MacDuff heeft een uitstekende vervanging geregeld, die voor Michael zal zorgen.'

'Echt waar?' Hij stond op en ritste zijn tas dicht. 'Weet je dat zeker?'

'Ja, en hou op met te proberen mijn vertrouwen aan het wankelen te brengen.' Haar handen knepen samen. 'Dit is wat ik moet doen. Ik weet het zeker.'

'Vertel me dat nog maar eens als je vijftienhonderd kilometer van je zoon af zit.'

'Verdomme.' Haar stem klonk onvast. 'Toen we begonnen had je er geen problemen mee om mij te gebruiken. Wat is er in vredesnaam veranderd?'

Hij ving haar blik. 'De manier waaróp ik je wil gebruiken.'

Haar adem stokte. Ze voelde een hete prikkeling in zich opvlammen.

'Dat wist je,' zei hij schor. 'Het zat er dik in en ik ben er de man niet naar om zijn gevoelens te verbergen.'

Ze likte langs haar lippen. 'Maar ik had niet gedacht dat seks een obstakel zou worden voor wat voor ons beiden zo belangrijk is.'

'Ik ook niet. Dus misschien ís het helemaal geen seks.' Zijn mond vertrok. 'Daar schrok je van. Als het alleen maar seks is, is het in ieder geval sterk genoeg om me volkomen van m'n stuk te brengen. En dus betekent het dat je problemen met me zult krijgen. Ik ben niet zo koel en beschaafd als je ex. Dus ik zou er goed over nadenken, voordat je met mij ergens naartoe gaat.'

'Probeer je me nou bang te maken of zo?' Ze schudde haar hoofd. 'Je zult me heus niet verkrachten.'

'Nee, maar ik ga misschien wel álle andere dingen uit mijn trukendoos proberen.'

'Ik ga toch gewoon mee.'

'Prima. Goed. Wat zal ik me druk maken? Ik wil alleen maar ongelofelijk hard met je neuken, voordat je om zeep wordt gebracht.' Hij greep zijn tas. 'Ik heb een vliegtuig geregeld. Ik wil hier over een halfuur weg.'

'Dan zul je toch moeten wachten. Ik moet eerst met Michael praten. Is hij nog steeds met Jock op de Run?'

'Voor zover ik weet wel.'

'Zodra ik klaar ben, kom ik naar de auto toe.'

'Ik moet Jock nog spreken, dus stuur hem maar naar de binnenplaats.' Hij liep de kamer uit.

Sophie slaakte een diepe zucht. Jezus, ze beefde helemaal. Maar ze voelde ook opwinding. Het verwarde haar. Het ene moment was ze nog een en al zorgen en angst om Michael geweest en het volgende werd ze opeens volkomen in beslag genomen door dit overweldigende gevoel van verlangen. Haar respons was intens en instinctief geweest, bijna dierlijk.

Maar ze was nu eenmaal geen dier dat er alleen maar op gericht was om te paren met Royd, omdat hij zo'n sterke seksuele uitstraling had en...

Ophouden. Ga doen wat je moet doen.

Michael zoeken. Hem proberen uit te leggen waarom zijn moeder alwéér weg moest, terwijl hij net had gehoord dat zijn vader was vermoord.

Hoe moest ze dat in godsnaam aanpakken?

14

Michael en Jock waren niet aan het voetballen, maar zaten samen op een van de enorme rotsblokken die de Run omringden.

'Hoi, Sophie,' zei Jock, terwijl hij opstond. 'Alles in orde?'

Ze knikte gehaast. 'Ik moet Michael even spreken. Wil je ons een tijdje alleen laten?'

'Natuurlijk.' Hij keek haar even aandachtig aan en draaide zich toen naar Michael. 'Ik heb het idee dat je moeder wat hulp nodig heeft, Michael. Kun jij daarvoor zorgen? Goed?'

Michael knikte. 'Ik zie je straks, Jock.'

Hij glimlachte. 'Reken maar.'

'Royd is op het binnenplein en wil je graag spreken, Jock,' zei Sophie.

Hij knikte en liep in de richting van het pad.

Sophie keerde zich naar Michael. Hoe moest ze beginnen?

'Je moet weer weg hè, mam?' vroeg Michael zachtjes.

Ze verstijfde.

Michael staarde over de zee, die baadde in het licht van de ondergaande zon. 'Dat is goed, mam.'

Een tijdje bleef het stil. 'Nee, dat is helemaal niet goed. Ik wil helemaal niet weg. Ik wil je niet verlaten. Als je boos op mij bent om het feit dat ik nu alweer weg moet, zou ik dat heel goed kunnen begrijpen.'

Hij schudde zijn hoofd. 'Hoe kan ik nou boos zijn op jou? Je bent mijn moeder. Het is een moeilijke tijd voor je. Je probeert te doen wat het beste is voor ons allemaal. Jock zegt dat ik ook mijn steentje moet bijdragen.'

'Jock?'

'Ja, maar als hij dat niet had gezegd, zou ik ook niet kwaad zijn, hoor.' Hij stak zijn hand uit en greep die van haar vast. 'Weet je nog dat je me gisteravond over plicht vertelde en dat dat soms vreugde geeft en soms een last is? Toen had je het over mij. Maar ik heb zelf ook een plicht. Jij zit in de problemen en ik moet het makkelijker voor je proberen te maken. Dat is míjn plicht.' Zijn mond verstrakte om het trillen te onderdrukken. 'Ik zal bang en bezorgd om jou zijn. Je moet me beloven dat je niet gewond raakt of zoiets.'

'Ik zal probe...' O, wat maakte het ook uit. 'Ik beloof het.'

'Jock zegt dat er iemand hierheen komt om voor mij te zorgen als hij en MacDuff voor jou zorgen. Ik zal niet lastig zijn, mam.'

Haar keel zat helemaal dicht en ze moest bijna huilen. 'Dat weet ik, dat je niet lastig zult zijn.' Ze sloeg haar arm om zijn schouders en trok hem dicht tegen zich aan. 'Ik ben ontzettend trots op je, Michael. Heeft Jock je ook verteld wie er komen?'

Hij schudde zijn hoofd.

'Nou, dan zal ik je vertellen wat ik erover weet.'

'Daar wil ik nou nog niet over nadenken. Jock vertelt het me later wel.' Hij leunde tegen haar aan. 'Kunnen we hier niet gewoon een tijdje zo zitten? Je hebt niet zoveel tijd, hè?'

Een halfuur. Ze kon gewoon voor zich zien hoe Royd ijsberend over de binnenplaats liep. Jammer dan.

Ze sloeg haar arm nog steviger om Michael heen. 'Tijd genoeg. We hebben geen haast.'

Het was al helemaal donker, toen ze terugkwam op de binnenplaats. Royd had de huurauto al tot voor de voordeur gereden. Onbewust voelde ze zich gespannen worden, toen ze hem daar, tegen het portier aangeleund, zag staan. 'Ik had tijd met hem nodig.'

'Ja natuurlijk, dat snap ik. Had je een uitbrander verwacht?' Hij hield het portier aan de passagierskant voor haar open. 'Daarom heb ik ook meer dan een uur gewacht, voordat ik Jock naar jullie toe stuurde om te zorgen dat jullie opbraken. Stap in. Ik heb Jock gezegd dat hij en Michael pas over een kwartiertje hier terug kunnen zijn, zodat wij al zijn vertrokken. Je wilt niet dat hij je weg ziet rijden, toch?'

‘Mijn weekendtas.’
‘In de achterbak.’
‘Ik moet MacDuff nog even spreken. Dat duurt maar heel even.’
‘Ik heb al met hem gesproken. Jane MacGuire belt je terug op je mobiele telefoon. Stap je nou in? Je wilt dit niet moeilijker voor Michael maken dan het al is.’
Ze ging in de auto zitten. ‘Nee, dat wil ik niet.’ Ze leunde achterover en sloot haar ogen. ‘Zorg dat ik hier wegkom.’
‘Ja, daar ben ik nou juist mee bezig.’
Ze hoorde het andere portier dichtslaan en het starten van de motor. Royd zei pas weer iets, toen ze al een tijdje onderweg waren. ‘Was het moeilijk?’
Haar ogen gingen open. ‘Als je bedoelt of hij hysterisch werd of tegen me begon te schreeuwen: nee. Hij was vol begrip en heel lief en hij deed helemaal niets, behalve mijn hart breken. Het is zo’n geweldig kind, Royd.’
Hij knikte. ‘Ja, ik ben niet veel in zijn buurt geweest, maar dat kon ik wel zien.’ Hij pauzeerde even. ‘Jock vertelde me dat hij ervan overtuigd is dat Michael in veilige handen is. Hij kent die mensen en vertrouwt ze volkomen. Daardoor voel je je vast een klein beetje beter.’
‘Een heleboel beter.’ Ze wierp even een blik op hem. ‘Je bent verdacht aardig, vind ik.’
‘Is dat zo? Daar moet ik dan op letten.’ Hij trapte het gaspedaal verder in. ‘Straks ga je nog denken dat ik een fatsoenlijk mens ben.’
‘Ik heb nooit beweerd dat ik niet dacht dat je...’
‘Kom op. Denk je nooit aan mijn banden met Garwood? Of aan wat ik deed?’ Hij haalde half en half een schouder op. ‘Wat ik bén?’
‘Maar dat betekent nog niet dat je geen fatsoen hebt. Als ik dat vond, zou ik ook aan mijn eigen fatsoen moeten twijfelen.’ Ze veranderde van onderwerp. ‘Jock heeft Michael verteld dat hij en MacDuff weggaan om mee te helpen aan mijn bescherming. Voor zover ik weet gaat MacDuff achter Devlin aan.’
‘Zijn visie werd wat verruimd, toen ik hem vertelde dat Devlin waarschijnlijk door Sanborne gestuurd is. Dus als hij Sanborne

en Boch een kopje kleiner moet maken om Devlin te pakken te krijgen, dat doet hij dat.'

'En het is beter als we een gezamenlijk plan hebben, in plaats van dat we elkaar per ongeluk in de wielen rijden.'

'Ja, precies.' Zijn telefoon ging. 'Royd.'

'Kelly?' mompelde Sophie.

Hij knikte. 'Blijf waar je bent, Kelly. We zijn op weg naar Miami. Ik laat je wel weten of je terug moet komen naar de States.' Hij hing op. 'Hij zit in Barbados. Dat was de dichtstbijzijnde haven toen hij de *Constanza* uit het oog verloor.'

'Miami? Waarom Miami?'

'Dat is een goed punt om van te vertrekken. We weten niet waar Gorshank zit. Misschien op een eiland, maar misschien ook nog in de States...'

'Of ergens anders op de wereld.'

'Van wat jij me verteld hebt, gok ik erop dat Sanborne hem, plus zijn werk, dichtbij en onder controle wil hebben.'

Ja, dat zou waarschijnlijk wel kloppen, dacht Sophie. 'Wanneer denk je dat we iets over Gorshank van MacDuff zullen horen?'

'Die zal daar heus wel haast achter zetten.'

'Ja, dat weet ik wel. Maar ik wil gewoon niet... Ik ben bang. Tot nu toe leek de schade te overzien. Te tellen tenminste. Maar nu, dit is iets heel anders.'

'Die formule van Gorshank kan ook wel helemaal niet kloppen. Jij zei dat je geen idee had hoe hij aan sommige van zijn resultaten kwam.'

'En het kan ook wél kloppen.' Ze rechtte haar schouders. 'Ik kan er nu niet over nadenken. Het moet stap voor stap.'

'Dat is verstandig. Het duurt nog ongeveer een uur voor we bij het vliegveld zijn. Probeer je te ontspannen.'

'Dat kan ik niet.' Ze staarde door het raam de duisternis in. 'Niet totdat Jane MacGuire me heeft gebeld.'

'Het is niet gelukt,' zei Devlin toen Sanborne de telefoon opnam. 'Ik heb mijn best gedaan maar je had me niet verteld dat Royd er ook bij betrokken was.'

Sanborne vloekte. 'Ik wist niet zeker of dat zo was. Weet je zeker dat het Royd was?'

'O, ja. Ik heb een wond in mijn schouder met zijn naam erop. Ik ken hem goed. We kwamen elkaar vaak tegen in Garwood.'

'Als jullie zo close met elkaar waren, had je hem ook uit kunnen schakelen. Wat heb ik nou aan jou?'

Stilte. 'Het spijt me,' zei Devlin mak. 'Wat kan ik doen om het goed te maken?

'Die vrouw en dat kind doden.'

'Daarvoor is het te laat. Royd heeft me herkend en waarschuwt MacDuff natuurlijk. Als ik in de buurt van het kasteel kom, zullen ze net zo lang op me jagen tot ze me te pakken hebben. Ik heb uw orders opgevolgd en een hindernis uit de weg geruimd. Meerdere hindernissen om precies te zijn. Het zal er nu wel zwermen van de politie.'

'Idioot. Je weet best dat dat niet bij de opdracht hoorde.'

'U zei dat ik moest doen wat nodig was. Ik weet dat u niet wilt dat ik gepakt word, als ik u nog steeds van nut kan zijn. Als ik achter Royd aanga, dan leidt hij me vanzelf naar die vrouw.'

'Blijf dan maar in Schotland en voer je opdracht uit.'

'Ik geloof niet dat ze nog steeds hier zijn. Royd kent me erg goed en hij zal ervan uitgaan dat hij me wel op kan sporen.'

'En jíj denkt dat jij hém wel kunt opsporen. Wie van jullie heeft dan gelijk?'

'Ik. Omdat hij die vrouw als een blok aan zijn been heeft. Dat is een obstakel.'

'Je zei dat je niet terug naar het kasteel kon.'

'Als hij daar nog zit, dan zal dat niet voor lang zijn. Hij wil u te pakken krijgen en nu mij ook. Zolang hij in dat kasteel blijft zitten, lukt dat geen van tweeën.'

'En Sophie Dunston?'

'U hebt me een opdracht gegeven. Natuurlijk voer ik die uit. Het duurt alleen misschien iets langer.'

Sanborne dacht erover na. De prioriteiten waren in ieder geval verschoven nu hij zeker wist dat Royd en Sophie samenwerkten. Royd was een gevaar, dat snel en efficiënt uit de weg moest worden geruimd. 'De vrouw kan elk moment door de politie worden opgepakt. Royd blijft niet in haar buurt als hij er zelf door in gevaar komt. Hij wil mij zo graag in handen krijgen dat hij niet het risico loopt om samen met haar, als een soort aanhangsel, gearresteerd te worden.'

'Dus kan ik achter Royd aan gaan?'

'Als hij boven water komt. Jij blijft bij mij tot dat gebeurt.'

'Om u te beschermen?' Devlin voegde er snel aan toe: 'Dat is verstandig. U mag natuurlijk niets overkomen.'

'Ik ben blij dat je het belangrijkste niet uit het oog bent verloren,' zei Sanborne sarcastisch. 'Soms vraag ik me af waar je mee bezig bent, Devlin.'

'Hoezo? Ik voer mijn opdracht toch altijd uit?'

'Altijd. Maar met veel meer bloedvergieten dan nodig is, volgens mij.'

'Dat is het middel om het doel te bereiken.'

'Misschien.' Hij wierp een blik op het rapport voor hem op zijn bureau. Als de analyse van de resultaten van Gorshank correct bleek, kon dat een ommezwaai betekenen voor de dingen waarop hij zich nu focuste. 'Er zijn allerlei veranderingen aan de gang, dus blijf bereikbaar. Misschien heb ik wel een ander klusje voor je, zolang Royd nog niet boven water is.' Hij hing op. Het bloedvergieten waar Devlin zo in zwolg, kon in dit geval wel eens niet zo verkeerd zijn geweest. Misschien werd Sophie er wel zo door geïntimideerd, dat ze naar zíjn kamp zou overlopen. Ze moest zich opgejaagd voelen en Devlin zo dicht in de buurt van haar zoon had vast een vernietigende uitwerking gehad op haar vertrouwen.

Achter die trut aangaan en proberen haar nog een keer naar zijn kamp te lokken?

Misschien. Hij had zich al eerder niet zo prettig met Gorshank gevoeld en dat gevoel werd met de dag sterker. Eerst had hij gedacht dat hij de perfecte vervanger voor Sophie had gevonden en dat hij het zich kon veroorloven om haar uit de weg te ruimen. Maar Gorshank was lang niet zo briljant of vernieuwend als Sophie, en de resultaten van zijn laatste onderzoek waren wel veelbelovend, maar ook uiterst experimenteel geweest. Zeven doden en tien mensen die slechts een fractie van de onderworpenheid hadden vertoond waarnaar ze hadden gestreefd.

Wachten tot Royd door Devlin was vermoord en ze zich alleen voelde?

Als dat joch niet achter die stenen muren verscholen zat, had hij hem kunnen gebruiken en haar kunnen overtuigen door hem te pijnigen. Maar Devlin had gezegd dat de beveiliging van die jongen erg goed was en nu krioelde het bovendien van de politie in dat gebied. Maar misschien was het toch nog mogelijk...

Hij moest nu snel een beslissing nemen. Boch zette hem flink onder druk om de laatste tests uit te voeren, zodat hij het groene licht kreeg om met de onderhandelingen te beginnen.

Kom op, Royd. Devlin wacht op je.

En dit keer maak ik geen bezwaar tegen de hoeveelheid bloed die er vloeit.

Sophies telefoon ging een paar minuten voordat ze aan boord van het vliegtuig moesten.

'Sophie Dunston? U spreekt met Jane MacGuire.' De stem van de vrouw was laag en klonk jong, maar tegelijkertijd vol kracht. 'Het spijt me dat ik u niet eerder heb gebeld, maar ik dacht dat ik beter kon wachten tot ik op de Run was gearriveerd en u ook met uw zoon zou kunnen praten.'

'Ja, dat zou ik graag willen.'

'Hij is in de kamer hiernaast. Ik roep hem wel als wij klaar zijn. Ik dacht dat u me eerst wel een paar dingen zou willen vragen, dus ga uw gang.'

'MacDuff heeft u waarschijnlijk verteld over de slaapstoornis van mijn zoon?'

'Ja, en ik slaap in de kamer naast hem. We redden het wel.' Ze was even stil. 'Het is een leuke jongen. Ik kan me voorstellen dat u erg trots op hem bent.'

'Ja.' Ze moest even iets wegkuchen. 'MacDuff vertelde dat uw vader rechercheur is. Het verbaast me dat u hem over hebt kunnen halen om met u mee te gaan.'

'Dat was ook niet makkelijk,' gaf Jane eerlijk toe. 'Joe probeert alles volgens het boekje te doen. Maar niet meer wanneer het leven van een kind op het spel staat. Dan lapt hij alle regels opeens aan zijn laars. U kunt op hem vertrouwen. Als ik een kind zou hebben, zou ik niemand liever dan Joe hebben om erop te passen.'

'U kunt in de problemen raken door wat u nu doet. Waarom bent u bereid om dat risico te nemen? Bent u zo close met MacDuff?'

'Mijn god, nee.' Ze pauzeerde even. 'Dat was geen erg geruststellend antwoord, ben ik bang. MacDuff en ik hebben een geschiedenis samen en we zijn het niet altijd met elkaar eens. Maar in dit geval wel. Dat jochie moet veilig zijn en daar kunnen Joe en ik voor zorgen.'

'Zit u ook bij de politie?'

Ze grinnikte. 'Mijn hemel, nee. Ik ben kunstenaar. Maar Joe heeft me geleerd hoe ik voor mezelf en anderen op moet komen.' Even was het stil. 'Heeft u nog meer vragen?'

'Ik kan er op dit moment geen meer bedenken.'

'Nou, u kunt me natuurlijk altijd terugbellen. Ik zit hier als het ware aan uw zoon gekluisterd. Dat beloof ik u.'

'Dank u wel.' Weer moest ze haar keel schrapen. 'Ik kan u niet vertellen hoe verschrikkelijk ik dit alles waardeer. Kan ik Michael nu even spreken?'

'Natuurlijk.' Haar stem verhief zich. 'Michael! Hier komtie.'

'Mam?' Dat was Michael aan de telefoon. 'Is alles goed met je?'

'Prima. Ik sta op het punt om in het vliegtuig te stappen. Is alles goed bij jou?'

'Ja hoor. Joe is een aardige man, maar hij voetbalt niet. Hij zei dat hij me in plaats daarvan judo gaat leren.'

'Dat klinkt... interessant. En Jane?'

'Die is aardig. En knap, heel knap. Ze doet me aan iemand denken...'

'Echt doen wat ze zeggen dat je moet doen, hè? Ze zijn daar om jou te helpen.'

'Dat hoef je me niet te zeggen, mam. Dat snap ik heus wel.'

'Sorry. Ik voel me hier een beetje machteloos en zo probeer ik nog een beetje vat op je te houden, denk ik. Ik weet eigenlijk ook wel dat je net zo verstandig en braaf zult zijn als altijd.' Ze haalde diep adem. 'Ik hou van je. Ik zal je zoveel mogelijk bellen. Dag, Michael.' Ze verbrak de verbinding.

'Tevreden?' Royd gaf haar een zakdoek.

'Zover dat mogelijk is, ja.' Ze depte haar ogen. 'Jane MacGuire leek me eerlijk en open. Ik denk dat ze goed voor Michael zal zorgen.' Hortend haalde ze adem. 'En hij vindt haar leuk. Zelfs nu blijkt dat zowel zij als Joe niet voetbalt. Dat leek hem niet veel te kunnen schelen. Hij zei dat ze ontzettend knap is.'

Er verscheen een glimlach op zijn gezicht. 'Dat zou wel voor problemen kunnen zorgen. Misschien schiet het testosterongehalte van Michael wel omhoog. Als je terugkomt is dat joch misschien ontzettend verliefd geworden.'

'Kan me niet schelen. Dat zien we dan wel weer.' Ze gaf hem zijn zakdoek terug. 'Zullen we gaan?' Sophie liep naar het vliegtuig. 'Waar logeren we eigenlijk in Miami?'

'Nou, niet in het Ritz. Ik heb een huisje aan de kust gehuurd. Daar ben ik al eerder geweest. Het ligt privé en geïsoleerd en is redelijk comfortabel. Dat is denk ik voldoende, tot we weten waar we heen moeten.'

Ze knikte. 'Ik wil die disk van Gorshank nog een keer bekijken. Ik vertelde toch al dat ik denk dat er een paar gaten in zijn theorie zitten. Als ik me rustig kan concentreren, moet ik die nog eens goed bekijken.'

'Je hebt je er al een hele dag op zitten concentreren.'

'Een dag is niet zoveel, als je bedenkt dat het Gorshank waarschijnlijk minstens een jaar heeft gekost om deze theorie te formuleren.' Ze was even stil. 'En toen ik die formules bestudeerde voelde ik me ontzettend geschokt en bang en dat is niet bevorderlijk voor helder en analytisch denken.'

'O, dat was ik even vergeten.' De lach verdween van zijn gezicht, terwijl hij achter haar aan de trap van het vliegtuig op liep. 'Dat schuldcomplex van je maakte natuurlijk overuren op dat moment. Dus bestudeer die formules alsjeblieft nog maar eens heel goed. Misschien kom je er wel achter dat je helemaal geen Hitler of Goering bent. Dat zou nog eens een aangename verrassing zijn.'

'Koffers uitgepakt en tevreden met je kamer?' Toen Jane MacGuire de trap afkwam, stond MacDuff haar beneden in de gang op te wachten. 'Slaapt-ie?'

Jane knikte. 'Het kostte hem veel moeite om in slaap te vallen. Dat joch is nogal van streek en probeert dat voor iedereen te verbergen. Hij is een flinkerd.' Ze ving zijn blik. 'En hij is enorm op jou gesteld.'

'Dat is een verrassing.'

'Niet echt. Jij kunt degene zijn die je wílt zijn. En je vond het prettig om aardig tegen Michael te zijn.' Ze liep de rest van de trap af. 'Jock zei dat er een monitor in mijn slaapkamer staat en een in de bibliotheek. Klopt dat?'

'Ja, en als je er meer nodig hebt, kan Campbell ze voor je installeren.'

'Wanneer vertrekken jullie? Ik dacht dat jullie moesten wachten op bericht over Gorshank?'

'Ik geef het nog één nacht en dan pakken we een vliegtuig naar de States.' En hij voegde eraan toe: 'Je bent hier echt volkomen veilig, Jane. De meesten van mijn mannen blijven hier, om er zeker van te zijn dat Joe en jij geen spijt zullen hebben van deze beslissing. Ik zou je niet hierheen hebben gehaald als ik eraan had getwijfeld.'

Ze haalde haar schouders op. 'Wat gebeurt, gebeurt. Vanaf nu ligt het in handen van Joe en mij. En we zijn allebei geen watje. Hij is een van de sterkste mannen die ik ken en ik heb ook het een en ander geleerd in mijn jeugd op straat. Ik ben niet opgegroeid in zo'n chique kasteel als jij.' Ze liep de hal in. 'Laat maar eens zien waar die monitor staat.'

Hij grinnikte. 'Ik was even vergeten hoe leuk grof je kunt zijn.' Zijn glimlach vervaagde. 'Nee, dat is een leugen. Dat was ik niet vergeten. Ik ben geen enkele eigenschap die Jane MacGuire maakt tot wat ze is, vergeten.'

'Dat weet ik.' Ze deed de deur van de bibliotheek open. 'Anders zou ik hier niet zijn om jouw werk te doen, terwijl jij je vermaakt met het verbeteren van de wereld.'

'Vermaakt?'

'De meeste mannen vinden jagen en zich verzamelen in een groep een vermaak. Dat is nou eenmaal hun oerinstinct. En als er bij die jacht ook nog een beetje lichamelijk letsel komt kijken, dan draagt dat alleen maar bij aan de pret.' Haar ogen doorzochten de bibliotheek en bleven rusten op de monitor die op een kast stond. 'Oké. Ik denk dat ik hem ergens anders zet.

Ik zie mezelf hier nou niet direct zitten te tekenen. Misschien in de hal.'

'Wie ga je tekenen? Michael?'

'Misschien. Voor iemand die nog zo jong is, heeft hij een heel interessant gezicht. Misschien komt dat wel omdat hij al heel wat heeft meegemaakt. Veel intrigerender dan een doorsnee-kind.'

'En jij houdt wel van intrigerend. Ik weet nog hoeveel moeite ik heb gedaan om je te beletten dat je een portret van Jock maakte.'

'Je maakte absoluut geen kans. Buiten het feit dat hij gewoon de mooiste persoon is die ik ooit heb ontmoet, zag je aan Jock ook nog alle kwelling van een Prometheus die vastgeketend op een bergtop zit. Dat kon ik echt niet weerstaan.' Ze wierp een schattende blik op MacDuff. 'Ik heb jou eigenlijk nooit getekend. Je zou geen slecht onderwerp zijn.'

'Wat een eer,' reageerde hij droog. 'Zelfs al verbleek ik natuurlijk in vergelijking met Jock en Michael.'

Ze schudde haar hoofd. 'Maar ik zou waarschijnlijk nooit aan je beginnen. Je bent veel te ingewikkeld. Ik zou er de tijd niet voor hebben.'

'Ik ben maar een simpele landeigenaar die probeert zijn erfenis intact te houden.'

Ze snoof. 'Simpel? Je bent voor de helft een geciviliseerde aristocraat en voor de andere helft een afstammeling van die rovers van voorouders van je.'

'Zie je wel. Ik ben helemaal niet zo gecompliceerd. Je hebt me door.'

'Ja hoor, ik zie het topje van de ijsberg.' Ze draaide zich om en liep de hal weer in. 'Hou contact. Ik wil wel weten wat er gebeurt.'

'O, dat zal ik doen.' Even was het stil. 'Tussen twee haakjes, zie je die Mark Trevor nog wel eens?'

'Ja.'

'Vaak?'

Ze keek over haar schouder. 'Daar heb je niets mee te maken, MacDuff.'

'Tja, maar soms ben ik gewoon een nieuwsgierige aap.

Waarschijnlijk vanwege die rauwe roverbaronnen van voorouders van me. Hoe vaak?'

'Welterusten, MacDuff.'

Hij grinnikte. 'Welterusten, Jane. Wat jammer nou dat het niet lukt tussen jou en Trevor. Maar ja, dat had ik je zo ook wel kunnen...'

Als een razende draaide ze zich om. 'Verdomme, er is niets aan de hand tussen ons. Waarom wil je dat niet...' Ze onderbrak zichzelf, toen ze een duivelse vonk in zijn ogen ontdekte. 'Ik ben hier om voor die jongen te zorgen, niet om naar jouw gepest te luisteren. Neem Jock mee en verdwijn uit mijn ogen. Je zou er beter aan doen om die arme vrouw met haar bloedende hart, omdat ze niet weet wie ze kan vertrouwen met haar zoon, te helpen.'

Zijn glimlach verdween. 'Nu weet ze wél wie ze kan vertrouwen, Jane. Ze heeft een prima intuïtie en ze zou blind moeten zijn om niet te zien wat voor schat jij bent.' Hij draaide zich om en liep de bibliotheek weer in. 'Jock en ik zullen je maar niet wakker maken om je gedag te zeggen. En bedank Joe nogmaals voor zijn hulp.'

'Wacht.' Gefrustreerd dacht ze dat hij haar misschien wel voor de gek hield. Hij was een meester in het manipuleren van de dingen zodat ze hem goed uitkwamen, anders was ze nu helemaal niet hier geweest. Maar ze kon hem niet zomaar weg laten gaan op een missie die zo gevaarlijk was. 'Pas goed op jezelf, MacDuff.'

Een glimlach deed zijn hele gezicht oplichten. 'Wat een lief, schattig meisje ben je toch, Jane.'

'Rot op.'

'Je houdt het wel héél goed verborgen, maar dat maakt het alleen maar spannender om ervoor te zorgen dat die kant van je tevoorschijn komt.' Hij voegde eraan toe: 'Ik zal proberen om deze rotsituatie zo snel mogelijk op te lossen. Ik heb veel te veel andere plannen om mijn tijd te verdoen.'

De deur van de bibliotheek viel achter hem dicht.

Jane aarzelde even voor ze de trap opging. Zoals gewoonlijk had MacDuff weer op haar gevoel gespeeld en haar het hele scala van frustratie via woede naar meelevendheid laten doorlopen. Waarom was ze in godsnaam hier?

Maar ze wist natuurlijk heel goed waarom ze hier was. Dat jochie. Het maakte niet uit dat MacDuff heel irritant was en zijn neus in haar leven probeerde te steken. Die vreemde band tussen hen was er dus nog steeds. Ze had geprobeerd om die te negeren en MacDuff uit haar leven te bannen. Maar het was duidelijk dat dat haar niet gegeven was, want ze was niet in staat geweest om MacDuff iets te weigeren, toen hij haar het verhaal had gedaan van Sophie Dunston en haar zoontje.

Maar dat had niets met MacDuff te maken, dacht ze boos. Ze zou niemand iets kunnen weigeren die haar hulp vroeg als het om een kind ging. Ze had in haar vroege jeugd zelf veel te veel moeten doorstaan. Eve en Joe hadden háár toen geholpen, gered. En Michael had iemand nodig die er net zo voor hem was, als zij er voor haar waren geweest. Zelfs al was het maar tijdelijk, ze moest een steun voor hem zijn.

En MacDuff had natuurlijk helemaal niets te maken met die drang om te helpen van haar.

Behalve dan dat hij haar karakter had doorzien en die kennis had gebruikt om haar een aanbod te doen dat ze niet kón weigeren. Dat was de waarheid en ze kon hem niet ontkennen. En waarom zou ze ook? MacDuff was MacDuff en deze ontmoeting zou net zo vluchtig zijn als de vorige. Als Sophie Dunston weer veilig was en haar zoon kwam halen, kon Jane hier zonder spijt vertrekken met de voldoening dat ze goed werk had verricht.

En een lange neus naar MacDuff maken.

Het huisje ten noorden van Miami was klein, charmant en Spaans mediterraans geïnspireerd, met een betegelde binnenplaats, die werd omsloten door hoge muren. Royd parkeerde de huurauto op straat en deed het ijzeren hek van het slot.

‘Leuk,’ merkte Sophie op, toen haar blik op een klein bubbelend fonteintje in het midden van de binnenplaats viel. ‘Je was hier al eerder geweest?’

‘Een paar keer. Het is comfortabel.’ Hij deed het hek weer achter zich op slot. ‘En veilig. Ik vind het prettig, die hoge muren om me heen.’

‘Nou, die heb je genoeg.’

Hij keek haar aan. 'Begrijp ik goed dat je het nu niet over het huis hebt?'

'Sorry. Het schoot er gewoon uit,' zei ze balend van zichzelf. 'Je hebt het recht om iedereen die je maar wilt buiten te sluiten.'

'Ik sluit je helemaal niet buiten.'

'Is dat zo?' Ze maakte haar blik los van het fonteintje en keek hem aan. Ze moest scherp inademen. 'Zo bedoelde ik het helemaal niet.'

'Let dan op wat je zegt. Omdat ik iedere uitdrukking, iedere intonatie, als een havik in de gaten hou.' Hij liep voor haar uit om de openslaande deuren van het slot te doen. 'Er zijn drie slaapkamers, een kantoortje, een eetkamer en een keuken.' Hij maakte een gebaar naar de smeedijzeren trap. 'Zoek maar uit welke slaapkamer je wilt. Neem een douche en zorg dat je over een uur hier in de keuken bent. Ik ga wat te eten halen. Ik weet dat er een paar kilometer hiervandaan een Cubaans restaurant is. Het is wel vroeg, maar ik denk dat je wel wat te eten wilt. Oké?'

'Oké.' Ze liep de trap op. 'Maakt mij niet uit.'

'En niet opendoen als er iemand aan de deur is.'

Plotseling stond ze stil en keek hem vragend aan. 'Ik dacht dat het hier veilig was?'

'Dat is het ook. Maar alleen een idioot gaat daarvan uit.' Hij draaide zich om en liep de deur uit.

En Royd was geen idioot, dacht ze, terwijl ze de trap opging. Hij had jaren met verschrikkingen geleefd, verschrikkingen die zíj had veroorzaakt en hij leefde nog steeds op het randje. Ieder moment samen met hem vergrootte het schuldgevoel dat ze al had sinds ze voor het eerst iets had gehoord over Garwood.

Ophouden. Hij had haar heel duidelijk gemaakt dat hij niet gediend was van haar medelijden. Ze ging onder de douche en zou daarna Michael bellen, om er zeker van te zijn dat alles goed met hem ging.

En ze hoopte dat MacDuff iets te weten was gekomen over Gorshank.

Michael zat ineengekruld in de stoel bij het raam. Het enige licht in de kamer kwam van de maan die door het raam scheen.

'Het is al laat. Jij hoort eigenlijk in bed te liggen.' Jane had alleen even om het hoekje willen kijken bij Michael, maar ze zag aan zijn houding dat hij zo gespannen was als een veer. Ze liep naar binnen en sloot de deur. 'Kun je niet slapen?'

Hij schudde zijn hoofd.

'Maak je je zorgen om je moeder?'

Hij knikte. 'Ik zit te wachten tot ze belt. Ze zei dat ze zou telefoneren zodra ze in de VS was.'

'Maar ze weet natuurlijk dat het hier al heel laat is.'

'Maar ze belt wel. Dat heeft ze beloofd.'

'Ze zou vast graag hebben dat je je geen zorgen meer maakt en gaat slapen. Ik maak je wel wakker als ze belt.' Ze trok een gezicht en liep naar hem toe. 'Dat was nogal een stomme opmerking. Iets graag hebben betekent nog niet dat het ook kan.'

'De laird zei ook al zoiets.' Michaels stem klonk een beetje aarzelend. 'Je hoeft hier niet te blijven. Ik wil je niet tot last zijn.'

'Je bent me helemaal niet tot last.' Ze ging in kleermakerszit op de vloer zitten. 'Ben je bang om te gaan slapen, Michael?'

'Soms. Maar vanavond niet. Ik maak me gewoon zorgen om mam.'

'Dat heb je haar niet laten merken. Dat vind ik heel erg dapper van je. Ik merkte wel dat ze erg trots op je is.'

Hij schudde zijn hoofd. 'Ik bezorg haar een hoop problemen.'

Het zou stom zijn om dat tegen te spreken. Het was een intelligent jongetje en hij zou weten dat ze loog. 'Maar dat betekent nog niet dat ze geen reden heeft om trots op je te zijn, met problemen en al.'

'Ja, dat komt gewoon omdat ze mijn moeder is. Dat zou niemand anders vinden.' Hij keek haar recht in het gezicht. 'Jij vindt dat niet, toch?'

Confrontatietijd. Ze had geweten dat dit moment zou komen. Hij had haar geaccepteerd omdat dat het makkelijker maakte voor zijn moeder, maar nu moesten zij samen iets met elkaar. 'Ik zou hier niet zijn als dat zo was.'

'Je kende me niet eens,' zei hij kortaf. 'Waarom ben je hierheen gekomen? Omdat het moest van de laird?'

'De laird heeft niets over mij te vertellen.' Michael keek haar nog steeds strak aan. Hij moest een antwoord hebben. 'Ik ben hiernaartoe gekomen, omdat ik dacht dat jij me nodig had. Toen ik klein was had ik niet zo'n mam als de jouwe en ik was vaak nogal alleen. Toen kwam er een mevrouw bij wie ik mocht wonen en dat veranderde mijn hele leven. Ze heette Eve Duncan. Joe – haar man – en zij hebben me een thuis gegeven en dat dat gevoel van alleen-zijn verdween langzaam. Zij leerde me dat mensen elkaar moeten helpen. Dus dacht ik dat ik misschien iets terug kon doen voor de dingen die Eve en Joe voor mij hebben gedaan.'

'Had je medelijden met me?' vroeg hij afwerend. 'Ik wil helemaal niet dat iemand medelijden met me heeft.'

'Ja, maar dat heb ik tóch. Je hebt een probleem en ik wil je graag helpen om beter te worden. Dat betekent niet dat ik je zielig vind. Je bent nogal een taaie, Michael. Ik denk niet dat ik had aangekund wat jij allemaal hebt moeten doorstaan.'

Hij zei niets, zijn blik zocht alleen haar gezicht af.

Hij had meer nodig en ze moest hem dat geven, ook al was het voor haarzelf heel pijnlijk. Ze probeerde een glimlach. 'Zo'n taaie dat ik bijna nee zei tegen MacDuff, totdat hij me vertelde hoe je heet.'

'Wat?'

'Hij zei dat je Michael heet. Ik heb vroeger een klein jongetje gekend dat ook Michael heette, vóór ik bij Eve mocht komen wonen. Ik noemde hem altijd Mikey. Ik was zo'n beetje zijn grote zus. We zijn samen opgegroeid.'

'En ik lijk op hem?'

'Nee. Het was een klein schattig ventje en ik hield van hem, maar jij bent moediger en veel zelfstandiger.' Ze schraapte haar keel. 'Maar Mikey kan ik niet meer helpen en het leek me goed om een andere Michael te helpen.'

'Is Mikey weggegaan?'

'Ja.' Ze keek van hem weg. 'Hij is weggegaan.' Ze stond op. 'Vind je het goed dat ik je help? Dan zou ik me een stuk beter voelen. Zou je mijn vriend willen zijn en me jou en je mam willen laten helpen?'

Een tijdje zei hij niets en toen knikte hij langzaam. 'Ik wil jouw vriend wel zijn.'

'Kan ik je dan nu overhalen naar bed te gaan, zodat ik tegen je moeder kan zeggen dat ik goed voor je heb gezorgd?'

Hij moest lachen. 'Ik denk van wel.' Hij stond op en liep naar het bed. 'Ik zou niet willen dat je moeilijkheden krijgt. Ik ben lang niet zo taai als mam.'

'Volgens mij scheelt dat niet veel.' Ze keek toe terwijl hij de monitors aansloot, voordat ze hem instopte. Toen fluisterde ze: 'Ik ben er trots op dat ik je vriend mag zijn, Michael. Dankjewel...'

Sophie had net de verbinding met Michael verbroken, toen Royd op haar slaapkamerdeur klopte.

Ze stopte de telefoon in de zak van haar spijkerbroek en gooide de deur open. 'Het gaat goed met Michael. Hij sliep. Het spijt me dat ik hem wakker moest maken, maar het is wel een goed teken. En MacDuff is nog steeds op de Run. Hij zei dat hij nog niet weet waar Gorshank zit.'

'Dan zit-ie zich waarschijnlijk ontzettend te verbijten,' zei Royd. 'Ik denk dat hij niet kan wachten tot hij in actie mag komen. Heb je zin om te eten?'

Ze dacht even na en knikte toen. 'Ik ben uitgehongerd. Heb je dat Cubaanse restaurant kunnen vinden?'

'Nee. Ik ben van gedachten veranderd.' Hij knikte in de richting van de tas die hij bij zich had. 'Ik ben naar een traiteur geweest. Ik dacht opeens dat we wel op het strand konden eten. Het lijkt me heerlijk rustig en ik kan wel wat frisse lucht gebruiken.'

Sophie ook. Vanaf het moment dat Royd in haar bestaan was opgedoken, leefde ze in de hoogste versnelling en zelfs maar een paar uurtjes rust waren al enorm aantrekkelijk. 'We gaan.' Langs hem heen liep ze de trap af. 'Maar het verbaast me dat jij naar rust verlangt. Je lijkt me niet... ' Ze bleef staan om de goede woorden te vinden. 'Je bent altijd zo opgeladen. Ik heb het gevoel dat ik een schok krijg als ik je per ongeluk aan zou raken.'

'Je had anders nergens last van toen je die nacht bij mij in bed lag.'

'Nee.' Ze keek hem niet aan. 'Die nacht was je heel aardig.'

'Ik ben helemaal niet aardig.' Hij hield de deur voor haar open. 'Bijna alles wat ik doe is gericht op mijn eigen goed. Heel af en toe heb ik een terugval, maar ik zou er maar niet op rekenen.'

'Dat zou ik ook nooit doen. Dat heb ik wel geleerd, dat je nooit op iemand kunt rekenen.' Ze hadden het strand bereikt en ze bukte om haar gympen uit te trekken. 'Maar ik heb wel meer vertrouwen in je dan in andere mensen.'

'Waarom?'

'Omdat ik weet wat erachter zit.' De zon ging langzaam onder en het zand onder haar voeten voelde nog warm aan. Een zacht briesje blies haar haar uit haar gezicht en ze voelde zich opeens licht, vrij... Ze hief haar hoofd op en ademde de zilte zeelucht diep in. 'Dit was een heel goed idee, Royd.'

'Ja, die heb ik soms.' Hij wees naar een paar rotsen vlak bij de zee. 'Daar?'

Ze knikte. 'Mij best. Ik heb honger, dat zei ik toch.'

'Je zei dat je uitgehongerd was, ja,' verbeterde hij met een glimlach. 'Dat is voor het eerst dat ik je heb horen zeggen dat je ergens grote behoefte aan had. Meestal lijkt het of je alleen maar eet om in leven te blijven.' Zijn blik gleed over haar heen. 'En dat zie je. Je bent te mager.'

'Ik ben sterk en gezond.'

'Je ziet eruit alsof ik je met één hand kan breken.'

'Dan is mijn uiterlijk bedrieglijk.' Ze bleef staan bij de rotsen. 'Jij zou me echt niet kunnen breken, Royd.'

'Jawel, dat kan ik wel.' Hij liet zich op de grond vallen en begon de zak open te maken. 'Daar ben ik goed in: dingen breken... en mensen.' Hij keek naar haar op. 'Maar dat zou ik nooit doen, het zou me veel te veel pijn doen.'

Haar adem stokte. Plotseling voelde ze het bloed tintelen in haar handpalmen en kon ze haar blik niet losmaken van de zijne.

Uiteindelijk waren het zíjn ogen die zich ergens anders op richtten. 'Ga zitten en eet iets. Ik heb pastrami op bruinbrood met augurken en chips. Ze verkochten geen wijn in die winkel, dus je zult genoegen moeten nemen met cola.'

'Dat is prima.' Langzaam ging ze tegenover hem zitten. Het

was absoluut niet prima. Ze voelde zich duizelig en zwak. Mijn god, zo had ze zich niet meer gevoeld sinds ze zestien was. 'Ik hou wel van pastrami.' Voorzichtig pakte ze het broodje aan dat hij haar aanreikte. Ze moest hem niet aanraken. Dat zou echt een grote fout zijn nu. Zelfs naar hem kíjken was al fout, want dan wilde ze het liefst haar hand uitsteken en haar vingers zachtjes over zijn wang laten glijden. Hij had zo'n ruwe bolster, maar ze wist dat ze die houding kon doorbreken. Dat gaf haar een onstuimig gevoel van macht.

Shit, Adam en Eva en die verdomde appel. Wat ze voelde was puur primitief. Of toch niet zo puur, misschien.

'Het is goed.' Hij bestudeerde haar gezicht. 'Ik ga je heus niet bespringen, omdat je je nu een beetje kwetsbaar voelt. Daarom heb ik je hier niet mee naartoe genomen.'

Eigenlijk wilde ze meteen antwoorden dat ze zich helemaal niet kwetsbaar voelde, maar ze kon het gewoon niet over haar lippen krijgen. Nog nooit in haar leven had ze zich zo kwetsbaar gevoeld als nu. 'Waarom heb je me dan hier mee naartoe genomen?'

Hij fronste zijn voorhoofd. 'Je moest nodig ontspannen. Ik wilde je eens even zonder al die zorgen aan je hoofd zien.' Hij beet in zijn broodje. 'En ik wilde je zeggen dat... Ik heb heel lullig tegen je gedaan. Ik wilde niet dat je met me meeging en dus gedroeg ik me als een enorme klootzak.'

'Ja.'

Hij haalde zijn schouders op. 'Dat meende ik niet. Het kan me echt wel schelen of je blijft leven of niet.'

Hij was net een onhandig jochie dat deze bekentenis eigenlijk helemaal niet wilde doen. Ze trok haar wenkbrauwen op. 'Nou, dat is geruststellend. Dus het was een leugen dat je alleen maar met me naar bed wilt?'

'Eh, het was een leugen dat dat de enige reden was.' Hij glimlachte. 'Maar het was wel een heel belangrijke.' Zijn glimlach verdween. 'En dat is het nog steeds. Maar ik dring niet aan.' Hij stak het laatste stuk van zijn broodje in zijn mond en liet zich achterover in het zand vallen. 'Nog niet.'

Ze keek naar hem met een geamuseerde, maar tegelijkertijd vermoeide blik. Echt iets voor Royd om een uitdagende uitspraak te doen en haar dan totaal te negeren.

'Eet je broodje op en ga even liggen.' Royd deed zijn ogen niet open. 'Na vandaag krijg je misschien de kans niet meer om te ontspannen. Van de goede dingen in het leven moet je zoveel mogelijk genieten als je de kans hebt.'

'Dat weet ik wel.' Ze nam het laatste hapje van haar broodje en bleef een tijdje naar hem zitten kijken. Jezus, het leek wel of hij in slaap viel. Daar zat ze dan, op haar hoede en vol spanning en hij deed net of ze er niet was. Verdomme.

Ze leunde achterover tegen een rots. 'Maar als ik in slaap val, kun je me beter wakker maken voor ik word overspoeld door een golf, want ik hou er helemaal niet van om ruw uit mijn slaap gehaald te worden.'

'En dat vind ik soms nou net leuk. Een beetje schrik en ruwheid doen het bloed sneller stromen. Dat zal ik je ooit nog wel eens aantonen...'

'Ik wil helemaal niet dat je me...' Ga nou niet in discussie met hem. Ieder woord van hem veroorzaakte een plaatje in haar hoofd. Royd die eerste avond, naakt in bed. Royd die zo intens naar haar keek dat ze haar bloed voelde tintelen. 'Als je tegen me blijft praten kan ik echt niet ontspannen.'

'Daar heb je een punt. Maar je bent natuurlijk ook een slimme vrouw. Dat is een van mijn problemen. Je ziet er helemaal niet uit als een arts.'

'En hoe moet een dokter er dan uitzien?'

'Niet zoals jij. Als je je haar hebt gewassen, zit het in een krullende warrige bos, net of je een kind bent. Meestal gebruik je weinig make-up en zie je er schoon en zacht en stralend...'

Verdomme, voelde ze wéér dat warme getintel in zich opkomen.

'Nou, ik voel me nu net Shirley Temple.' Ze moest haar stem onder controle zien te houden. 'Ik hoop wel dat ik schoon ben, maar er is niets kinderlijks aan mij.' Ze sloot haar ogen. 'Ik heb zélf een kind, weet je nog?'

'Hoe zou ik dat kunnen vergeten? Hij bepaalt je leven.'

'Precies.'

Maar op dit ogenblik leek Michael heel ver weg. Het was lang geleden dat ze zich meer vrouw dan moeder had gevoeld.

Ze was zich heel erg bewust van haar lichaam, haar spieren, de manier waarop haar borst op en neer ging als ze ademde. Hoewel ze haar ogen dicht had, stond het beeld van de zee, het zand en Royd haar levendig voor de geest.

'Het is goed.' Royd praatte zachtjes. 'Zo hoort het ook. Ik bedoelde er verder niets mee. Maar je bent ook maar een mens. Dus als je me nodig hebt ben ik er voor je, Sophie.'

Ze kon niet antwoorden. De zak. Grof, brutaal, onbeschoft en dan was er opeens een moment waarop ze hem wel wilde omarmen, troosten, geruststellen. En net als ze zover was dat ze weer afstandelijk tegen hem kon doen, maakte hij een opmerking die haar weer deed smelten. 'Dankjewel.' Ze schraapte haar keel. 'Dat zal ik onthouden.'

Daarna zei hij niets meer. Zou hij in slaap zijn gevallen? Ze wist dat dat haar niet zou lukken.

Dat zal ik onthouden? Hoe kon ze anders?

15

Toen het al een paar uur donker was, gingen ze pas weer terug naar het huisje.

'Is alles goed met je?' vroeg Royd, terwijl hij het hek van het slot deed. 'Je was erg stil.'

Met moeite toverde ze een glimlach tevoorschijn. 'Met mij gaat het prima. Waarom dacht je van niet? Ik heb de laatste paar uur niets anders gedaan dan een beetje lui op het strand liggen.' Ze liep voor hem uit de binnenplaats op. 'Je had gelijk. Ik was hard toe aan een paar uur ontspanning en rust.' Hoewel die rust nogal twijfelachtig was. Haar lichaam had dan wel stil gelegen, maar haar hoofd en emoties waren flink in beweging geweest.

En dat had hij gevoeld.

Dat wist ze door de alertheid, de oplettendheid in zijn ogen. Vlug keek ze van hem weg en versnelde haar pas. 'Het was een goed idee om dat Cubaanse restaurant te laten zitten en...'

'Maak ik een kans vandaag?'

Meteen bleef ze stilstaan. 'Wat?'

'Je hebt me heus wel gehoord,' zei hij ruw. 'Misschien is het niet de meest tactische manier om het te vragen. Maar ik moet het gewoon weten.'

Ze draaide zich om en keek hem aan. 'Maak ik een kans vandaag?' herhaalde ze. 'Mijn hemel, ik voel me nu net een goedkope del die je net in het café hebt opgepikt.'

'Dat bedoel ik helemaal niet. Ik moet het gewoon... Ach, laat ook maar.' Hij liep langs haar heen en rende met twee treden tegelijk de trap op. 'Ik had kunnen weten dat ik...'

De deur van zijn slaapkamer sloeg hard achter hem dicht. Voordat ze verder de trap opliep, bleef ze even naar die deur staan staren. Ze voelde zich verbouwereerd, verward en verontwaardigd.

En teleurgesteld. Ze wist eigenlijk niet wat ze wel had verwacht, maar het was in ieder geval niet dat ze op deze manier door hem zou worden buitengesloten.

Dus wat wilde ze nou eigenlijk? Ze had zichzelf opgedragen om op geen enkele manier seksueel bij Royd betrokken te raken. Dat zou een grote vergissing zijn. Hun enige gezamenlijke interesse was het ten val brengen van Sanborne en Boch, en verder verschilden ze als dag en nacht van elkaar. Je kon geen relatie opbouwen als je niets gemeenschappelijks had. Met Dave had ze een heleboel interesses en doelen om na te streven gedeeld, en toch was hun huwelijk mislukt. Het was te zwak geweest om een tragedie te overleven. Dus hoe kon ze nou verwachten dat een relatie wel zou lukken met een man die...

Waar liep ze eigenlijk over na te denken? Royd wilde helemaal geen relatie; het ging hem om seks.

En was dat eigenlijk ook niet wat zíj wilde? Waarom al dit geanalyseer, alsof ze langzaam afstevenden op een relatie.

Zijn deur ging open.

Haar hart maakte een sprongetje.

'Ik moest het gewoon zeggen.' Zijn stem aarzelde. 'Ik zei het op de verkeerde manier. Ik ben niet stom, maar kom wel moeilijk uit mijn woorden in jouw bijzijn. Ik weet niet hoe dat komt. Alles komt er anders uit dan ik bedoel.'

Haar hand kneep hard in de trapleuning. 'Het leek me volkomen duidelijk wat je bedoelde.'

Hij schudde zijn hoofd. 'Jij denkt dat ik je heb beledigd. Je gebruikte de woorden "goedkope del". Dat is echt het laatste wat ik van je vind.'

Ze maakte haar lippen nat. 'Echt?'

'Je gelooft er niets van.' Zijn handen balden zich ongemerkt tot vuisten. 'Het schoot er gewoon uit. Oké? Ik ben in een ruige omgeving opgegroeid en heb verder ook zo geleefd. Ik zei gewoon wat ik dacht. Het is een manier van uitdrukken die onder vrijgezellen normaal is, maar ik bedoelde het helemaal niet zo.'

Ze kon haar ogen niet van hem losmaken. 'Wat bedoelde je dan wel?'

Hij was een tijdje stil. 'Dat ik mezelf als de gelukkigste man op aarde zou beschouwen als ik je aan zou mogen raken. En als ik met je mag neuken, zou ik me voelen alsof ik de hoofdprijs in de loterij heb gewonnen.' Hij vertrok zijn gezicht in een grimas. 'Dat was weer grof. Sorry, ik kan er niets aan doen. Zo bén ik gewoon.'

'Ja, dat was grof.' En zelfs die grofheid wond haar op, besefte ze.

'Maar het was wel eerlijk. Ik wil echt alleen maar eerlijk tegen je zijn. Ik probeer je nu niet het bed in te praten. Dat zou ik in het begin hebben kunnen doen, maar daarvoor is het nu te laat. Jij moet het net zo graag willen als ik.'

'En zo niet?'

'Dan zou het een mislukking worden,' zei hij eenvoudig. 'Ik wil veel te graag. Ik zou je zelfs pijn kunnen doen, omdat ik mijn best zou doen om jou te laten voelen wat ík voel. Dat wil ik niet. Jij moet net zo graag willen als ik. Anders moet je niet toestaan dat ik je aanraak.' Zijn blik gleed over haar gezicht. 'Ik maak je bang.'

'Nee, dat is niet waar.' Hij had haar geschokt, geraakt, zelfs ontroerd. Maar ze was niet bang voor hem. 'Ik ben nooit meer bang van je geweest, sinds die eerste nacht dat je bijna mijn keel doorsneed.' Ze probeerde te glimlachen. 'En ik denk niet dat je me pijn zou doen. Het is gewoon... geen goed idee.' Ze dwong zichzelf om de leuning los te laten en de gang in te lopen. 'Welterusten, Royd.'

'Welterusten.'

Ze voelde zijn ogen in haar rug. Maar hij zei niets, totdat ze bij de deur van haar kamer was aangeland.

'Je hebt het mis,' zei hij rustig. 'Het is juist een heel goed idee. Denk erover na.'

Haar hand klemde zich om de deurknop. Gewoon die knop omdraaien, de deur opendoen en die daarna weer achter zich sluiten. Het ging hem alleen om de seks. Ze had hem niet nodig. En hij haar niet. 'Schepen die elkaar in de nacht passeren.'

'Misschien. Misschien ook niet. Dat zullen we nooit weten.'

Ze was binnen. Doe de deur dicht en kijk niet meer naar hem om.

Maar ze wilde die deur helemaal niet sluiten.
Des te meer reden om het wél te doen.
Ze deed de deur dicht.

Ze zou naar hem toe komen.

Nee, natuurlijk niet. Wat een arrogante idioot was hij om te denken dat ze zich niet zou verzetten tegen de aantrekkingskracht die ze beiden voelden.

Naakt liep hij de kamer door en deed het raam open. Diep ademde hij de zilte lucht in. Kalm blijven. Rustig. Ze móést wel naar hem toe komen. Het was geen leugen geweest, toen hij had haar verteld dat hij bang was dat hij haar pijn zou doen. Normaliter had hij alles onder controle, maar dit was anders. Zíj was anders.

Hij hoorde zijn deur opengaan. Hij verstijfde, maar draaide zich niet om.

'Ik ben van gedachten veranderd.' Haar stem trilde.

Hij bewoog niet. 'Godzijdank.'

'Verdomme, draai je om. Ik wil je gezicht zien.'

'Als ik me nu omdraai zal het niet mijn gezicht zijn dat je opvalt.'

'Opschepper.'

Langzaam draaide hij zich om.

Haar ogen zochten zijn gezicht af en daalden toen langzaam af naar zijn onderlichaam. 'Jezus.'

'Ik zei het toch.'

Haar ogen vlogen weer naar zijn gezicht. 'Je verwachtte me. Je stond gewoon op me te wachten.'

'Ik hoopte dat je zou komen.'

'Ja, dat is te zien.' Ze trok haar T-shirt over haar hoofd uit. 'Oké, laten we het dan maar doen.' Ze gooide het shirt op de grond en even later lag ze in bed en trok het laken over haar naakte lichaam. 'Kom hier.'

'Dadelijk. Ik wil je eerst iets vragen.'

'Nee, dat wil je helemaal niet. Je wilt nu helemaal niet praten. Dat is overduidelijk.'

'Oké, ik móét je eerst iets vragen.'

'Kom hier.'

'Niet voordat je me een antwoord hebt gegeven. Ik kan niet dichterbij komen, want dan maakt dat antwoord me opeens geen bal meer uit.'

'Ik wil helemaal niet praten. Denk je dat dit makkelijk voor me was?'

Hij schudde zijn hoofd. 'Ik denk juist dat het heel moeilijk voor je was. Daarom moet ik ook zeker weten dat je om de juiste reden hierheen bent gekomen.'

Ze sloeg met haar hand tegen haar voorhoofd. 'Mijn god. Laat me raden. Je wilt dat ik je beloof dat ik ervan doordrongen ben dat dit geen relatie betekent. Verdomme, ik wil helemaal geen relatie. Ik zou toch denken dat jij...'

'Rot op met die relatie. Ik zou toch een idioot zijn als ik dacht dat jij op dit moment welke band dan ook met mij zou overwegen. Ik wil alleen maar antwoord op één vraag.'

'Wat dan verdomme? Vráág het dan.'

'Is dit een soort goedmakertje?'

Verbijsterd keek ze hem aan. 'Goedmakertje?'

'Waarom ben je zo verbaasd? Je bent een softie en iedere keer dat je naar me kijkt besef ik dat je aan Garwood denkt. Je zit vol schuldgevoelens en de laatste paar jaar is je leven erdoor beheerst en verpest. Ik wil niet dat je met me naar bed gaat, omdat je denkt dat je iets goed te maken hebt.'

'Jezus, je bent gestoord.' Ze zwaaide haar benen over de rand van het bed en ging rechtop zitten. 'En ik ga niet proberen om je dat te bewijzen.'

'Geef me dan gewoon antwoord.'

'Nee!' Stuurs keek ze hem aan. 'En ja, verdomme, ik voel me schuldig over het feit dat ik verantwoordelijk ben voor wat jou is overkomen.'

'Zie je wel? Maar je bént helemaal niet verantwoordelijk. Niet meer dan een wapen in de handen van een moordenaar.'

'Dat wens ik te betwijfelen.' Ze stond op. 'Maar daarom ga ik nog niet als een vestaalse maagd op het altaar liggen om geofferd te worden. Daarvoor hecht ik te veel waarde aan mezelf. Ik heb een enorme fout gemaakt, maar dat heeft niets te maken met het feit dat ik vanavond naar je toe ben gekomen... dat ging alleen om de seks.' Ze liep naar de deur. 'Maar daar ga ik je echt niet van proberen te overtuigen. Dat is het niet waard...'

'Ik zal het het waard maken.' In een paar seconden was hij aan de andere kant van de kamer en pakte haar arm vast. Hij viel voor haar op z'n knieën. 'Geef me drie minuten.'

'Sta op. Ik geef je geen...' Er ging een schok door haar heen toen ze zijn lippen op haar buik voelde. Haar spieren spanden zich, en hij legde zijn handen om haar billen.

'Drie minuten.' Zijn tong gleed over haar huid. 'Je kunt daarna altijd nog van gedachten veranderen.'

'Kan ik dat?' Haar handen grepen zijn haar vast. 'Daar ben ik niet zo zeker van.'

'Ik ook niet.' Hij wreef zijn wang tegen haar aan. 'Ik zit waarschijnlijk te liegen. Dus waarom kom je niet gewoon met me naar het bed. Dan is er geen enkele druk...'

'Ik voel juist een hele hoop druk, op dit moment.' Haar stem was onvast. 'Ik denk dat ik niet meer op mijn benen kan staan.'

'Ga maar liggen dan.' Hij trok haar naar beneden en bewoog zich over haar heen. 'Een kleed is net zo goed als een bed...'

'Royd...'

'Sst. Het is al te laat...' Hij duwde haar benen uit elkaar. Mijn hemel, wat voelde hij heerlijk, zo in haar. 'We hebben het te hard nodig. Jij hebt het te hard nodig. Dat vóél ik.'

'Geef me dan wat ik nodig heb.' Ze klemde haar tanden op elkaar, terwijl ze haar nagels in zijn rug groef. 'En stel me in vredesnaam niet van die stomme vragen meer of ik vermoord je...'

'Oké?' fluisterde Royd, toen hij voorzichtig van haar af rolde. 'Was ik niet te ruw?'

'Welke keer?' Haar adem werd rustiger, maar ze beefde nog steeds. Hij lag maar een paar centimeter van haar af, maar hij raakte haar niet aan. Ze wilde zijn aanraking voelen, zijn huid tegen de hare. Jezus, ze leek wel een nymfomane. Ze waren al een paar keer tegelijkertijd klaargekomen, als beesten over de vloer rollend, en nog wilde ze meer. Neem het dan, verdomme. Ze stak haar hand uit en streelde over zijn borst. Hij was warm, een beetje vochtig. Haar handpalm tintelde, terwijl hij over het stugge haar gleed, dat in een streep omlaag liep. 'Ja, je was ruw. Maar ik ook. Wie is degene die zich nu schuldig voelt?'

'Ik vroeg het maar even.' Hij pakte haar hand en bracht die naar haar mond. 'Ik evalueer.'

'Wat?'

'Mag ik je nog één vraag stellen?'

'Absoluut niet.' Ze keek hem nieuwsgierig aan. 'Wat?'

Hij likte aan haar wijsvinger. 'Ben ik de beste die je ooit hebt gehad?'

Vol ongeloof staarde ze hem aan. 'Arrogante klootzak.'

'Ben ik beter in bed dan je man was?'

'Royd, wie vraagt nou zoiets?'

'Ik.' Hij boog zijn hoofd en streelde haar tepel met zijn lippen. 'Het is belangrijk.'

'Om je ego te strelen?'

'Nee.' Hij hief zijn hoofd op om haar aan te kunnen kijken. 'Als ik iets verkeerds heb gedaan, moet ik dat weten. Ik moet de beste zijn die je ooit hebt gehad. En als ik dat nog niet ben, moet ik eraan werken om de beste te worden.'

Ze staarde hem verbouwereerd aan. 'Ik wist wel dat je competitief was, maar dit gaat echt te ver.'

Hij schudde zijn hoofd. 'We beginnen met heel weinig gemeenschappelijks. Misschien zijn er wel een paar dingen waar we het over eens zijn, maar we hebben niet eens de tijd om die te ontdekken. Tot dat moment hebben we alleen dit. Ik wil niet dat het niet goed genoeg is om je bij me in de buurt te houden.'

'Ik moet wel in je buurt blijven, we hebben REM-4.'

Zijn mond vertrok koppig. 'Je moet bij mij willen blijven.'

'Waarom?'

Even bleef hij het antwoord schuldig. 'Omdat ik iets voor je voel. Ik weet niet wat, maar ik kan het ook niet loslaten.'

'Wat een nauwgezette uitleg.'

'Jij bent de wetenschapper, niet ik. Het enige waar ik nauwgezet in ben is hoe je een man vanaf een kilometer afstand neerschiet.' Zijn mond vertrok. 'Je kromp in elkaar. Dat vond je niet leuk om te horen.'

'De meeste mensen zouden in elkaar krimpen.'

'Niet noodzakelijkerwijs. Er zijn vrouwen die het opwindend vinden om zo dicht bij geweld te zijn.' Hij stond op. 'Kom op. Laten we naar bed gaan.'

‘Misschien is het beter als ik naar mijn eigen kamer ga.’

‘Nog niet.’ Hij trok haar van de vloer omhoog. ‘Ik heb weer een verkeerde opmerking gemaakt en die moet ik eerst uitvlakken.’

‘En tegelijkertijd bewijzen dat je een soort sekskoning bent?’

‘Nee, helemaal niet.’ Hij trok haar tegen zich aan. ‘Ik wil alleen de beste zijn voor jou. Daar is toch niets mis mee?’

Hij had haar alleen nog maar aangeraakt en ze voelde dat ze alweer begon te tintelen, alweer klaar was voor hem. ‘Ik weet zeker dat er iets is. Waarschijnlijk iets dat psychologisch gezien nergens op slaat. Wat zou je zeggen als ik je vroeg of ik de beste was die je ooit hebt gehad?’

‘Ik zou antwoorden dat je inderdaad goed bent, maar dat we samen geweldig zijn.’ Hij knabbelde op haar onderlip. ‘En dat je niet met iemand anders moet gaan liggen rommelen, want dan kan het alleen maar minder zijn.’

Ze betrapte zichzelf op een glimlach. ‘Royd. Je bent gewoonweg onmogelijk.’

Hij leidde haar naar het bed. ‘Maar wel de beste?’

‘Misschien.’

‘Dat is niet genoeg. Ik vermoed dat ik aan het werk moet.’ Hij trok haar boven op zich. ‘Maar je zult me moeten helpen. Je moet me vertellen wat je lekker vindt, wat je opwindt. Zul je dat doen?’

Haar ademhaling werd snel. ‘Waarschijnlijk niet.’

‘Waarom niet?’

‘Idioot. Omdat ik niet na kan denken en al helemaal niet kan praten als je dit met me doet.’

‘Dat is nou jammer.’ Grijnzend keek hij naar haar op. ‘We zullen dat later toch eens goed moeten analyseren. Op een heel accurate, klinische manier.’

‘Dat moeten we helemaal niet.’ Ze omsloot zijn gezicht met haar handen en keek hem aan. ‘Hou je mond, Royd.’

‘Tot je dienst.’ Hij lachte niet meer naar haar, maar ze kon wel een sprankje humor in zijn ogen zien. ‘Ik dacht dat je het lekker vond om tijdens de seks te praten. Ik hoorde je daarstraks toch hard genoeg.’ Hij deed net of hij diep na moest denken. ‘Maar dat waren eigenlijk meer grommen, gillen of zuchten. O, ja, en af en toe riep je "meer, meer" tussendoor... Au. Dat was gemeen.'

'Je verdiende loon.'

Hij rolde haar van zich af. 'Dat moeten we dan ook eens bepraten. Blijkbaar hou je ervan om die arme mannelijke partners van je pijn te doen. Ik weet niet hoeveel ik daarvan kan verdragen, maar Sophie, ik doe alles wat je wilt.'

Erotiek, passie en nu ook nog humor. Dat laatste had ze niet verwacht. 'Lelijkerd.' Ze trok hem omlaag en kuste hem hard. 'Ga je nou je kop dichthouden?'

'O, ja.' Zijn handen bewogen zich over haar lichaam. 'Zoals ik al zei: ik doe alles wat je wilt, Sophie...'

Slaperig deed ze haar ogen open. Er stroomde zonlicht door het raam naar binnen. Gisteravond, toen ze naar hem toe was gegaan, had Royd naakt voor dat raam gestaan. Zijn rug was naar haar toe gekeerd geweest en ze had zijn harde, gespierde billen gezien en zijn krachtige schouders. Ze had hem toen al aan willen raken en later hadden haar handen zijn lichaam leren kennen alsof...

Royd was weg.

Haar blik vloog naar de kuil in het kussen naast haar. Geen Royd.

Even deed ze haar ogen dicht, omdat ze werd overspoeld door teleurstelling. Idioot. Wat had ze dan verwacht? Ze hadden seks en een geweldige nacht met elkaar gehad. Dat betekende niet dat hij verplicht was om nu bij haar te zijn.

'Klaar?'

Royd stond aan de voet van het bed, toen ze haar ogen opendeed. Met natte haren en helemaal fris. 'Klaar voor wat?'

Hij glimlachte. 'Seks? Een douche? Ontbijt? Een ochtendduik? Ik heb de opties aangegeven in volgorde van belangrijkheid voor mij.'

Ze voelde een warm en geruststellend gevoel door zich heen gaan. Gek dat die paar woorden dat gevoel van verlatenheid in één keer hadden weggevaagd. 'Je haar is nat. Van de douche of heb je gezwommen?'

'Douche. Ik dacht dat ik beter op je kon wachten.' Hij bleef naar haar staan kijken. 'Kom maar gauw het bed uit, anders kan ik niet anders dan er weer in komen. Maar het is al bijna twaalf uur, dus ik denk dat we daar beter mee kunnen wachten tot je wat hebt gegeten.' Hij draaide zich om en liep naar de deur. 'Neem een douche. Ik heb in je tas gerommeld en schone kleren voor je neergelegd in de badkamer. Ik maak ondertussen koffie en een omelet. Twintig minuten?'

'Dertig.' Ze ging rechtop zitten en gooide het laken van zich af. 'Ik moet mijn haar wassen. Ik voel me alsof ik midden in een tornado zat.'

'Dat heb je ook.' Hij glimlachte. 'Wij samen.'

Voordat ze iets terug kon zeggen, was hij verdwenen. Ze stond op en ging naar de badkamer. Haar lichaam voelde licht en soepel, haar spieren zo ontspannen en veerkrachtig dat ze zich bijna een kat voelde. Na een nacht met zoveel intense seks had ze verwacht dat ze uitgeput zou zijn. Maar in plaats daarvan zat ze vol energie en leek het wel of haar hele lichaam gloeide. Zo had ze zich nooit gevoeld met Dave. Seks was bevredigend geweest, maar nooit iets allesomvattends.

Denk nou niet aan Dave. Ga niet zitten te vergelijken. Wat Royd en zij gisteravond hadden meegemaakt was iets unieks. Af en toe kwam het voor dat twee mensen seksueel perfect op elkaar waren afgestemd. En dat betekende niet dat ze dat ook op andere gebieden waren. De hemel wist dat Royd en zij wat betreft ieder ander onderwerp mijlenver van elkaar waren verwijderd.

Ze draaide de kraan open en stapte onder de douche. Het hete water voelde ontspannend en sensueel. Mooi. Nu even niet nadenken, maar gedachteloos genieten van het moment. Met haar hoofd naar achteren gebogen liet ze het water over zich heen stromen.

'Je bent vijf minuten te laat.' Royd stond bij het gasfornuis en draaide zich om, toen ze de keuken binnenkwam. 'Maar ik ook. Ik kreeg een telefoontje.'

Ze verstrakte. 'MacDuff?'

Hij schudde zijn hoofd. 'Kelly. Hij wilde instructies.'

'En wat heb je tegen hem gezegd?"

'Dat hij een andere boot moest huren met de modernste apparatuur en moest wachten tot wij daar waren.' Hij schepte de omelet op twee borden. 'Schenk jij de koffie in, dan pak ik de jus d'orange uit de koelkast.'

'Oké.' Haar voorhoofd was nog steeds gefronst toen ze de kan oppakte. 'Waarom hebben we de modernste apparatuur nodig?'

'Misschien hebben we die wel helemaal niet nodig. Maar ik ben graag op alles voorbereid.' Hij zette de borden op tafel. 'Maak je nou niet druk.' Hij pakte de kan van haar over en schonk de koffie in. 'Dat vind ik vervelend.'

Haar wenkbrauwen schoten omhoog. 'O, en daarom moet ik er maar mee ophouden?'

'Tot je echt iets hebt om je druk over te maken. Ik wist dat je opgefokt zou zijn door dat telefoontje van Kelly, maar aan de andere kant weet ik ook dat je ervan baalt als ik je niet van alles op de hoogte hou.'

'Ja, dat doe ik zeker.'

'Ga zitten.' Hij duwde haar in een stoel. 'En glimlach naar me zoals je deed toen je de keuken binnenkwam.'

'Hoe was dat dan?'

Hij boog zijn hoofd voorover en keek haar diep in de ogen. 'Smachtend. Duidelijk smachtend. Weet je hoe ik me daardoor voel?' Zijn vingers gleden door haar haar. 'Zijdeachtig. Je voelt overal zijdeachtig aan. Elk plekje dat ik heb aangeraakt.'

De hitte sloeg weer door haar heen en ze kon nauwelijks ademhalen.

Langzaam begon zijn hand haar borst te strelen. 'Mooi en zacht en zijdeachtig,' zei hij zachtjes. 'Wil je de keukenvloer proberen?'

Ja, dat wilde ze zeker. Ze beefde helemaal van verlangen om hem naar beneden te trekken en...

'Kom op,' zei hij, terwijl zijn hand onder haar bloes verdween. Huid tegen huid. De spieren in haar buik spanden zich. 'We kunnen dat later wel opeten. Het maakt niet uit.'

'Nee, het maakt...' Ze haalde diep adem en haalde zijn hand onder haar bloes vandaan. Mijn god, wat was het moeilijk om hiermee op te houden. 'Het maakt niet uit wanneer we eten. Maar het maakt wel uit dat je seks gebruikt om me af te leiden.

Ik moet me druk maken over alles wat er gebeurt en jij behandelt me als een soort pop die je tevoorschijn haalt om mee te spelen en dan weer terugstopt in de doos.'

'Foute tactiek?' Hij haalde zijn schouders op en ging in de stoel tegen over haar zitten. 'Sorry, maar ik voel me nogal beschermend ten opzichte van jou. Dat was al een tijdje aan de gang en gisteravond maakte het definitief. Het zal wel iets te maken hebben met een oerinstinct om de soort in stand te houden. Daar weet jij vast meer van dan ik. Jij hebt tenslotte gestudeerd.'

'Je blijft maar dingen zeggen over het feit dat ik gestudeerd hebt. Zit dat je dwars?'

'Nee, niet als het jou niets uitmaakt.' Hij bracht het kopje naar zijn mond. 'Ik heb geleerd dat ik alles kan leren wat ik moet leren.'

Net zoals hij vannacht had geleerd hoe haar lichaam in elkaar zat en hoe hij haar allerlei sensaties kon laten ondergaan. De gedachte daaraan duwde ze snel weg. Haar lichaam tintelde nog steeds, moest nog bijkomen van zijn aanraking en verlangde naar het gevoel dat hij haar door hun samensmelten kon geven. 'Ja, je blijkt nogal getalenteerd te zijn op dat gebied.'

Hij grinnikte en haar blik vloog naar zijn gezicht. Hij wist precies waar ze aan had zitten denken. Maar ze wendde haar blik niet af. Ze pakte haar vork en nam een hapje van de omelet.

'Ik ben blij dat je er zo over denkt.' Zijn mond vertrok in een halve grijns. 'Meestal lukt het me wel om de dingen te doen die moeten gebeuren. Als de beloning tenminste interessant genoeg is.' Zijn gezicht werd weer ernstig. 'We kunnen het onderwerp blijven vermijden, maar dat ben ik niet van plan. De grond onder mijn voeten voelt onvast en daar wil ik verandering in brengen.'

'Wat bedoel je?"

'Op dit moment sta ik er best goed voor. Je hebt het fijn gehad vannacht en dat gevoel blijft nog wel een tijdje hangen. Je gevoel is nu sterker dan je verstand. Maar dat blijft natuurlijk niet zo met het verstrijken van de tijd. Dan word je bang en denk je aan je zoon en je leven tot nu toe en hoeveel we van elkaar verschillen.'

'Ja, we zijn heel verschillend.'

'Niet in bed,' zei hij bot. 'En over de rest is te onderhandelen. Ik heb je gisteravond gezegd dat ik gevoelens voor je koester. Die zijn alleen maar sterker geworden. Veel sterker. Ik weet niet waar dit toe leidt, maar ik kan het ook niet loslaten. Ik kan jóú niet loslaten, Sophie.'

'Ik wil hier nu niet over praten.'

'Ik wel. Ik weet niet hoe lang we nog hebben, voordat de hele situatie in ons gezicht ontploft. Ik had nooit verwacht dat dit zou gebeuren, maar het is nou eenmaal gebeurd en dat zullen we onder ogen moeten zien.' Zijn handen grepen zijn kopje harder vast. 'Dus zeg maar eerlijk wat je denkt.'

'Wat wil je dat ik zeg?' Ze likte langs haar lippen. 'Vannacht was beter dan gewoon goed, het was fantastisch. Ik ben nogal een workaholic geweest in mijn leven en seks is nooit verschrikkelijk belangrijk voor me geweest. Het was gewoon plezierig.' Haar lippen trokken samen. 'Met jou is seks niet plezierig, Royd. Overrompelend. Je hebt mijn respons gezien. Ik wil met je naar bed blijven gaan. Jij dacht dat ik dat misschien deed, omdat ik medelijden met je had. Maar ik heb eerder medelijden met mezelf. Het leven is de laatste jaren niet erg vriendelijk voor me geweest en ik wil al het plezier wat me nu wordt gegeven met beide handen aanpakken. Ik vind gewoon dat ik dat verdien. Was dat wat je wilde weten?'

'Gedeeltelijk. Het is een begin. Geen liefje voor één nacht?'

Ze aarzelde. 'Ik weet niet hoe... Alles kan opeens veranderen. Hoe kan ik nou zeker weten hoe ik me zal voelen? Met Sanborne en zo...'

'Oké, oké. Ik sta er al beter voor dan ik dacht. Je hebt geen bedenkingen achteraf over seks met mij. Je bent alleen niet zeker over de toekomst.' Hij dronk zijn koffie op. 'Daar kan ik mee leven.'

'Misschien wil je dat niet eens,' zei ze zachtjes. 'Ik ben geen femme fatale. Wat je nu voelt, kan in een paar dagen vervlogen zijn.'

'Misschien, maar waarschijnlijk niet. Ik kan nogal obsessief zijn. Oké, eet je ontbijt op en dan gaan we lekker zwemmen.'

Ze leunde achterover in haar stoel en keek naar hem. Wat

was hij toch veranderlijk. Het ene moment heel intens en volkomen geconcentreerd en het volgende sloeg hij een totaal andere weg in.

'Ik geef je gewoon wat ruimte.' Hij bestudeerde haar gezicht. 'Ik heb je onder druk gezet. Je hebt even pauze nodig.'

'Nou, je bent wel zeker van jezelf.' Ze stond op. 'En van mij. Zwemmen klinkt heerlijk.' Ze begon de knoopjes van haar bloes los te maken. 'Maar niet heerlijk genoeg. En het is ook niet wat ik nu het liefste wil. Kleed je maar uit, Royd.'

'Sophie?'

'Je hebt me een beurt op de keukenvloer beloofd.' Het laatste knoopje was los. 'En je moet je aan je belofte houden, Royd.'

'Dat zal ik doen.' Hij stond achter haar, legde zijn handen op haar borsten en fluisterde in haar oor: 'Altijd.'

Twee uur later ging Sophies telefoon. Ze reikte over Royd heen naar het nachtkastje om hem op te nemen.

'Ik weet meer over die Gorshank. Venable van de CIA had informatie over hem,' hoorde ze MacDuff zeggen. 'Anton Gorshank. Russische wetenschapper die aan een paar smerige projecten heeft gewerkt, voordat de Sovjet-Unie uiteenviel.'

'Scheikundige?'

'Ja, en hij is het laatst in Denemarken gesignaleerd. De CIA is hem twee jaar geleden uit het oog verloren.'

'Dus ze weten niet waar hij nu is?'

'Ze zijn ermee bezig. Blijkbaar hebben ze wel een aantal aanwijzingen. Ik heb Joe Quinn gevraagd om hen wat meer onder druk te zetten. Die heeft ook een paar vrienden bij de CIA. Ik verwacht snel iets te horen. Dan bel ik weer.'

'Dank je. Hoe gaat het met Michael?'

'Prima.'

'Kan ik hem spreken?'

'Dan moet je Jane bellen. Jock en ik zijn twee uur geleden vanaf de Run vertrokken.'

'O... ja.'

'Ik had je gezegd dat we zodra we iets te weten waren gekomen, op weg zouden gaan, Sophie,' zei hij vriendelijk.

'Ja, dat weet ik.' Maar ze kreeg er toch een akelig gevoel van, nu ze wist dat MacDuff en Jock niet langer bij Michael waren. Ze had veel vertrouwen in hen gekregen. 'Waar gaan jullie naartoe?'

'We komen jullie kant op. Dag, Sophie.'

'Dag.'

'Gorshank?' vroeg Royd.

Ze knikte. 'We weten wie hij is. Een Russische wetenschapper die twee jaar geleden uit Denemarken is verdwenen. Het is niet bekend waar hij nu uithangt. Maar MacDuff verwacht ieder moment te horen waar hij zit.'

'Goed.'

'En Jock en hij zijn onderweg. Het is duidelijk dat hij gelooft dat er binnen afzienbare tijd een doorbraak zal zijn.'

Hij kwam overeind en keek haar aan, steunend op een elleboog. 'En jij voelt je niet gerust over Michael.'

'Nee, natuurlijk niet. Ik ben altijd ongerust over hem. Sinds de dag dat mijn ouders doodgingen.' Ze ging rechtop zitten. 'Ik ga hem bellen en ook even met Jane praten. Dat zal wel maken dat ik me beter voel.'

'Denk je?'

'Ik moet toch íémand vertrouwen. Ik voel me nu nogal alleen.'

'En wat ben ik dan? Een bal gehakt?'

'Ik bedoelde niet...'

'Dat weet ik wel.' Hij stapte het bed uit. 'Je hebt net een beetje een koude douche gehad en je ziet mij niet in de rol van vriend die je kan helpen. Ik dacht dat ik het er nu best goed van afbracht op dat gebied, maar blijkbaar toch niet.' Hij haalde zijn schouders op. 'Geen probleem. Ik neem genoegen met wat ik krijg. Je hebt me al gezegd dat je een probleem hebt met vertrouwen. Wil je als je Michael hebt gebeld, nog gaan zwemmen?"

'Ja, ik denk het wel.' Ze liep in de richting van de badkamer. 'Als we dan nog niets van MacDuff hebben gehoord.'

'Natuurlijk, dat zou vanzelfsprekend voorgaan. Je hebt me wel een beetje van mijn à propos gebracht, maar niet genoeg om de taak die ons te doen staat, te vergeten.'

'Ik zou werkelijk een idioot moeten zijn om te geloven dat jij het type man bent dat zich zó grondig van zijn stuk zou laten brengen. Ik heb altijd geweten...'

'Sophie.'

Ze keek naar hem om.

Zijn mond was een streep en zijn stem klonk rauw. 'Je bent nu al bezig om afstand tussen ons te scheppen. Dat gaat niet gebeuren. Ik wil heus wel op de tweede plaats komen, maar ik wil niet uit beeld verdwijnen.'

'Waar heb je het nou over?'

'Dat weet je waarschijnlijk écht niet. Je bent zo gewend om aan niemand anders te denken dan aan Michael, dat je de herinnering aan wat wij met elkaar hebben gauw in een klein hoekje van je geest wilt stoppen, zodat je het makkelijk kunt negeren. Maar zo makkelijk gaat dat niet. Daar zal ik wel voor zorgen.' Zijn mond vertrok. 'De huwelijksreis is níét voorbij.'

'Huwelijksreis? Dat gaat uit van een verbintenis die wij niet hebben.'

'Hoe je het ook wilt noemen.' Hij liep naar de deur. 'Dat is alles wat ik wilde zeggen. Het leek me eerlijk om je te waarschuwen.'

'Nou, nou. Dat klinkt als een dreigement.'

'Wat verwacht je anders van iemand zoals ik?' Hij schudde zijn hoofd. 'Nee, het is geen dreigement. Ik ga je heus niet stalken. Als je van me weg wilt als dit voorbij is, wens ik je veel geluk. Ik zal alleen mijn uiterste best doen om dat te voorkomen. En mijn uiterste best gaat ver. Tot die tijd zal ik zo beschaafd en aardig zijn, dat je zo gelukkig bent als een vis in het water en ik bijna van mezelf moet kotsen. Ik zie je beneden.'

De deur sloot zich achter hem.

Beschaafd en aardig? Die klootzak had geen idee wat die woorden betekenden. Hij was ruw en hard en met hem samen zijn was net zoiets als je tijdens een tornado vastklampen aan het eerste wat er bij je in de buurt komt.

Maar de laatste vierentwintig uur had ze niet anders gewild. Als hij ruw was, had hij haar geen pijn gedaan en hij was een ongelofelijk opwindende minnaar. Zijn onvoorspelbaarheid en gewelddadige trekjes hadden haar bang kunnen maken, maar ze had juist ontdekt dat ze verslavend waren. Ze had zich geen enkel moment bedreigd gevoeld door hem. Hij was dan wel niet gepolijst en makkelijk, maar ze wist zeker dat hij haar geen pijn zou doen. En hoewel ze hem een paar minuten geleden had beschuldigd van een dreigement, was dat eigenlijk meer een verdedigende opmerking geweest.

Verdedigend. Waarom had ze het gevoel dat ze zich moest verdedigen, als ze net had besloten dat ze niet bang was voor Royd?

Controle.

Opeens flitste het glashelder door haar heen. Haar hele volwassen leven had ze de controle gehad: in haar huwelijk, in haar carrière, met Michael. En in bed met Royd was die controle verdwenen. Ze had welbewust de controle losgelaten om te kunnen genieten van het intense plezier dat hij haar gaf. Jezus, zo klonk het wel of ze ziekelijk dominant was. Met Dave had ze de teugels in handen gehad omdat hij dat prettig vond. En als arts moest ze gedisciplineerd zijn en autoriteit uitstralen. En met Michael was ze natuurlijk gewoon moeder en hoorde dat nou eenmaal bij haar rol.

Maar met Royd zou het nooit iets vanzelfsprekends zijn. Hij zou misschien water bij de wijn doen, maar dat was dan ook alles. Hij had gezegd dat hij haar respecteerde, maar dat respect zou ze elke minuut van de dag weer moeten verdienen.

Nadat ze de deur van de badkamer had dichtgedaan, bleef ze er met haar rug tegenaan leunen. Hou nu maar op met dat gepieker over Royd. Misschien had ze een fout gemaakt door met hem naar bed te gaan, maar dat was nu eenmaal gebeurd. Het was fantastisch geweest, maar dat betekende nog niet dat ze ermee door moest gaan. Hun verhouding nu abrupt verbreken was niet meteen nodig, maar ze moest zich wel concentreren op...

Plotseling schoot het beeld van Royd vlak voor hij de slaapkamer was uitgelopen, door haar hoofd. Naakt, gespierd, vrijpostig en heel opwindend.

Ja, hou op met aan hem te denken.

Het zat er niet in.

16

Toen ze een halfuurtje later de trap afliep, ging haar telefoon.
MacDuff?
Royd kwam de hal in lopen en keek naar haar op.
Met trillende handen duwde ze de verbindingstoets in.
'Hoe gaat het met je, Sophie?' hoorde ze Sanborne vragen. 'Goed, denk ik.'
Geschokt bleef ze op de trap stilstaan. 'Wat moet je van me, Sanborne?'
Royd verstijfde, zijn blik strak op haar gezicht gericht.
'Wat ik altijd heb gewild,' antwoordde Sanborne. 'Een samenwerking met iemand die ik respecteer en vertrouw. Je moet nu toch wel beseffen hoe futiel die wraakacties van je zijn. Je kunt niet winnen en je brengt er mensen van wie je houdt mee in gevaar.'
'Zoals Dave?'
'Ik heb geen idee waar je het over hebt. De politie is ervan overtuigd dat jíj degene bent die Edmunds heeft gedood.' Hij was even stil. 'Ik dacht meer aan je zoon.'
'Klootzak.'
'Ik heb gehoord dat er zich een afschuwelijke gebeurtenis heeft afgespeeld in Schotland. Ik ben blij dat jouw zoon nog niets is overkomen.'
'En dat blijft ook zo,' zei ze tussen haar tanden door. 'Je kunt hem niets doen, Sanborne.'
'Omdat jij samen bent gaan werken met Royd? Dat is een fout van je. Hij is niet stabiel. Hij zal je meesleuren in zijn ondergang.'
'Ik ben zelf ook niet stabiel. Niet wat jou betreft.'

'Dan wordt het tijd dat je je daar overheen zet. Ik heb een aanbieding voor je die je niet kunt weigeren.'

'Dat had je gedacht.'

'Je zit nu veel dieper in de problemen dan de vorige keer dat ik belde. De politie is naar je op zoek. Het DNA dat is gevonden op de plaats delict is zonder twijfel het jouwe. Je carrière is voorbij en je zoon is in gevaar. En geloof me, dat laatste is zeker waar. Kom bij me werken, Sophie. Je zult rijk en machtig zijn en je zoon is dan veilig.'

'En ik zou net zo'n monster als jij worden.'

'Macht, Sophie. Dat is de grote gelijkmaker tussen heiligen en monsters.'

'Je bent gestoord.'

Daar gaf hij geen antwoord op. 'Merk je dat ik niet woedend op je word? Dat zou toch een bewijs moeten zijn voor hoe graag ik met je wil samenwerken.'

'Het bewijst alleen maar dat je niet zo zeker over REM-4 bent als je zou willen.'

'Je bent slim. Maar je hebt op het moment een voorbeeld van REM-4 in je buurt. Royd was een van mijn prijsexemplaren. En allemaal dankzij jou.'

'Hou je mond.'

'Oké. Ik wil je niet tegen me in het harnas jagen als we zo nauw gaan samenwerken. Ik bel nog wel.' Hij hing op.

'Moet ik vragen wat hij wilde?' vroeg Royd kalm.

'Mij.' Ze beefde helemaal. 'Dat verwachtte ik niet van hem... Het verbaasde me.'

Plotseling was hij naast haar en hield haar in zijn armen. 'Makkelijk. Hij wil je zwak en bang hebben. Maar dat moet je hem niet gunnen.'

Ze klemde zich aan hem vast. 'Het is zo'n klootzak. Hij bleef maar bedreigende dingen over Michael zeggen.'

'Dat is natuurlijk zijn troefkaart.'

'En hij had het over jou. Dat jij een prijsexemplaar was en dat ik daarvoor had gezorgd.' Ze maakte haar lippen nat. 'En dat is waar. Dat heb ik gedaan.'

'En ik bén een prijsexemplaar.'

Geschokt verstijfde ze.

'Dat vond je vannacht tenminste. En dat heb jij veroorzaakt. Meerdere keren zelfs.'

'Je weet dat ik bedoelde...' Ze duwde hem van zich af en keek hem aan. 'Het is helemaal niet grappig.'

'Jawel, dat is het wél.' Hij glimlachte. 'Het is grappig dat hij denkt dat hij jou of mij met dat soort onzin kan raken. We zijn veel verder dan hij.' Hij draaide haar om en gaf haar een vriendelijk klapje. 'Kom op, naar boven en inpakken. We moeten hier binnen vijf minuten weg zijn.'

'Denk je dat het gesprek wordt getraceerd?'

'Dat is heel goed mogelijk. Ik maak gebruik van een satelliettelefoon en de NASA kan zowat elk signaal van ieder telefoonbedrijf in het land oppikken. Boch heeft contacten met militaire afdelingen die zonder problemen op ons kunnen inzoomen. Ik wil hier niet gaan zitten wachten tot de politie of Sanbornes mannen ons een bezoekje komen brengen.'

Ze rende de trap op. 'Ik denk niet dat het de politie zal zijn. Hij was... Ik denk dat ik merkte... Hij wil míj, Royd. Levend en wel.'

'Dan moeten we ons afvragen waarom dat opeens zo urgent is.' Hij draaide zich om en liep naar de voordeur. 'Maar wel heel ver hier vandaan.'

Sanborne keerde zich naar Boch. 'Heb je de locatie?'

Hij keek op van de telefoon. 'Ze zijn ermee bezig. Ergens in het zuiden van Florida.'

Sanborne vloekte. 'Waar? Royd heeft haar daar in een paar minuten vandaan.'

'Misschien laten ze wel een aanwijzing achter waar ze...'

'Ik kan haar echt niet door de hele Verenigde Staten gaan achtervolgen. Ik moet haar nú te pakken krijgen.'

'Waarom sturen we Devlin niet naar Florida? Als hij weet waar hij moet beginnen, moet hij in staat zijn om ze te vinden. Jij hebt ervoor gezorgd dat hij daar een expert in is geworden.'

'Nee, ik wil...' Hij stopte en dacht erover na. Verdomme, hij had dat mens naar zijn kamp willen lokken. De kans daarop was misschien wel heel klein geweest, maar het was altijd beter om medewerkers te hebben die er uit eigen vrije wil waren, dan mensen die ertoe waren gedwongen. Dat had hij van de experimenten in Garwood wel geleerd. Het had zo kunnen zijn dat ze voelde dat ze in de val zat, omdat de politie achter haar aan zat. Maar blijkbaar was ze niet angstig genoeg. 'Ja, we bellen Devlin. Ik moet hem spreken.'

'Zeg eens,' zei Royd zodra ze op de snelweg waren. 'Wat denk jij wat Sanborne van plan is? Je zei dat hij je levend en wel wil hebben.'

'O, ik weet zeker dat hij me uiteindelijk wel dood wil hebben, maar nu nog niet.' Ze fronste haar voorhoofd en probeerde zich de woorden en de nuances van het gesprek weer precies voor de geest te halen. 'Hij probeerde me over te halen om bij dat afschuwelijke onderzoeksteam van hem te komen. Mijn god, kun je je voorstellen hoe groot dat ego van die vent moet zijn? Verwachtte hij dat ik alles wat hij op zijn geweten heeft maar gewoon zou vergeten?'

'Het is niet zijn ego. Sinds ik weg ben uit Garwood, maak ik al een soort studie van hem. Bij Sanborne ontbreekt er iets in zijn karakter.'

'Geweten?'

'Zelfs dat niet. Hij heeft niet de emoties zoals normale mensen die voelen. Hij doet wel net alsof, maar hij snapt het gewoon niet. Hij is slim, apprecieert schoonheid en hij geniet van een gevoel van macht, maar hij begrijpt de pijn en de haat die hij veroorzaakt gewoon niet, omdat hij niet in staat is om zoiets zelf te voelen. En omdat hij wel de dorst naar macht begrijpt, snapt hij waarschijnlijk niet echt waarom je, als hij je genoeg biedt, niet gewoon de dingen die hij heeft gedaan om je pijn te doen, opzij kunt zetten.' Hij haalde zijn schouders op. 'Jij bent arts, dus jij weet misschien de juiste benaming voor zo'n stoornis.'

'Je hebt het heel goed uitgelegd.' Het was logisch. Zijzelf had zo vol gezeten met haat en schuldgevoelens, dat ze er nooit aan toe was gekomen om Sanbornes karakter te analyseren. Het enige wat zij had gewild was de wereld van hem en REM-4 verlossen. Maar als ze nu terugdacht aan al haar ontmoetingen met Sanborne, kon ze zich inderdaad allerlei signalen herinneren. 'En daarom heeft hij ook geen gewetensbezwaren om REM-4 op deze manier in te zetten.'

'Ja, dat denk ik. Natuurlijk kan hij ook gewoon een ongelofelijke klootzak zijn. Maar dat maakt me niet uit. Ik heb me in hem verdiept, omdat de kans dan groter is dat ik hem ook kan vernietigen. Ik zit er niet mee dat hij gestoord is. Ik ga hem echt niet beter maken. Ik ga hem vermoorden.' Even was het stil. 'Maar waarom legt hij juist nú zo'n druk op je? Je vertelde wel dat hij het al eerder heeft geprobeerd, maar toen je daar nee op had gezegd, stuurde hij zijn bloedhonden op je af. En nu haalt hij plotseling bakzeil. Misschien heeft hij je alleen maar aan de praat proberen te houden om ons te kunnen traceren. Ben je er zeker van dat je hem goed hebt begrepen?'

'Hoe kan ik daar nou zeker van zijn?' Maar ze besefte dat ze er wel bíjna zeker van was. En er moest een reden voor zijn. 'Gorshank.'

'Wat?'

'Ik zei toch dat zijn formules briljant waren, maar dat ik niet begreep hoe hij aan sommige van de resultaten was gekomen?'

'Je zei dat je tijd nodig had om ze nogmaals te bestuderen.'

'Maar als zijn werk nou niet klopt? Wat als er een paar gigantische gaten in zijn theorie zitten?'

'Dan moeten ze die gaten heel snel zien te dichten. Door er een wetenschapper bij te halen die de basisformule kent.'

Ze knikte. 'En dat hebben ze harder nodig dan zich permanent van mij te ontdoen. Het zijn alleen maar veronderstellingen, maar het klinkt...'

Haar telefoon ging. 'Gorshank zit in Charlotte, in North-Carolina,' hoorde ze MacDuff zeggen. 'Ivy Street 321.'

Meteen zette ze de telefoon op de luidspreker, zodat Royd mee kon luisteren. 'Hoe hebben ze hem gevonden?'

'Hij heeft een grote som geld naar een Russische bank overgemaakt om een schuld aan de maffia af te betalen. Jock en ik stappen over op Kennedy en vliegen rechtstreeks naar Charlotte.'

'Wanneer kom je daar aan?'

'Over ongeveer zeven uur.'

Royd schudde zijn hoofd. 'Als het Gorshank te heet onder de

voeten wordt, is dat te laat. Het zal niet veel schelen, maar misschien kunnen wij er eerder zijn. We bellen jullie als we contact hebben.' Hij verbrak de verbinding, voordat MacDuff tegenwerpingen kon maken. 'We gaan richting Daytona. En daar kunnen we het vliegtuig naar Charlotte nemen.'

'Te heet onder de voeten?'

'Als Sanborne het idee heeft dat Gorshank niet meer voldoet, is de man opeens nutteloos voor hem.'

'En dus een handicap en een bedreiging.' Sophie ging nog een stapje verder. 'Zoals alle wetenschappers die aan het project hebben gewerkt en door hem zijn ontslagen en daarna waarschijnlijk een huurmoordenaar achter zich aan hebben gekregen.' Haar ogen vlogen naar Royds gezicht. 'Het kan al wel te laat zijn.'

Royd knikte. 'We moeten er op hopen dat Sanborne Gorshank in leven houdt tot hij een manier heeft gevonden om jou binnen te halen. Hij moet toch wel het nodige vertrouwen in hem hebben gehad, anders had hij hem niet aangenomen.'

Sophie schudde sceptisch haar hoofd. 'Ik weet het niet. Sanborne is volkomen meedogenloos. Hij denkt heel erg zwartwit. Als hij denkt dat Gorshank hem aan het lijntje heeft gehouden, heeft die man geen enkele kans.'

'Dan gaan we misschien voor niks achter hem aan.' Royds voet drukte het gaspedaal dieper in. 'Maar ik laat de kans dat ik Gorshank te pakken krijg niet voorbijgaan. Hij móét wel weten waar het eiland ligt en misschien kan hij me ook wel iets vertellen over de beveiliging daar.' Zijn mond werd een dunne streep. 'Als hij leeft, zal hij praten ook.'

Ivy Street 321 lag een eindje van de straat af en werd omringd door populieren, die de portiek in schaduwen hulden. Het kleine, grijshouten huis was helemaal donker, op een kamer links van de voordeur na, waarin een zwakke lichtflikkering te zien was, waarschijnlijk van een televisie. Gorshank was een geestdriftige fan van de televisie, sinds hij in de Verenigde Staten verbleef. Wanneer hij niet achter zijn bureau op kantoor zat, was hij voor de televisie te vinden, starend naar *De Simpsons*, CSI of willekeurig welk ander programma.

Devlin had de rapporten die hij van Sanborne had ontvangen over Gorshanks gedrag wel gelezen, maar eigenlijk was dat niet nodig geweest. De wetenschapper was een man van vaste gewoontes en iemand die zichzelf graag verwende met allerlei luxe genotsmiddelen. En dat maakte hem een gemakkelijk doelwit. Meelijwekkend gemakkelijk. Devlin was geïrriteerd geweest dat hij van Sanborne hierheen moest, terwijl hij liever achter Royd aan was gegaan. Dát zou nog eens een uitdaging zijn geweest.

Maar hij moest zich nu gedeisd houden, na die uitspatting op MacDuffs Run. Dus een tijdje geen tegenwerpingen of pogingen om Sanborne te manipuleren. Bovendien, het doden van zo'n idioot als Gorshank was een genoegen. Idioten ergerden hem.

Hij ging eens kijken hoe het zat met de deuren en anders vond hij wel een andere manier om het huis binnen te dringen. Gorshank zou natuurlijk voor de televisie zitten, met een biertje binnen handbereik, en Devlin zou hem, vóór hij begreep wat er gebeurde, overmeesterd hebben. En als Gorshank dan weerloos was, zou Devlin besluiten hoe hij hem zou doden: óf zich snel van hem ontdoen, óf er langzaam de tijd voor nemen.

Het was een fluitje van een cent.

'Blijf jij hier, dan onderzoek ik het huis en de omgeving.' Royd parkeerde de auto langs de stoeprand.

Sophie staarde naar het flikkerende licht dat door het raam van het huis te zien was. Het was iets wat in ongeveer alle huizen van de stad te zien was. Niks aan de hand.

Maar waarom kreeg ze dan het akelige gevoel dat het licht van de televisie een slecht teken was? 'Ik ga met je mee.' Toen hij begon te protesteren, stak ze haar hand op. 'Ik ga je heus niet in de weg lopen. Jock heeft me ingeprent dat dat heel stom zou zijn. Als je wilt wacht ik buiten op je. Maar ik heb het pistool bij me dat ik van Jock altijd mee moest nemen en ik weet hoe ik het moet gebruiken. Ik blijf gewoon op gehoorsafstand.'

Een tijdlang zei hij geen woord en toen haalde hij zijn schouders op. 'Oké dan.' Hij opende zijn portier. 'Maar je moet wel wachten tot ik de omgeving heb verkend.' Vijf minuten later was hij alweer terug en deed de deur aan haar kant van de auto open. 'De kust is vrij, maar jij blijft buiten en komt niet naar binnen. Oké?'

'Tenzij je me roept.' Ze stapte uit. 'En dat kan gebeuren, Royd. Je bent niet onkwetsbaar.'

'Maar ik doe mijn best.' Hij liep naar de zijkant van het huis. 'De achterdeur.'

'We kunnen best gewoon aan de voordeur bellen. Hij kent ons toch niet. Of is dat te simpel gedacht?'

'Het kan zijn dat hij foto's van je heeft gezien, nadat hij jouw werk heeft overgenomen.' Hij liep snel. 'Maar je hebt gelijk. Ik denk nooit zo gauw aan de makkelijkste weg. Dat heb ik niet geleerd.' Hij bleef stilstaan bij de achterdeur en luisterde, terwijl zijn ogen de achtertuin afzochten. 'En ik denk niet dat dit de gelegenheid is om mijn gewoontes te veranderen.'

Ze kon gewoon voelen dat hij gespannen werd. 'Wat is er aan de hand?'

'Iemand zou Gorshank in de gaten moeten houden, als hij zo belangrijk is voor Sanborne en alles weet over REM-4. Waar zijn die mensen in vredesnaam? Ik verwachtte dat ze een obstakel zouden zijn of in ieder geval dat ik ze ergens zou zien.' Hij wachtte even. 'Tenzij ze terug zijn geroepen, omdat ze hier niet langer nodig waren.'

Ze huiverde. 'Als Gorshank dood is, bedoel je.'

Hij gaf geen antwoord. 'Jij blijft hier buiten. Ik laat de deur op een kier.' Hij boog zich over het slot en floot zachtjes. 'Jezus.' Hij ging weer rechtop staan. 'Pak je pistool en hou het paraat. Dit slot is al geforceerd.' Hij deed de deur open en verdween in het huis.

Haar hand sloot zich om het pistool in haar tas, terwijl haar hart in haar keel begon te bonzen. Ze deed haar uiterste best om ieder geluid op te vangen, zeker vanuit het huis. De minuten kropen voorbij. Verdomme, ze voelde zich nutteloos. Als er iets met Royd gebeurde, hoe kon ze hem dan helpen als ze hier buiten als een zoutzak stond te staan.

Kalm aan. Jock had haar verteld dat dát nou precies de manier was waarop dodelijke fouten werden gemaakt. Te veel koks in één keuken. Wat een gezellige uitdrukking voor zo'n grimmige situatie.

Ze hoorde iets.
Heel zachtjes, voetstappen...
In de keuken?
Nee, niet in de keuken.
Achter haar.

Gelukkig was het een klein huis. Het had Royd niet veel tijd gekost om er doorheen te gaan en er zeker van te zijn dat er niemand op de loer lag. Nu naar de woonkamer, waar Gorshank televisie zat te kijken. Zachtjes liep hij de trap af en de gang door. Vanuit de deuropening waren Gorshank en de televisie uitstekend te zien.

CSI stond aan.

Maar Gorshank keek er niet naar.

Royd stond stil, zijn blik op de stoel voor de televisie gericht.

Gorshank was met touwen aan de stoel vastgebonden en staarde met nietsziende ogen naar het flikkerende scherm. Hij had een prop in zijn mond, zijn oogleden werden door nietjes opengesperd en hij was gecastreerd.

Mijn god. Dat kon alleen Devlin zijn geweest.

Nadat hij de kamer had gecheckt, sloop hij voorzichtig naar de stoel.

Dood. Maar nog niet lang. Er vloeide nog steeds bloed uit de laatste messteek in zijn borst.

Oké, Gorshank was dus nutteloos voor hen. Maar misschien had hij wel iets achtergelaten dat hen zou kunnen helpen. Het was niet waarschijnlijk, maar toch. Devlin was in de regel uiterst zorgvuldig in het uitwissen van elk spoor.

Maar hij had er lang over gedaan met Gorshank en hem nog maar kortgeleden de uiteindelijke doodssteek toegebracht.

Hij verstijfde. Hoe kortgeleden? Was hij gestoord door iets? Royd had de rest van het huis gecheckt, voor hij Gorshank had benaderd en alles had er netjes en geordend uitgezien. Niet alsof er iemand doorheen was gegaan, die op zoek was geweest naar belastend materiaal.

Wat als hij Royd en Sophie had gehoord, Gorshank snel had afgemaakt en daarna was ontsnapt uit een van de ramen? Geen van de ramen aan de voorkant was open.

Aan de achterkant dan? Het was...
Toen hoorde hij een schot.

Er blonk metaal in de hand van de man die haar besprong!
Sophie hief haar pistool op en vuurde, terwijl ze op de grond viel.
Ze hoorde aan het geluid van de kogel dat de man was getroffen.
Hij bleef plotseling stilstaan, zijn gezicht vertrokken van pijn. 'Kutwijf.'
En kwam opnieuw op haar af.
Ze rolde op haar zij en vuurde nog een keer.
Mis.
Goed richten, had Jock haar geleerd. Niet zenuwachtig worden. Zorg ervoor dat het schot raak is.
Hoe kon ze in vredesnaam rustig richten nu hij wéér op haar af kwam? Het moest Devlin zijn. Hij wankelde, bewoog heel langzaam, maar die engerd had een kogel in zijn borstkas en het leek wel of hij er niets van voelde. En hij keek zo...
'Kutwijf. Slet.' Zijn stem droop van kwaadaardigheid. 'Mij kun je geen kwaad doen. Je handen trillen en je bent doodsbang. Maar ik kan jou wel op allerlei manieren kwaad doen. Dacht je dat dat kind van je veilig is? Het is een makkie voor Franks om dat kind uit de handen van de politie te plukken. Sanborne heeft gezegd dat ik niet degene ben die dat joch te pakken mag nemen, omdat ik niet stabiel genoeg ben. Dan zou ik zijn troefkaart misschien verpesten. En daar heeft hij gelijk in. Maar je hebt me nou zó kwaad gemaakt, dat ik denk dat ik me er toch mee ga bemoeien en eens ga uitproberen hoe die jongen het vindt om...'
Ze richtte. Dit keer zou ze niet missen.
Maar ze kreeg de kans niet.
Royds arm klemde zich van achter af om Devlins nek. 'Brand in de hel, Devlin.' Hij brak zijn nek.
Sophie hoorde iets knappen en zag Devlins ogen glazig worden. Royd liet hem los en Devlin zakte in een levenloze hoop op de grond neer.
Royd was meteen naast haar en liet zich op zijn knieën vallen. 'Alles oké?'

Nee, het was helemaal niet oké. Ze bleef die uitdrukking op Devlins gezicht maar voor zich zien en dat zou misschien wel de rest van haar leven zo zijn. Kwaadaardig...

Ze knikte schokkerig. 'Ik ben niet gewond. Ik had hem geraakt, maar hij blééf maar komen. Het leek wel een soort Frankensteinfilm.'

'Dat moet je eigenlijk niet verbazen. Ik had je verteld dat Devlin een heel hoge pijndrempel heeft. En je weet wat hij heeft aangericht in de schapenboerderij.'

'Maar om hem in het echt te zien was... anders.' Hou op met dat gebeef. Doe niet zo zwak. Devlin was dood en ze moest zichzelf weer onder controle zien te krijgen.

'Toe maar.' Royd stem klonk ruw, maar de manier waarop hij haar in zijn armen trok was heel voorzichtig. 'Hij kan je geen kwaad meer doen. Hij kan niemand meer kwaad doen.' Zijn hand drukte haar hoofd in de holte van zijn schouder. 'Hij was geen mythisch Frankensteinmonster, dus kan hij je ook niet blijven achtervolgen. Hij is dood en als ik er niet was geweest, was het je zeker gelukt om die klootzak zélf te vermoorden.'

Haar armen sloegen zich nog steviger om hem heen. 'Ja, dat had ik dan gedaan. Ik moest wel. Hij had het over Michael...' Plotseling verstijfde ze. 'Ik denk dat hij iets zei over Sanborne, die iemand anders achter Michael aan heeft gestuurd. Franks noemde hij hem. Hij zei dat Michael zonder moeite uit de handen van de politie kon worden geplukt. En Devlin werd in plaats daarvan hierheen gestuurd.'

'De politie...' Royds stem klonk nadenkend. 'De enige manier waarop de politie erbij betrokken zou kunnen worden, is als ze Michael oppakken om hem uit te zetten naar de Verenigde Staten.'

'Maar Scotland Yard was helemaal niet van plan om het kasteel te doorzoeken toen wij daar waren.'

'MacDuff kan ontzettend overtuigend zijn. Maar Sanborne moet iemand die hoog op de ladder staat hebben kunnen omkopen om het toch te laten gebeuren.'

Ze duwde hem van zich af. 'Ik moet Jane meteen bellen om ze te waarschuwen.'

'Jane en Joe weten dat er zoiets kan gebeuren, Sophie. Ze zijn op alles voorbereid.'

'Dat moet je niet zeggen,' zei ze heftig. 'Ze weten niet dat er nú iemand naar ze op weg is om Michael te pakken.'

'Je hebt gelijk.' Hij trok haar overeind. 'Kom naar de keuken, weg van Devlin, en bel ze. Ik ga Gorshanks bureau doorzoeken.'

Gorshank. Die was ze bijna vergeten in de emotionele chaos van de afgelopen paar minuten. 'Is hij dood?'

Hij knikte. 'Je moet Devlin bijna op heterdaad hebben betrapt.' Hij duwde haar het huis binnen. 'Kom. Pleeg je telefoontje. We moeten opschieten. Iemand kan die schoten wel gehoord hebben.'

'Dan is de politie al onderweg.'

'Niet noodzakelijkerwijs. Je zou er versteld van staan hoeveel mensen geweld in hun buurt gewoon negeren. Ze willen nergens bij betrokken raken en denken liever dat het een of ander kind is dat rotjes afsteekt.' Hij liep naar de hal. 'Maar voor het geval er hier toch sprake is van een gewetensvol persoon, kunnen we maar beter maken dat we zo snel mogelijk wegkomen.'

Hij verdween uit het zicht.

Ze liet zich in een stoel aan de keukentafel neervallen en haalde een keer heel diep adem. Misschien moest ze het licht aan doen. Het was donker hier. Maar het was buiten nog donkerder geweest, toen Devlin op haar af was gekomen. Met dat akelige, verwrongen gezicht. De dood was buiten en in de kamer hiernaast. Niet aan denken. Denk aan wat je nu moet doen.

Nee, het was beter om de lichten niet aan te doen. Ze kon genoeg zien om de snelkeuze voor MacDuffs Run te vinden. Ze pakte haar telefoon.

'Rustig, rustig. Ik snap dat je bang bent, daar heb je alle reden toe.' Jane had, zonder haar te onderbreken, naar het hele verhaal geluisterd. 'De klootzakken.'

'Waarschuw Campbell dat hij extra alert moet zijn. Zodra ik kan, kom ik terug.'

'Wacht even. Laat me even nadenken.' Jane zei een tijdje

niets. 'Nee, kom maar niet hierheen. Ik neem Michael mee terug naar de States.'

'Wat?'

'Als het Sanborne lukt om de plaatselijke politie te mobiliseren en hun Michael op te laten halen om uitgezet te worden, is de kans groot dat Sanbornes mannen hem inderdaad in handen kunnen krijgen. We zijn dan in staat om hem voldoende te beschermen. Shit, misschien kunnen we er dan niet eens achter komen waar hij is.' Haar stem klonk ontzettend gefrustreerd. 'Waar is die klote-MacDuff verdomme als we hem nodig hebben?'

'Op weg hiernaartoe.'

'Nou, ik zal er maar niet op rekenen dat hij, als hij zo ver weg is, nog iets geregeld kan krijgen hier. Dan zal ik het zelf maar doen.'

'Je kunt het kasteel niet uit. Iemand zal je zien.'

'Er ís een weg naar buiten. Die heb ik al vaker gebruikt.'

'Jane, ik vind het geen goed idee.'

'Dat begrijp ik. Het idee van die dikke stenen muren om Michael heen is heel geruststellend voor je,' zei Jane vriendelijk. 'Maar hij zal echt veilig zijn op de plek waar we heen gaan. En Joe zal ervoor zorgen dat werkelijk íedere agent een oogje in het zeil houdt.'

'Atlanta?'

'Dat is het veiligste. Vertrouw me, Sophie. Op deze wereld kunnen dikke stenen muren te gemakkelijk neergehaald worden door geld en politiek. Michael moet hier weg.'

'Misschien, als we MacDuff bellen, kan hij...' Eigenlijk probeerde ze wanhopig een manier te vinden, waardoor Michael geen seconde in gevaar hoefde te verkeren. En Jane had gelijk. Het beeld van die dikke stenen muren was geruststellend. 'Ik moet er even over nadenken. Ik bel je terug.'

'Wacht er niet te lang mee.' Jane hing op.

'Kom,' zei Royd, terwijl hij de keuken binnenliep. 'We moeten nu echt weg hier.'

Ze knikte en stond op. 'Heb je nog iets gevonden?'

'Ik denk het wel.' Hij trok haar met zich mee, langs het lijk van Devlin. 'En ik heb MacDuff gebeld en hem gezegd dat hij zijn vrienden bij de CIA moet mobiliseren om Devlins lijk hier weg te halen. Het is beter als Sanborne niet weet dat hij dood is.' Hij keek haar belangstellend aan. 'Hoe zit het met Michael?"

'Jane wil Michael meenemen naar Atlanta. Ze beweert dat ze hem, zonder dat iemand er iets van merkt, uit het kasteel kan krijgen.' Ze probeerde haar stem onder controle te houden. 'Ik ben bang.'

'Heb je Jane toestemming gegeven?'

Ze schudde haar hoofd. 'Ik moet...'

'Als je haar vertrouwt, moet je het goed vinden dat ze gaat verkassen.' Hij hield het portier voor haar open. 'Ik heb er geen goed gevoel bij, wanneer de regering zich gaat bemoeien met Michael. Het is té eenvoudig om bij iemand die zogenaamd voor zijn eigen veiligheid vastgehouden wordt, in de buurt te komen.'

'Daar lijk je nogal zeker van. Heb je dat wel eens bij de hand gehad?'

'Ja, één keer. In Syrië.' Hij ging op de bestuurdersstoel zitten. 'Maar dat wil je helemaal niet weten.' Hij startte de auto. 'Net zomin als ik het je wil vertellen.'

Nee, ze wilde niet horen hoe eenvoudig het was om bij iemand te komen die werd omringd door politie en militairen. En ze wilde zich niet voorstellen dat Royd degene was die dat had gedaan. Twee keer had ze al gezien dat hij iemand doodde en de manier waarop was angstwekkend soepel en efficiënt geweest. Maar ze moest het toch vragen. 'Sanborne?'

'Nee, het was toen ik nog bij de SEAL's zat. Bel Jane terug en zeg haar dat het goed is dat ze daar weggaat met Michael.'

'Heb je ooit iets over die Franks gehoord?'

'Simon Franks. Niet zo goed als Devlin, maar hij weet waar hij mee bezig is.' Hij was even stil. 'En hij doet wat Sanborne hem opdraagt. Hij is niet zoals Devlin. Het is meer een robot.'

'Mijn hemel.'

'Dat hoeft helemaal niet zo slecht te zijn. Hij snijdt Michaels keel niet zomaar door, tenzij het hem is opgedragen. Devlin zou het voor zijn eigen genoegen gewoon doen en dan later bedenken hoe hij dat het beste aan Sanborne kon vertellen.'

'Het is toch eigenlijk onvoorstelbaar dat we hier gewoon zitten te praten over hoe zo'n man mijn eigen zoon om zou brengen.' Haar stem beefde. 'Je hebt dan wel geen gevoel voor Michael, maar het is een stuk moeilijker voor...'

'Hoezo heb ik geen gevoel voor Michael?' vroeg Royd ruw. 'Ik mág hem. Ik hou niet van hem. Ik heb niet de kans gehad om hem zo goed te leren kennen en ik ben niet zo snel in het van iemand gaan houden. Ik zou liegen als ik je iets anders vertelde. Maar je moet me niet behandelen alsof ik nog steeds die gevoelloze achterlijke ben die ik was toen ik net uit Garwood kwam.' Zijn handen knepen hard in het stuur. 'Ik voel tegenwoordig juist veel te veel.'

Ze had hem gekwetst, besefte ze. Daar had ze niet bij stilgestaan, dat ze hem pijn zou kunnen doen. Hij was veel te hard. Die ongevoeligheid was door de jaren heen gewoon in zijn karakter ingesleten. Of niet? Steeds ontdekte ze nieuwe kanten aan Royd. 'Ik bedoelde er niet mee dat jij...'

'Vergeet het maar,' zei Royd. 'Ik wil alleen dat je weet dat de enige reden waarom ik je vertel over Franks, is dat je moet weten wie je tegenstander is, niet om je bang te maken.' Hij reed de parkeerplaats van een grote supermarkt op. 'Ik heb met MacDuff afgesproken om elkaar hier te treffen. Als je Jane gaat bellen, kun je het hier doen, terwijl we op hen wachten.'

'Baas.'

Zijn mond vertrok. 'Hoort bij de job.'

Ze aarzelde. Gatver, ze wilde dit telefoontje helemaal niet hoeven plegen. Doe niet zo laf. Je moet doen wat het beste is voor Michael. Snel toetste ze het nummer in.

Na tien keer overgaan, geen antwoord.

Haar hart klopte in haar keel en met trillende handen probeerde ze het opnieuw.

Geen antwoord.

17

In de verte boorden de lichten van verschillende auto's, op weg naar MacDuffs Run, zich door de duisternis. Nu waren ze nog wel een eind weg, maar in een gestaag tempo kwamen ze naderbij.

'Tien minuten tot een kwartier,' merkte Joe op, terwijl hij zich van het raam afdraaide naar Jane. 'Het ziet ernaar uit dat Sophie gelijk had over die uitzetting.'

'Wat kunnen ze anders met een weerloos kind?' vroeg Jane. 'En omdat die waardeloze klootzak die het aan Sophie vertelde een kogel in z'n borst had, zal hij wel niet gelogen hebben.'

'Nee.' Joe stond op. 'En dus moeten wij hier weg.'

Jane slaakte een zucht van verlichting. 'Ben je het ermee eens dan?'

'Ik heb genoeg gevangenen gezien die vermoord waren door andere gevangenen om te weten dat geen enkel huis van bewaring echt veilig is.' Snel trok hij zijn jas aan. 'En Sanborne heeft genoeg geld om voor God te kunnen spelen.' Hij liep naar de deur. 'Wij nemen het nu over. Het zal een opluchting zijn om weer terug op mijn eigen stek te zijn.'

'Bedankt, Joe.'

'Je hoeft mij niet te bedanken. Je weet dat ik niet wilde dat je opnieuw betrokken zou raken bij MacDuff. Ik moest wel mee om er zeker van te zijn dat je niets zou overkomen.'

'Leugenaar. Je wou gewoon niet dat dat kind iets overkwam.'

Hij haalde zijn schouders op. 'Dat ook. En Eve zou het me nooit hebben vergeven als ik een van jullie in de kou zou laten staan. Over een kwartier zie ik je beneden. Ga jij Michael halen. Dan praat ik met Campbell en zeg hem dat hij de boel moet proberen te vertragen.'

Jane vloog de trap op en gooide de deur van Michaels kamer open. 'Michael, wakker worden.' Ze schudde hem zachtjes door elkaar. 'We moeten gaan.'

Slaperig deed hij zijn ogen open. 'Mam?' Hij verstijfde toen hij Jane voor zich zag. 'Is alles goed met mam?'

'Niets aan de hand. Ik heb haar net gesproken. Maar we moeten hier snel weg.' Ze liep naar zijn kast en gooide een spijkerbroek en T-shirt naar hem toe. 'Opschieten. Joe zegt dat we hier meteen moeten vertrekken.'

'Waarom?' Maar hij trok razendsnel zijn kleren aan. 'Ik dacht dat we hier bleven tot...'

'Ja, dat dacht ik ook.' Ze gooide kleren in zijn rugzak. Dat moest maar genoeg zijn. Nog even keek ze uit het raam. De lichten waren al een stuk dichterbij. Het was te hopen dat Joe het goed had ingeschat. 'Maar het is anders gelopen. Als we willen dat je moeder veilig is, moet jij dat ook zijn. En dat betekent dat we moeten doen wat we nu doen.' Ze deed de deur open en maakte een hoofdbeweging. 'Kom op. We moeten op weg. Joe wacht.'

Hij rende de trap af. 'In de auto?'

Jane rende achter hem aan. Het is verdomme nog een hele klus om hem bij te houden, dacht ze wrang. Ze was helemaal vergeten hoe snel zo'n jong jochie kon zijn. 'Nee, we gaan niet met de auto.'

Hij keek om. 'Nee? Hoe dan?'

Melodramatisch fluisterde ze: 'Dat zul je wel zien. Een geheime uitgang. Spannend, hè?'

Zijn ogen werden groot. 'Echt?'

Michael mocht dan wel wijs voor zijn leeftijd zijn, maar zoiets mysterieus sprak hem duidelijk aan. Welke jongen zou dat nou niet spannend vinden?

'Echt waar. Maar je moet wel heel stil zijn en alles doen wat ik zeg.' Op de overloop wierp ze weer snel een blik uit het raam. Verdomme, nu kwamen ze wel érg dichtbij.

'Dat werd tijd,' zei Joe grimmig. 'Oké, Campbell, ga maar. Hou ze zo lang mogelijk op, maar geef ons op zijn minst vijf minuten. Ik hoop met heel mijn hart dat dat genoeg is.'

Sophie probeerde MacDuff vier keer te bellen, toen ze Jane niet kon bereiken.

Maar hij beantwoordde zijn telefoon ook al niet, verdomme.

'Wat is er vredesnaam aan de hand?' Ze belde Jock, maar ook die nam niet op.

Paniek overviel haar. 'Wat als ze Michael nu opgepakt hebben? Ik had tegen Jane moeten zeggen dat ze zo snel mogelijk weg moest zien te komen.'

'Rustig,' zei Royd. 'MacDuff en Jock kunnen hier nu ieder moment zijn.'

'Maar waarom nemen ze de telefoon dan niet op? Geweldig, die moderne technologie.' Opnieuw toetste ze het nummer van Jane in. Haar knokkels waren helemaal wit, zó hard kneep ze in de telefoon. 'Hij staat uit. Geen voicemail. Dat rotding staat gewoon uit.'

'Dat heeft ze misschien zelf wel gedaan, om een heel goede reden.'

'Ja, ja, dat weet ik wel.'

Twintig minuten later reed MacDuff de parkeerplaats op en Sophie was het terrein al over gerend, voordat hij en Jock ook maar de tijd hadden gehad om uit te stappen.

'Waarom nemen jullie de telefoon niet op? Weten jullie wat er aan de hand is op het kasteel?'

'Het antwoord op je eerste vraag was dat ik het druk had. Ik moest een aantal telefoontjes plegen. En het antwoord op je tweede vraag dat er op het moment niets aan de hand is op het kasteel.' MacDuff deed het portier open en stapte uit. 'Behalve dan dat er een hoop gefrustreerde agenten over mijn terrein zwerven, die proberen je zoon te vinden.'

'Maar dat zal ze niet lukken, Sophie,' zei Jock vriendelijk, terwijl ook hij uitstapte. 'Jane heeft hem veilig uit het kasteel geloodst en nu zijn ze op weg naar een vliegveld bij Aberdeen.'

Sophie voelde zich gewoon duizelig van opluchting. 'Heb je haar gesproken?'

'We hadden weinig keus.' MacDuff maakte een grimas. 'Zodra ze met dat joch op een veilige afstand was, kreeg ik een waterval aan verwijten over me heen door de telefoon. Waarom ik er niet was op het moment dat zij me nodig had om weg te komen uit "die bouwval, dat klotekasteel" van mij. En toen beval ze me dat ik een vliegtuig naar Atlanta moest regelen en ervoor moest zorgen dat de jongen veilig was, tot hij op het vliegtuig kon stappen.'

'En heb je dat kunnen regelen?'

'Daarom waren we steeds niet bereikbaar,' zei Jock. 'Het heeft wel wat telefoontjes en geregel gekost, maar het is gelukt.' Hij keek op zijn horloge. 'Over ongeveer anderhalf uur stappen ze op het vliegtuig en zodra ze opstijgen krijg ik een telefoontje.'

'Goed.' Haar knieën voelden slap en ze moest even tegen de auto aanleunen. Die anderhalf uur leken een eeuwigheid. 'Atlanta. Dat is hier vlakbij. Kan ik dan misschien naar hem toe, denken jullie?'

'Misschien. Daar moeten we over nadenken,' hoorde ze Royd achter zich.

'Ik wil hem heel graag zien.' Haar blik vloog naar zijn gezicht. 'Denk je dat hij nog steeds gevaar loopt?'

Maar ze kreeg geen direct antwoord op haar vraag. 'Ik denk niet dat Franks zal opgeven. Sanborne zal dat niet willen.' Royd keerde zich naar MacDuff. 'Heb je kunnen regelen dat Devlins lichaam wordt opgeruimd?'

'Ja, ik heb gebeld. Ze sturen de jongens ter plaatse om de boel op te ruimen.'

'Geen problemen?'

'Devlin had een lang strafblad, zelfs al voordat Sanborne hem eruit pikte voor Garwood. Voor dit moment zijn ze bereid om mee te werken. De CIA is erg alert op mensen die zijn gehersenspoeld in het instituut van Thomas Reilly, waar Jock ook heeft gezeten, voor hij naar Garwood werd gestuurd. Ze zijn natuurlijk bang dat die personen zijn veranderd in robots die zelfmoordaanslagen zullen plegen...' En na een tijdje: 'Waarom wilde je dat Devlins lijk verdween?'

'Het kan verstandig zijn dat Sanborne er niet achter komt dat we dingen over Gorshank weten.'

'Hoezo?'

'Misschien geeft het ons meer tijd. Als we niets van Gorshank weten, kunnen we ook de papieren die hij in zijn bureau had liggen niet hebben gevonden.'

'Papieren?'

'Tekeningen van een waterzuiveringsinstallatie.' Hij glimlachte. 'Op een eilandje dat San Torrano heet, voor de kust van Venezuela.'

'Je hebt het gevonden,' mompelde Jock. 'Verdomd.'

'Ben je nog steeds bereid achter Sanborne aan te gaan? Tenslotte was Devlin jouw doelwit en die is nu dood,' vroeg Royd aan MacDuff.

'Ik ben er niet blij mee dat je mij vóór was om die klootzak om te brengen,' zei MacDuff grimmig. 'En ja, natuurlijk wil ik achter Sanborne aan. Eerst stuurt hij Devlin op me af om dood en verderf te zaaien en vervolgens krijgt hij het voor elkaar om de politie van mijn eigen vaderland tegen me op te zetten.' Zijn mond verstrakte. 'En ik heb een hekel aan het idee dat er allerlei mensen mijn terrein lopen te vertrappen. Laat ze gewoon wegblijven van MacDuffs Run.'

'Nou, dat is een duidelijk antwoord.' Jock keek Royd eens goed aan. 'En ik heb het vermoeden dat je al een idee hebt hoe je ons zou kunnen gebruiken.'

'Ik zou niet durven.'

'Ja, maak dat een ander wijs.'

Royd haalde zijn schouders op. 'Ik heb wel een vaag idee, maar ik moet er nog even verder over nadenken. Er zitten een paar kanten aan die me erg tegenstaan.'

'Wat voor kanten?' Toen Royd geen antwoord gaf, ging Jocks blik naar Sophie en bleef daar even rusten. Hij knikte langzaam. 'Oké. Zodra je een besluit hebt genomen, willen we het graag weten.'

'Dat zal ik doen.' Hij greep Sophies elleboog vast en leidde haar terug naar de auto. 'En hou Sophie in de tussentijd op de hoogte van de ontwikkelingen met Michael.'

'Absoluut.'

'Wat voor kanten?' vroeg Sophie. 'Hou op met dat geheimzinnige gedoe. Als jij een manier denkt te weten om Sanborne te pakken te nemen, vertel het dan, verdomme.'

'Ik ben ook van plan om het je te vertellen.' Hij maakte een grimas. 'Klootzak die ik ben, bestond daar weinig twijfel over.' Hij opende het portier voor haar. 'Maar nu nog niet. Eerst moet ik Kelly bellen en zeggen dat hij ons daar binnen afzienbare tijd kan verwachten. En we moeten wachten tot we er zeker van zijn dat Michael in veiligheid is.'

Sophie keek hoe de rode achterlichten van de auto van MacDuff en Jock om de hoek verdwenen.

'Wat ben je van plan, Royd?'

'Wat ik al sinds Garwood van plan ben.' Hij toetste Kelly's nummer in op zijn telefoon. 'Niets nieuws. Iedereen gebruiken. Iedereen riskeren. En dat allemaal om Sanborne en Boch ten val te brengen.' Hij praatte in de telefoon. 'We nemen het vliegtuig naar Atlanta. Zorg dat de boot klaarligt en zoek uit wat je kunt over een eiland dat San Torrano heet.'

'Ik heb nog nooit gehoord van een eiland dat San Torrano heet,' merkte Sophie op.

'Het zal wel ongeveer zo groot zijn als een postzegel. Boch en Sanborne willen natuurlijk geen eiland gebruiken dat bekend is.' Hij startte de auto. 'Hoe kleiner, hoe beter.'

'Gaan we naar Atlanta? En kan ik Michael dan zien?'

'Waarom vráág je dat eigenlijk? Ik zou je toch niet tegen kunnen houden.'

'Ik bedoelde of het veilig is om hem te zien.'

'Geen idee.'

'Royd, wat is er verdomme met je aan de hand? Je bent ontzettend vervelend.'

'Wat er met me aan de hand is? Ik zie steeds maar voor me hoe je daar op de grond lag met Devlin die op je af kwam.'

Ze fronste haar voorhoofd. 'Waarom? Het was afschuwelijk, maar het is wel voorbij. Ik had niet verwacht dat jij iemand was die in het verleden bleef hangen.'

'Ben je niet goed bij je hoofd, of zo?' vroeg hij ruw. 'Wat denk je dat we aan het doen zijn? Wij kunnen niet verder met ons leven, omdat we vastzitten in het verleden. Alleen werd je er nu bijna door opgeslokt. Ik zou je eigenlijk in veiligheid moeten brengen en dan moeten maken dat ik wegkwam.'

Ze keek van hem weg. 'Je hébt me in veiligheid gebracht. Je hebt waarschijnlijk mijn leven gered. En als je weg wilt, kan ik je niet tegenhouden. Maar ik kom wel achter je aan. We zijn al veel te dichtbij.'

Een tijdlang zei hij niets. 'En dat zou ik laten gebeuren.' Hij trapte het gaspedaal in. 'En nou moet je je mond houden, dan kan ik een plan maken hoe ik déze keer je leven op het spel ga zetten.'

'Hebben ze die jongen te pakken?' vroeg Boch.

'Nog niet,' zei Sanborne. 'Ze waren niet in het kasteel. Maar Franks heeft een van MacDuffs mensen ondervraagd en is erachter gekomen wie er voor hem zorgt. Het zal niet lang meer duren.'

'Hou op met dat geklooi en geef Franks gewoon opdracht om haar uit de weg te ruimen,' zei Boch wreed. 'We kunnen best verder met de REM-4 die we al hebben.'

'Veel te riskant. Begrijp je niet dat de hele situatie is veranderd? Ik ga mijn investeringen absoluut niet op het spel zetten met een inferieur product, als ik het probleem op kan lossen.'

'Maar ik heb binnen een week een overtuigende demonstratie nodig.'

'Dat is tijd genoeg. Niemand kent REM-4 beter dan Sophie Dunston en de eerste experimenten van Gorshank waren succesvol. Hij kon er alleen geen vervolg aan geven.'

'En probeerde ons te belazeren.'

'Dat is opgelost. We kunnen nu elk moment iets van Devlin horen.' Hij had er genoeg van om Boch iedere keer maar weer zoet te moeten houden. 'Ik moet nu ophangen. Ik moet nog een paar dingen afmaken, voordat ik morgen op het vliegtuig naar het eiland stap. Wanneer kom jij daar aan?'

'Over twee dagen. Waarom ga jij er nu al heen?'

'Ik moet daar zijn voor als we dat mens te pakken hebben. Ik bel je zodra Franks die jongen in handen heeft.' Hij hing op.

En ze kregen die Sophie Dunston heus wel. Als ze die jongen eenmaal hadden, zou ze zo mak als een lammetje zijn. Vrouwen hadden blijkbaar een zwakke plek waar het hun kinderen betrof. Dat deed hem altijd een beetje versteld staan. Zelfs zijn eigen moeder had dat gehad. Totdat ze een beetje bang voor hem was geworden, al toen hij nog maar een puber was. Kort nadat ze hem had verlaten, had hij doorgekregen dat het belangrijk was om een bepaald soort warmte uit te stralen, dat scheen iedereen om hem heen op prijs te stellen. Maar toen was het al te laat geweest om haar weer in zijn macht te krijgen. Ze had hem tot haar dood weten te ontwijken.

Niet dat dat iets uitmaakte. Ze had hem een lesje geleerd over de menselijke natuur en die van vrouwen in het bijzonder.

En dat was heel waardevol als hij goed wilde omgaan met Sophie Dunston.

Royds telefoon ging toen Sophie en hij bijna het vakantiehuisje van Joe Quinn, aan een meer bij Atlanta, hadden bereikt. Het was MacDuff.

'Campbell heeft net gebeld.' Zijn stem stond bol van de ingehouden woede. 'Charlie Kedrick, een van zijn mannen, is opgepakt in het dorp. Waarschijnlijk door Franks of een van zijn mensen. Hij is dood.'

'Verdomme.'

'En hij heeft geen gemakkelijke dood gehad. Ze hebben hem gemarteld. Wat ze van hem wilden weten, zal hij wel verteld hebben. Hij wist niet veel, maar wel hoe Jane MacGuire heette en wie ze was. Vroeger is ze wel eens op het kasteel geweest. Dat betekent dat ze Jane en de jongen nu dus waarschijnlijk op het spoor zijn.'

'Hoeveel tijd hebben we?'

'Dat hangt ervan af hoe snel Franks is.'

'Hij zal wel het gevoel hebben dat we hem te slim af zijn geweest, dus doet hij zijn uiterste best om weer in een goed blaadje bij Sanborne te komen.'

'Dan hebben we geluk als we meer dan een paar uur hebben. Waar zit je?'

'Op weg naar het vakantiehuisje aan het meer. Je zei dat Michael hier wel snel zou zijn.'

'Ja, en Franks ook. Blijf waar je bent. Jock en ik zijn er in veertig minuten.'

'Nee, ik neem geen risico met Sophie. Met Franks en zijn mensen zo dicht in de buurt kon dat wel eens resulteren in een bloedbad.' Hij gooide het stuur om en maakte rechtsomkeert. 'Ik draai om en ga naar het vliegveld.'

'Nee!' Sophie greep zijn arm. 'Wat gebeurt er?'

Hij gaf geen antwoord. 'Ga jij naar het huisje aan het meer, MacDuff. En zeg tegen Jock dat ik hem zo terugbel.' Hij hing op en zei tegen Sophie: 'Franks is erachter gekomen dat Michael bij Jane is en hij weet wie ze is. Dat betekent dat hij waarschijnlijk hierheen op weg is.'

'En wat bedoel je er dan verdomme mee dat je met mij geen risico neemt? Ik ga heus niet weg om Michael hier alleen achter te laten. Dus draai maar meteen om en rij terug.'

'Zodra ik met je heb gepraat.' Hij zette de auto stil aan de kant van de weg. 'Als je dan nog steeds naar dat huisje wilt, zal ik je erheen brengen. Luister je?'

'Ik wil nu...' Ze hield haar mond dicht. 'Oké, ik luister. Schiet op.'

'We hebben hier een kans.' Hij bleef recht voor zich uit kijken. 'We moeten op San Torrano zien te komen en een manier vinden om die installatie en REM-4 te vernietigen. Boch is niet dom. Het hele eiland zal zwaar beveiligd zijn.'

'Dus?'

'We hebben daar een mannetje binnen de organisatie nodig.' Zijn mond vertrok. 'Of liever gezegd: een vrouwtje.'

Ze zat doodstil. 'Wat bedoel je?'

'Sanborne wil je graag hebben. Daarom zit hij achter Michael aan. Ik bedoel dat ik je op een presenteerblaadje aan die klootzakken wil aanbieden.' Hij deed zijn ogen dicht. 'Moge God het me vergeven.'

Er ging een schok door haar heen. 'Maar ik wil...' Ze keek hem verward aan.

Zijn ogen gingen weer open. 'Wat verwacht je anders van me? Ik heb je al eerder verteld dat ik niet aardig en beschaafd ben. En je hebt jezelf al bijna geofferd op het altaar.' Zijn handen werden wit, zó hard kneep hij in het stuurwiel. 'Dus waarom zou ik je daar nu niet aan houden?'

Er lag zoveel verdriet en verbittering in die woorden, dat het haar gewoon pijn deed om te horen. 'Je doet net of ik de een of andere gek ben. Hou op met jezelf zo te straffen en prááat gewoon met me.'

Het was stil. En toen verscheen er een miniem lachje op zijn lippen. 'Ik denk dat je zelf wel het gevoel zult hebben dat je me wilt straffen.'

'Geen idee, zolang je zo blijft mompelen en niet zegt wat je denkt.'

'Oké.' Zijn stem klonk bruusk. 'Het gaat erom dat we jou op dat eiland nodig hebben. MacDuff en ik kunnen wel zorgen voor de vernietiging van die waterzuiveringsinstallatie, maar we moeten informatie hebben waar die REM-4-disks verborgen liggen. Het heeft geen zin om ons te ontdoen van die vaten met REM-4, zolang Sanborne nog over de middelen beschikt om ze te produceren.'

'Ja, dat heb ik altijd al geweten.' Met een geforceerde glimlach merkte ze op: 'Dus je wilt dat ik de volgende Nate Kelly wordt.'

'Kelly krijgt zoiets niet voor elkaar. En ik ook niet.'

'Dus jij wilt dat ik net doe of ik weer bij Sanbornes team wil? Ik ben bang dat hij me niet zal geloven, ik heb al zó vaak nee tegen hem gezegd. En zelfs als hij mij naar dat eiland laat gaan, zal hij me nooit vertrouwen.'

'Sanborne vertrouwt niemand. Maar onder bepaalde omstandigheden zou hij jou wel een grotere vrijheid geven.'

'Wat voor soort omstandigheden?'

'Als hij dacht dat hij jou in zijn macht had.' Hij pauzeerde even. 'Als hij denkt dat hij je zoon zou kunnen doden, als jij niet doet wat hij wil.'

Haar ogen werden groot van afschuw. 'Wil je dat ik hem Michael in handen geef?'

'Jezus, nee, natuurlijk niet,' antwoordde hij schor. 'Ik mag dan wel een klootzak zijn, maar ik zou nooit... Ik zei als hij dácht dat hij Michael zou kunnen doden.'

'En waarom zou hij dat denken?'

'Omdat ik een plan heb uitgedacht dat ervoor zorgt dat hij het gelooft.'

'Hoe dan?'

'De details vertel ik je later wel. Wat voor jou het belangrijkste is, is dat ik ervoor zal zorgen dat Michael volkomen veilig is. Dat zweer ik je.'

Ze voelde zich misselijk van angst. 'Dat heb je al eerder gezegd.'

'En hij is nog steeds in leven, Sophie.'

'Dat weet ik. Vertel die details maar.'

'Ik instrueer Jock om Franks en zijn mannen in de val te laten lopen. Als Jock Franks heeft, kunnen we Sanborne laten denken dat Franks Michael in handen heeft.'

'Dat klinkt eenvoudig, maar dat is het helemaal niet.'

'Nee, maar wel uitvoerbaar.'

Probeer helder te denken. Helder? Haar hoofd zat vol met allerlei mogelijkheden en uitwegen en geen van allen waren ze erg rooskleurig. Ze staarde de duisternis in. 'Dit kan ervoor zorgen dat er een einde aan komt, is het niet? Dat het eindelijk over is. Het is de snelste manier om ze te pakken. Onze beste kans.'

'Ja,' zei hij met hese stem. 'De snelste en de beste.'

'En jij kunt ervoor zorgen dat het lukt, Royd?'

'Dat garandeer ik je.'

Weer was het een tijdje stil. 'Laten we het dan maar doen.'

Hij begon te vloeken.

Haar ogen zochten verbaasd zijn gezicht af. 'Wilde je dat dan niet?'

'Nee.' Hij reed de weg weer op. 'Ik had liever gehad dat je had gezegd dat ik naar de hel kon lopen. Ik wilde dat je woedend op me zou zijn, omdat ik je leven op het spel zette en dat je zou zeggen dat je er nooit meer een woord over wilde horen.'

De gekwelde uitdrukking op zijn gezicht bracht haar van haar stuk. 'En jou ontslaan van de verantwoordelijkheid voor dit plan? Dit is jouw idee, Royd. Je kunt niet alles hebben.'

'Ik probeer de verantwoordelijkheid niet af te schuiven. Ik weet precies wat ik doe. En je hoeft me dus nergens van te ontslaan. Maar het voelt als een kruis.' Hij trapte op het gaspedaal en pakte zijn telefoon. 'Ik moet Jock terugbellen.'

Wat was dit nou weer?

Sanborne fronste zijn wenkbrauwen, terwijl hij de luchtpostenvelop met Sol Devlins naam op de achterkant geschreven, openritste.

Sir,

U zult nu wel weten hoe goed ik de opdracht die u me

hebt gegeven heb uitgevoerd. Ik heb de documenten over San Torrano die ik in Gorshanks huis heb gevonden, hierbij ingesloten, omdat ik weet dat ze belangrijk voor u zijn.
Ik ben ervan overtuigd dat u wilt dat ik nu Royd voor u elimineer. Hij is een gevaar voor u en u moet beschermd worden. Zodra de situatie is opgelost, laat ik van me horen.

Devlin

Sanborne vloekte, terwijl hij de brief op zijn bureau neergooide. Echt iets voor Devlin om hem niet te bellen maar meteen in actie te komen, zodat hij geen kans had om bezwaar te maken. Weer een teken van een gemis aan werkelijke gehoorzaamheid. Wat als hij nu had besloten om Royd niet te laten doden? Wat als hij Devlin naar Atlanta had willen sturen, als back-up voor Franks? Franks hield sinds gisteravond dat huisje aan het meer in de gaten, wachtend op het juiste moment om toe te slaan.

Nee, Devlin was te instabiel om met iemand samen te werken. Het was eigenlijk maar goed dat hij Royd probeerde op te sporen. Het was natuurlijk in zijn voordeel als Sophie Dunstons beschermer werd uitgeschakeld.

Maar dat betekende nog niet dat hij niet geïrriteerd was door Devlins onafhankelijkheid. Hij zou een hartig woordje met hem moeten praten als hij zijn opdracht had volbracht en naar hem toe kwam snellen om overladen te worden met complimenten.

Barbados

'Is het gebeurd?' vroeg Sophie. 'Is Michael veilig?'

'Nog niet helemaal,' antwoordde Royd. 'Maar dat zal niet lang meer duren. Alles loopt zoals gepland. Sanborne heeft vanmorgen zijn kantoor verlaten, op weg naar een onbekende bestemming.'

'Sanborne kan me op dit moment geen bal schelen. Ik wil dat het gebeurd is en Michael in veiligheid is.'

Royds telefoon ging. 'MacDuff.' Hij nam op. 'Goed.' Hij verbrak de verbinding en stond op. 'Het startsein. Kom op.'

San Torrano

'Ik heb de jongen,' zei Franks, toen Sanborne de telefoon oppakte. 'Wat moet ik met hem doen?'

'Is hij gewond geraakt?"

'Alleen wat blauwe plekken.'

'Goed. Waar zit je?'

'Nog steeds bij het huisje aan het meer.' Hij wachtte even. 'Ik moest die vrouw en haar vader en nog twee andere mannen die erbij waren wel doden. Is dat in orde?'

'Als het niet anders kon. Hoe veilig zit je daar?'

'Het ligt hier heel geïsoleerd. Ik kan iedereen over de weg zien aankomen.'

'Blijf daar dan maar voorlopig. Als de situatie verandert, moet je het me laten weten.'

'Wat doe ik met die jongen?'

'Geen blauwe plekken meer. Ik wil dat je een dvd maakt en ik wil niet dat die jongen er dan al te slecht uitziet.' Hij hing op en liep naar het einde van de pier om naar de *Constanza* te kijken, die buitengaats voor anker lag. Alles verliep uitstekend. Een paar dagen had hij zich wat zorgen gemaakt, maar hij had kunnen weten dat Franks het wel voor elkaar zou krijgen. Als hij vanavond klaar was met dit gedoe hier, zou hij met veel plezier Sophie Dunston bellen.

Hij zwaaide naar kapitein Sonanz, die op de brug stond. 'Welkom in San Torrano,' schreeuwde hij. 'Ik hoop dat u een prettige reis hebt gehad. Als u nu begint met uitladen, kan het tegen de avond gebeurd zijn en kunnen we samen wat eten en drinken.' Hij glimlachte. 'Geef uw mannen toestemming om van boord te gaan en breng uw officieren maar mee.'

Barbados

Toen het telefoontje van Sanborne kwam, zat Sophie op de boot die Kelly had gehuurd.

'Je hebt veel langer overleefd dan ik had gedacht,' begon Sanborne. 'Wat een geluk dat je samen met Royd een team hebt gevormd. Ik weet zeker dat hij een goede hulp voor je is geweest.' Even was het stil. 'Maar nu is het tijd dat jullie wegen zich scheiden. Nu ben je zónder Royd veel veiliger. Devlin is naar hem op jacht en dat is niet iemand die het concept "een onschuldige buitenstaander" begrijpt.'

'Rot toch op.'

'Niet zo onbeleefd. Het is niet fatsoenlijk voor een werknemer om haar baas zo te behandelen.'

'Je hebt blijkbaar een déjà vu.'

'Nee, ik vond het tijd worden om je weer terug in de kudde te verwelkomen. Ik heb een beetje genoeg van die arrogantie van je. Ik ben zo aardig geweest om je een geweldige kans te bieden en die heb je botweg geweigerd. Nu moet ik je wel straffen.'

'Waar héb je het over, Sanborne?'

'Je zoon. Ik geloof dat hij Michael heet.'

Haar hand klemde zich vaster om de telefoon. 'Ik luister niet naar bedreigingen. Mijn zoon is veilig.'

'Jouw zoon is alleen maar veilig zolang ík dat wil. Stap op een vliegtuig en kom naar Carácas. Daar wacht ik je op.'

'Ik ga nergens heen waar jij in de buurt bent.'

'Ik geef je één dag. Ik heb een beetje haast. Ik stuur een dvd met je naam erop naar het postkantoor in Carácas. Maak je niet druk over die paar blauwe plekken van die jongen.' Hij hing op.

'Hij wil dat ik naar Carácas ga.' Ze keerde zich naar Royd. 'Hij zegt dat hij me een dvd van Michael gaat sturen. En dat ik me niets aan moet trekken van zijn blauwe plekken.' Er ging een huivering door haar heen. 'Klootzak.'

'Je bent van je stuk. Waarom? Je weet dat het niet waar is.'

'Hij was zo zelfvoldaan.' Ze maakte haar lippen nat. 'Zo zeker. Ik geloofde hem gewoon bijna.' Ze stond op en liep naar de reling. 'Het begint, Royd.'

'Ja.' Hij kwam naast haar staan. 'Je kunt je nog terugtrekken.'

'Nee, dat kan ik niet.' Ze staarde over de zee. 'Vertel me maar over San Torrano. Wat is Kelly erover te weten gekomen?'

'Het is een klein eiland voor de kust van Venezuela. Vroeger hoorde het bij dat land, maar tegenwoordig is het privébezit van een Canadees bedrijf. Je kunt je kop erom verwedden dat we, als we al dat papierwerk zouden uitpluizen, uiteindelijk Sanborne tegen zouden komen. Er wonen minder dan vijfduizend mensen, van wie de meesten afstammen van de indianen. De belangrijkste bron van inkomsten is de visserij. De kinderen doorlopen meestal maar een paar jaar basisonderwijs, voordat ze aan het werk moeten.'

'En die waterzuiveringsinstallatie?'

'Die is zestig jaar geleden gebouwd door de Venezolaanse regering, ten tijde van een cholera-epidemie. Die heeft destijds zo ongeveer de totale bevolking weggevaagd. De installatie bedient het hele eiland en de bewoners zijn erg nauwkeurig en drinken alleen water dat uit de kraan komt.'

'Dus als ze REM-4 aan dat water toevoegen, hebben ze meteen vijfduizend proefpersonen. Mannen, vrouwen, kinderen...' Ze schudde haar hoofd. 'Charmant.'

'Maar dat gaat niet gebeuren.'

'Mijn god, nee, dat hoop ik niet. Waar ligt die installatie?'

'Volgens de tekeningen en notities van Gorshank ongeveer drie kilometer van de westkant van het eiland. Ik zou als duiker naar de westkust kunnen zwemmen en zo bij de installatie kunnen komen om de explosieven aan te brengen. Maar we moeten er wel zeker van zijn dat álle vaten daar liggen en worden vernietigd.' Hij pauzeerde. 'Dat moet jij voor ons uit zien te vinden. En je moet natuurlijk te weten zien te komen waar die REM-4-disks liggen. Zodra je dat voor elkaar heb, zorg ik dat ik daar binnenkom om je daar weg te halen.'

'Maar als we die installatie vernietigen, zorgen wíj ervoor dat de bewoners weer het risico lopen om cholera te krijgen.'

'Ja, maar als we dat niet doen, drinken ze REM-4 en wat het risico daarvan is weten we niet eens. Het is vrijwel nog niet getest. Ik ben er zeker van dat Gorshank meer naar het effect heeft gekeken, dan naar de veiligheid van het middel.'

'Dat weet ik ook wel zeker. Gorshanks formule levert een hele sterke concentratie op.' Ze fronste haar voorhoofd. 'Het is kiezen uit twee kwaden.'

'Welk risico zou je zélf liever lopen?'

'Cholera,' antwoordde ze onmiddellijk. 'We weten niet welke schade REM-4 in deze vorm kan veroorzaken. Maar misschien kan ik wel een manier vinden om die vaten te vernietigen, zonder de installatie op te blazen.'

'Neem dat risico nou niet. Ze houden je natuurlijk in de gaten. Zolang ze denken dat ze je in hun macht hebben, geven ze je een bepaalde vrijheid. Maar als je je verdacht maakt, ruimen ze je gewoon uit de weg.'

Haar mond verstrakte. 'Ik zal een andere manier moeten vinden. Maak je niet druk, ik zal jou of de anderen niet in gevaar brengen.'

'Dat is bijna grappig. Jíj bent degene die het gevaarlijke werk moet doen.'

'Laat het me dan ook op mijn manier doen. En ík ben niet degene die ze zullen vermoorden, als ze je op het strand te pakken krijgen of als je op weg bent naar die installatie. Jij bent veel kwetsbaarder dan ik ben.' Een beetje moedeloos haalde ze haar schouders op. 'Het maakt niet uit. We krijgen het wel gedaan. Hoe dan ook. Ik moet alleen zeker weten dat Michael veilig is, als ik het doe.' Haar blik ging naar zijn gezicht. 'Hij ís veilig, hè?'

Hij keek van haar weg. 'Dat heb ik je toch gezegd.'

'Maar waarom kan ik dan niet even met hem praten?' Ze maakte een ongeduldig gebaar. 'Ja, ik weet wel dat het niet veilig is om de telefoons te gebruiken, omdat ze misschien getraceerd worden, maar één telefoontje maar, héél kort?'

Hij schudde zijn hoofd. 'Sophie, neem het risico nou niet, we zijn al zó ver.'

Ze was stil. 'Het is moeilijk voor me, Royd.'

'Ja, natuurlijk.' Hij keek haar nog steeds niet aan. 'Vertrouw je me niet?'

'Als ik jou niet vertrouwde, zou ik nu niet hier zijn.'

'Dat is een wonder. Ik heb je ooit verteld dat ik er alles voor overhad om Sanborne en Boch te pakken te krijgen. En sinds de dag dat we elkaar hebben ontmoet, heb ik jouw leven en dat van je zoon elke keer weer op het spel gezet.'

'Ik heb een vrije wil. Ik ben zélf degene die alle risico's heeft genomen.' Ze pauzeerde even. 'Ik vertrouw je. Vertel me nog één keer dat Michael echt veilig is.'

'Je zoon zal niets overkomen.' Hij draaide zich om. 'Ik moet naar de brug om Kelly te vertellen dat we naar Carácas moeten.'

Met een onbehaaglijk gevoel keek ze hem na. Sinds ze de Verenigde Staten hadden verlaten was hij té stil geweest, bijna kortaf. Misschien kwam het wel gewoon door de omstandigheden. Zíj voelde zich tenslotte ook gespannen en moest moeite doen om de paniek, die op de loer lag als ze eraan dacht wat er verder nog zou komen, onder controle te houden. Maar het was geen paniek die ze proefde bij Royd. Regelmatig betrapte ze hem erop dat hij zomaar naar haar stond te staren.

Het uitschakelen van Boch en Sanborne betekende alles voor hem. Het was de obsessie die hem voortdreef. Dacht hij dat ze zich terug zou trekken?

Ze had geen idee. De laatste tijd was hij een raadsel voor haar, maar ze had nu de energie of aandacht niet om erachter te komen wat er met hem was. Dit was niet het goede moment om zijn stemming en zijn gedrag te gaan analyseren. Ze had tegen hem gezegd dat ze hem vertrouwde. Haar nervositeit had niets te maken met Royd en alles met de confrontatie die ergens in de komende dagen plaats zou vinden.

Ze móést hem vertrouwen.

Carácas

Ze pakte de dvd uit de envelop en deed hem in de speler.

'Mam?'

Ze hoorde Michaels stem al, voordat er op zijn gezicht werd ingezoomd.

Mijn god.

Hij had een blauwe plek op zijn linkerwang en zijn bovenlip was kapot en opgezwollen. Hij zag er angstig uit.

Hij probeerde te glimlachen. 'Niets ernstigs aan de hand, mam. Je hoeft niet bang te zijn. En zorg dat je je niet laat dwingen om iets te doen wat je niet wilt.'

De tranen prikten achter haar ogen.

'Ik moet nu ophouden.' Michael keek naar iemand buiten beeld. 'Hij vond het niet leuk dat ik dat zei. Maar ik meen het. Laat je niet dwingen...'

De videocamera werd uitgeschakeld.

Golven van paniek overvielen haar en ze moest steun zoeken bij de tafel. Als Michael had zitten acteren, verdiende hij een edison. Die blauwe plekken...

Vertrouw me, had Royd gezegd.

Verdomme, Royd.

Vertrouw me.

Nu niet instorten. Royd had gezegd dat de dvd authentiek zou lijken. Hij moest tenslotte geloofwaardig zijn voor Sanborne.

Blauwe plekken...

Haar telefoon ging.

'Je hebt dat leuke amateurfilmpje van ons nou wel gezien, denk ik,' hoorde ze Sanborne zeggen. 'En, wat vond je ervan?'

'Klootzak.' Ze hoorde dat haar stem beefde, maar ze kon er niets aan doen. 'Het is een kínd.'

'Nou, blijkbaar vond je het geen leuk filmpje. Ik vond dat die jongen verbazend moedig was. Je zou trots op hem moeten zijn.'

'Dat ben ik ook. Je moet hem laten gaan.'

'Alles op zijn tijd. Wanneer de eerste test met REM-4 succesvol is.'

'Nu.'

'Geen eisen. Dat vind ik vervelend.' Hij was even stil. 'Iedere dag dat je weigert om me te helpen, is een dag dat jij weer zo'n video van me krijgt. Ik begin met blauwe plekken, maar ga dan langzaam over op lichaamsdelen. Begrijp je?'

Ze voelde zich misselijk. 'Ja.'

‘Kijk, dat is beter. Ik stuur vanavond om zes uur een van mijn mensen naar Bolivar Square, om je op te halen en je naar het eiland te brengen. Zorg dat je op tijd bent. Ik wil liever niet naar je moeten bellen met slecht nieuws.’ Hij hing op.

Sophie verbrak de verbinding.

Ze voelde zich lamgeslagen. Maar ze moest toch in beweging komen, om Royd in het straatje naast het postkantoor te ontmoeten. Daar ging ze in haar eentje naartoe, voor het geval ze in de gaten werd gehouden, maar hij moest het weten van de dvd en het telefoontje van Sanborne.

Maar zolang ze zichzelf niet beter onder controle had, kon ze hem niet onder ogen komen. Nu was ze gewoon te veel in paniek. Ze moest even de tijd nemen om rustig te worden.

Als ze Royd vertrouwde, waarom voelde ze zich dan zo verschrikkelijk bang, alsof ze die dvd geloofde?

Vertrouw hem. Vertrouw hem. Vertrouw hem.

18

'Probeer hem zover te krijgen dat je morgen naar de zuiveringsinstallatie kunt.' Royd verminderde snelheid nu ze Carácas naderden. 'Het kan zijn dat hij wil dat je in het laboratorium in het dorpje werkt, maar probeer iets te bedenken waarom je beter naar de zuiveringsinstallatie kunt gaan.'

'Goed.'

'Ik ga proberen om alles binnen drie dagen geregeld te hebben. Ik laat MacDuff en zijn mensen hierheen komen en dan zouden we klaar moeten zijn om toe te slaan. Rond zonsondergang komen we op het eiland aan. Zorg dat je dan op het terrein van de installatie bent. Ik ga vóór MacDuff en Kelly naar binnen en zorg dat jij veilig weg kunt komen. Ik kan je nu geen zendertje geven, omdat je waarschijnlijk wordt gefouilleerd als je op het eiland aankomt. Maar zodra je daar eenmaal zit, is het waarschijnlijk safe. Je moet contact met ons kunnen maken als de boel in je gezicht explodeert.'

Haar mond vertrok. 'Als de boel in mijn gezicht explodeert, zal ik ook wel exploderen. Dan heb ik geen zendertje meer nodig.'

'Dat is helemaal niet grappig,' zei hij scherp.

'Sorry. Hoe krijg je dat zendertje dan bij me?'

'Ik leg dat ding vlak bij de poort van de installatie. Vlak onder de grond, zodat je de aarde er gewoon af kunt vegen.'

Ze fronste haar voorhoofd. 'Wat bedoel je?'

'Ik zal een paar gele bloemen planten, een soort dat van nature hier op het eiland groeit. Het is eigenlijk onkruid, maar ze zijn heel mooi. Jij moet gewoon een paar van die bloemen plukken en tegelijkertijd dat zendertje pakken. Dat ding is niet groter dan de nagel van je duim. Hou dat ding altijd bij je. Als wij merken dat de situatie zich slecht ontwikkelt, kom ik je halen.'

'Dat zou heel stom zijn. Het kan je dood wel worden. Wacht tot ik zeg dat je moet komen.'

'We zien wel hoe het gaat.'

'Nee, ik wil dat je wacht. Ik ga mijn leven niet riskeren als ik niet zelf mag uitmaken hoe of wat.'

Het was even stil. 'Oké. Ik zal wachten. Tot ik niet langer kan.'

'Nou, dat is ook geen grote concessie.'

'Het is een enorme concessie,' zei hij ruw. 'De grootste die ik ooit aan iemand heb gedaan.' Hij zette de auto langs de kant van de weg. 'Je moet eruit. Ik kan niet verder rijden, anders worden we misschien samen gezien. Bolivar Square is deze zijstraat in en dan twee straten verderop. Vanaf hier zul je het alleen moeten doen.'

Alleen. Ze probeerde voor hem te verbergen hoe die laatste woorden haar raakten. Natuurlijk had ze dit verwacht. En ze zou zich hevig hebben verzet als hij van gedachten was veranderd om haar naar Sanborne te sturen. Maar nu ze voor het moment stond dat hun wegen moesten scheiden, was het opeens allemaal heel angstwekkend.

'Oké.' Met een geforceerde glimlach greep ze de hendel van het portier vast. 'Nou, ik neem aan dat we contact houden, maar dat kan pas als ik dat rotzendertje heb.' Ze stapte uit en aarzelde. 'Royd, ik moet je iets vragen.'

'Vraag maar.'

'Als mij iets overkomt, wil jij dan voor mijn zoon zorgen? Dat hij veilig en gelukkig is?'

'O, shit.'

'Kun je me dat beloven?'

'Er gaat je niets overkomen.'

'Beloof het.'

Hij was stil. 'Ik beloof het.'

'Dankjewel.' Ze deed het portier dicht.

'Wacht.'

Ze keek naar hem om.

Hij had het raampje naar beneden gedraaid en keek haar aan met een intensiteit die haar bewegingsloos deed stilstaan.

'Weet je nog dat ik je ooit heb gezegd dat ik voor je zou doden?'

Ze knikte.

'Nou, daar heb ik over na zitten denken. Het is veranderd, gegroeid.' Zijn stem klonk onvast. 'Ik geloof dat ik nu voor je zou sterven.'

Voordat ze hem een antwoord kon geven, was hij al weggereden en kon ze hem alleen nog maar nakijken.

Royd keek in zijn achteruitkijkspiegel naar Sophie. Hoe ze hem eerst na stond te kijken en toen snel de zijstraat in liep.

Verdomme. Verdomme. Verdomme.

Zijn handen klemden zich keihard om het stuur, totdat hij zichzelf dwong zijn greep te verslappen. Dat moest er nog bijkomen, dat hij een ongeluk kreeg omdat hij zichzelf niet onder controle had.

Hoewel ze had geprobeerd het niet te laten merken, had hij gezien dat ze zich heel alleen en onzeker had gevoeld in die laatste paar minuten. En wie kon haar dat kwalijk nemen? Hij had haar opzettelijk naar het hol van de leeuw gestuurd.

Maar ze zou er niet onder lijden. Hij zou ervoor zorgen dat ze hier veilig en wel weer uit zou komen.

Hij pakte zijn telefoon en toetste het nummer van Kelly in. 'Ik heb haar afgezet. Wacht op me aan de kade.'

'Hoe ging het met haar?'

'Wat denk je?' vroeg hij ruw. 'Nerveus, bang en zich afvragend of ze hier wel levend uit zal komen.' Hij hing op.

Bel MacDuff. Laat je niet verleiden om haar nog gauw te gaan halen, voordat ze Sanbornes mannetje heeft getroffen. En dan ging hij er nog van uit dat ze ook met hem mee zou gaan, terwijl ze zich ondertussen had vastgebeten in haar opdracht. Dit deed ze niet alleen omdat hij haar ervan had overtuigd dat dit de beste manier was om alles tot een goed einde te brengen. Tenminste, hij hoopte dat dat niet haar enige beweegreden was. Hij had haar ervan beschuldigd dat ze geobsedeerd werd door schuldgevoelens, maar op het moment waren de rollen duidelijk omgedraaid.

Hij toetste MacDuffs nummer in.

San Torrano

Het eiland lag lui en tropisch in de avondzon en zag er volkomen normaal uit, vond Sophie, terwijl de motorboot door de golven kliefde in de richting van de pier waarop Sanborne stond te wachten. Het was een erg lange pier en even had ze een déjà vu dat een rilling door haar heen deed gaan. Het was op net zo'n soort pier dat haar vader en moeder waren gestorven en dat deze afschuwelijke nachtmerrie begon.

Sanborne was een knappe man, vroeg in de vijftig met grijzend haar en een diepgebruinde huid, waardoor hij helemaal op zijn plaats leek in deze omgeving. En hij zag er jonger en charmanter uit dan toen Sophie nog voor hem werkte. Hij glimlachte naar haar en wuifde.

Ze voelde dat de spieren van haar maag zich spanden. Hoe kon hij zo'n vriendelijke indruk maken? En waarom had ze niet beseft wat een monster hij in werkelijkheid was, toen ze nog voor hem werkte? In die maanden had ze hem nooit een onplezierig mens gevonden. Misschien was het omdat ze zo geabsorbeerd was geweest door haar werk, dat hij van weinig betekenis voor haar was geweest.

Maar later had hij des te meer betekend. Hij had haar leven verwrongen en mensen van wie ze veel had gehouden vernietigd.

Toen de speedboot langs de pier afmeerde, kwam hij er op zijn gemak naartoe wandelen. 'Sophie, schat, eindelijk weer samen.' Even wierp hij een blik op de man die de boot had bestuurd. 'Nog problemen, Monty?'

De man schudde zijn hoofd. 'Ze kwam alleen en we zijn niet gevolgd.'

'Goed zo.' Hij strekte zijn hand naar haar uit. 'Laat me je helpen.'

Maar ze vermeed zijn hand en sprong uit de boot. 'Het lukt me wel.'

'Altijd al onafhankelijk geweest.' Zijn glimlach bleef even breed. 'Ik ben daar niet meer aan gewend. Dankzij jou zijn de meeste mensen met wie ik tegenwoordig te maken heb erg gewillig en onderdanig.'

'Dat moet je plezier doen.'

'O ja, zeker. Ik kan je niet uitleggen hoe opwindend het is te weten dat ik de baas ben over alles wat er gebeurt.'

'Waarom? Je hebt alles. Geld, invloed. Waarom moet je de mensen om je heen vermorzelen?'

'Als je dat niet begrijpt, kan ik het je ook niet uitleggen. Boch denkt dat het het geld is en de mogelijkheid om de wereld te veranderen. Dat is wat hém drijft. Maar bij mij is het de onderdanigheid van anderen die me een bevrediging schenkt die ik nergens anders krijg. Loop maar mee.' Hij begon de pier af te lopen. 'Ik breng je naar je plek. Ik wil dat je meteen aan het werk gaat.'

'Waar is het de bedoeling dat ik werk?'

'Ik heb een laboratorium in het huis dat ik hier heb laten bouwen. Ik heb Gorshank hier ooit mee naartoe genomen en zijn apparatuur staat er nog steeds.'

'De kans dat ik het werk van die Gorshank snel kan voortzetten, is niet erg groot. Ten eerste zal ik zijn formules moeten bestuderen en dan wat experimenten moeten doen, om te kijken waar de denkfouten zitten. Of misschien is de formule zélf wel niet toepasbaar. Misschien werkt-ie wel nooit, wat ik er ook voor verbeteringen in aanbreng.'

'O, jawel, hij werkt wel, maar op een beperkte manier. Gorshank heeft me dat verzekerd en ik heb zelf een paar experimenten uitgevoerd, sinds ik hier ben.'

Haar ogen vlogen naar zijn gezicht. 'Op de inwoners hier?'

'Dat nog niet. Op de bemanning van de *Constanza*.' Hij wierp even een blik op het schip dat voor anker lag. 'Die moesten toch geëlimineerd worden. We konden het risico niet lopen om ze vrij te laten. Ze zouden hun mond voorbij hebben kunnen praten.'

'En zíjn ze ook "geëlimineerd"?'

'De eerste avond dat de bemanning water uit de vaten had gedronken, zijn er acht man gestorven. Het leek een pijnlijke manier van sterven. De kapitein en de eerste stuurman kregen een dubbele dosis en die stierven zelfs luid gillend. De overlevenden zijn nogal sloom en heel gewillig. Ze werken in de tuinen achter het huis en worden constant in de gaten gehouden, zodat we kunnen bepalen hoe lang het goedje werkt. Het zou natuurlijk ideaal zijn als er een permanente verandering had plaatsgevonden in hun hersens, maar dat is waarschijnlijk te veel om op te hopen. Dus zullen we hun steeds een dosis moeten blijven toedienen.'

Zijn toon was nonchalant en zakelijk. Met een huivering realiseerde ze zich dat hij er niets bij voelde. 'Het zal tijd kosten,' herhaalde ze. 'Ik doe geen experimenten op onschuldige mensen, tenzij ik er zeker van ben dat het hun geen kwaad berokkent.'

'Prijzenswaardig. Maar de experimenten moeten toch plaatsvinden.' Hij trok een gezicht. 'Boch en ik zijn het er niet over eens hoe extreem die moeten zijn. Ik denk wel dat Bochs klanten een klein aantal doden zullen accepteren, maar wat ze willen, zijn willoze volgers, geen lijken. En wanneer het in de watervoorraden van de Verenigde Staten gebruikt gaat worden, moeten er natuurlijk geen sporen van te vinden zijn. Ze willen...'

'Hersenloze zombies die ze kunnen laten doen wat ze willen, en wanneer ze willen.'

'Of misschien dat ze de mensen een jaar of twee dat water willen laten drinken, zodat het effect heeft op hun nakomelingen.'

'Baby's.'

'Slavernij die al in de baarmoeder begint. Wat een superconcept.'

'Weerzinwekkend.'

'Maar je zult het toch moeten doen.' Hij lachte vriendelijk naar haar. 'Omdat die vreemden je eigenlijk niets uitmaken. Het gaat je om je zoon.'

'Die mensen maken me wél wat uit.' Ze slikte. 'Maar ik zal doen wat je vraagt. Maar ik wil wel dat mijn zoon hier levend en wel naartoe wordt gebracht, voordat ik mijn onderzoek beëindig.'

'Dat zullen we na de eerste tests bespreken.'

'Ik moet natuurlijk het water uit die vaten analyseren. Waar zijn die? Op de waterzuiveringsinstallatie?'

'Ongeveer de helft ligt daar. We hebben de bemanning na een paar uur toestemming gegeven om te stoppen met uitladen, zodat we met onze experimenten konden beginnen. De andere helft van de vaten ligt nog op de *Constanza*. Maar je hoeft zelf niet naar de installatie, we brengen je de monsters op het lab.'

Eigenlijk wilde ze daar meteen iets tegen inbrengen, maar ze kon zichzelf inhouden. Niet te veel dwingen. 'Misschien is dat niet wat ik nodig heb, maar we zullen het proberen.'

'Wat ben je toch gehoorzaam. Misschien geef ik je wel een beloning en mag je vanavond even met je zoon bellen. Zou je dat leuk vinden?'

'Ja,' zei ze met opeengeklemde tanden. 'Dat weet je best.'

Hij bestudeerde haar gezicht met een soort wrede nieuwsgierigheid. 'Ik zal erover nadenken.' Zijn ogen gingen naar een man die met grote stappen hun kant op kwam. 'Ach, daar is mijn vriend Boch. Ik weet zeker dat je ernaar uitkijkt om hem te ontmoeten.'

'Helemaal niet.'

Boch was groot, goed gebouwd met kortgeknipt bruin haar en een stramme militaire houding. Hij was bruusk, koud en bezat geen greintje van de charme die Sanborne uitstraalde. 'Is ze er? Stop dan met dat nutteloze gezwets en zet haar aan het werk. We hebben niet veel tijd meer.'

'Zie je?' zei Sanborne. 'Boch is een beetje gespannen. Hij was niet erg gelukkig met het aantal doden op de *Constanza*. Hij wist dat ik er dan nog meer op zou staan om het langzamer aan te doen. Maar ik weet dat jij die formule wel kunt laten werken.'

'We zouden haar REM-4 moeten geven,' zei Boch kortaf. 'Dan zouden we haar harder kunnen laten werken.'

'Niets laat haar harder werken dan de troefkaart die ik in handen heb. En als ze doodgaat of niet helder kan denken, zou dat alles kapotmaken.' Hij knikte in de richting van het grote witte huis met pilaren. 'We gaan je installeren in het lab met de aantekeningen van Gorshank en na een paar uur zullen we kijken of je het verdient om met je zoon te praten.'

Pas om negen uur die avond kwam ze het lab uitlopen. Haar ogen prikten van het ontcijferen van Gorshanks kriebelige handschrift en al het commentaar dat ze in de computer had gevonden, en haar hoofd tolde van de afschuwelijke waarheid die zich gedurende de laatste paar uur voor haar had ontvouwd.

'Ik moet Sanborne spreken.'

'Dat is niet mogelijk. U moet terug naar binnen.'

'Ik voer geen klap meer uit, voordat ik Sanborne heb gesproken.'

'Mijn beste Sophie.' Sanborne kwam uit een naastgelegen kamer wandelen. 'Je moet leren dat je hier niet zomaar kunt doen wat je wilt. De situatie is niet meer hetzelfde als toen je hier nog in dienst was.'

'Jij hebt gezegd dat ik met mijn zoon mocht bellen.'

'Als ik dacht dat je het verdiend had. Wat heb je bereikt? Welke fantastische ontdekking heb je gedaan?'

'Ik heb ontdekt dat jij iemand hebt ingehuurd die net zo weinig geweten heeft als jijzelf. Uit zijn aantekeningen blijkt dat hij zo ongeveer evenveel experimenten heeft uitgevoerd als de nazi's in de concentratiekampen.'

'Het werk kon alleen stap voor stap, zei hij.'

'Stap voor stap? Er gingen mensen dood. Er werden mensen knettergek. Hij noteerde hun reacties uitermate precies en uitgebreid. Misselijkmakend uitgebreid.'

'Ach, het waren alleen maar daklozen en zwervers. En uiteindelijk kwam hij met een formule die er veelbelovend uitzag.' Hij keek haar aan. 'Kun je daar de fouten uithalen, zonder de formule te verzwakken?'

'Dat weet ik niet.'

'Dat is niet het antwoord dat ik wil horen.'

'Ik heb dat watermonster dat je me hebt laten bezorgen proberen te analyseren, maar het is niet voldoende. Ik moet naar de vaten toe om zowel het water als het vat te analyseren, om er zeker van te zijn dat er geen verontreinigd materiaal in de leidingen terecht zou kunnen komen.'

Hij keek haar een tijdje nadenkend aan. 'Dat klinkt logisch.'

'Ja, natuurlijk. Wanneer kan ik daarheen?'

'Morgen.'

'Kan ik mijn zoon dan nu spreken?'

'Je hebt me nog niets geleverd dat een beloning verdient.' Hij glimlachte. 'Maar misschien heb je een stimulans nodig.' Hij pakte zijn telefoon en toetste een nummer in. 'Franks, ze heeft toestemming om even met die jongen te praten.' Hij gaf haar de telefoon. 'Niet lang.'

'Hallo,' zei ze in de telefoon.

'Een moment. Ik ga hem voor u halen.' De man die door Sanborne Franks werd genoemd had een zwaar New Yorks accent.

'Mam?'

'Ja, lieverd. Ik wilde je alleen zeggen dat ik alles doe wat ik kan voor je veiligheid.'

'En ben jij veilig?'

'Ja, en we zullen snel weer bij elkaar zijn. Is alles goed met je? Ze doen je toch geen kwaad, hè?'

'Alles is goed. Maak je geen zorgen.'

'Dat is moeilijk om niet...'

Sanborne pakte de telefoon van haar af. 'Zo is het genoeg.' Hij drukte de toets in die de verbinding verbrak. 'En meer dan je verdient, gezien de vooruitgang die je niet hebt geboekt. Geen contact meer, totdat je met iets substantieels komt.'

'Ja, begrepen.' Ze keek van hem weg. 'Die Franks heeft een bepaald accent...'

'Brooklyn, om precies te zijn.'

'Heel opvallend.' En dat was niet Jock geweest aan de telefoon. Zelfs als hij dat accent had geïmiteerd, dan nog zou ze zijn stem hebben herkend.

'Voordat ik hem uitkoos voor REM-4, zat hij bij een van de straatbendes daar. Ga nu maar terug naar het lab.'

'Het is al na negenen. Ik moet ook nog slapen zo af en toe.'

'Om middernacht mag je naar je kamer. Maar ik wil dat je vroeg opstaat en dan weer aan het werk gaat. Boch was nogal bot, maar hij heeft wel gelijk wat de tijd betreft. Je moet het werk af zien te krijgen.'

'Dat lukt heus wel.' Hier was een kans. 'Maar ik moet mijn oorspronkelijke aantekeningen over REM-4 hebben, om te kunnen vergelijken. Heb jij die ergens hier?'

Hij glimlachte spottend. 'Bedoel je dat de formule niet in je geheugen gegrift staat?'

'Je weet best hoe gecompliceerd die was. Ik kan hem wel weer reconstrueren, maar dat kost natuurlijk tijd en die geef je me niet.'

'Precies.' Hij aarzelde even en draaide zich toen om en liep de bibliotheek in. Een paar minuten later verscheen hij met een disk in zijn hand. 'Ik wil hem steeds aan het eind van de dag terug. Dan doe ik hem weer in de brandkast.' Hij gaf haar de disk. 'Ben je niet blij dat ik je werk zo goed bewaar?'

'Ik had het moeten verbranden, voordat jij het in handen kreeg.' Ze liep in de richting van het lab. 'Maar als jij wilt dat ik mijn werk voor elkaar krijg, zul je mee moeten werken. Ik kan het niet in m'n eentje.'

'Natuurlijk help ik. We zijn één grote, gezellige familie hier op het eiland.'

Daar gaf ze geen antwoord op en ze deed de deur van het lab achter zich dicht. Zodra ze alleen was, kwam het telefoongesprek dat ze zo wanhopig uit haar hoofd probeerde te zetten, weer in haar gedachten.

Een Brooklyn-accent. Een stem die ze niet herkende. Blauwe plekken op het gezicht van Michael.

Het kón niet waar zijn. Er móést gewoon een verklaring voor zijn. Royd had Franks Michael heus niet gevangen laten nemen om er zeker van te zijn dat Sanborne geloofde dat het waar was.

Ik zal jou en ieder ander gebruiken om Sanborne en Boch ten val te brengen.

O, god.

Maar toen hadden ze elkaar nog maar net ontmoet. Nu kenden ze elkaar, waren met elkaar naar bed geweest en voelde ze zich nauwer met hem verbonden dan met ieder ander.

Maar hij had niet geaarzeld om haar hierheen te sturen, naar het hol van de leeuw.

Ik zou voor je sterven.

Die laatste woorden hadden haar hart geraakt. Op dat moment was ze volkomen verbouwereerd geweest, maar ze had wel geloofd wat hij zei.

Maar ze had hem óók geloofd, toen hij had gezegd dat hij iedereen zou gebruiken. Hier moest ze mee ophouden. Dit innerlijke conflict zorgde ervoor dat ze langzaam maar zeker verscheurd werd. Wat de waarheid ook mocht zijn, ze moest sowieso een paar dagen zien te overleven hier. En dat betekende dat ze Sanborne tevreden moest houden, zodat hij Michael niets aan zou laten doen. En dat ze moest blijven zoeken naar een manier om Sanborne en Boch te vernietigen. Ze zat er nu te diep in om nog een andere keuze te hebben.

Dus trok ze de aantekeningen van Gorshank naar zich toe en probeerde zich daarop te concentreren. Het zou echt iets voor Sanborne zijn om hier in het laboratorium camera's te hebben laten installeren. Dus moest elke beweging die ze maakte legitiem zijn. Bestudeer die aantekeningen. Onderzoek nog een watermonster. En zet iedere gedachte aan Royd uit je hoofd.

Ik zou jou en ieder ander gebruiken...

Stil.

Niet bewegen.

Royd lag in de bosjes en wachtte tot de bewaker voorbij was. Het zou sneller en veiliger zijn geweest als hij de man gewoon had omgebracht, maar dat kon nu niet. Vanavond mocht er niemand gedood worden. Sophie moest rustig de tijd hebben om het zendertje te pakken, zonder dat er iets verdachts gebeurde.

De bewaker verdween om de hoek van de afrastering.

Royd sprong op en rende naar het stukje gras dat ongeveer een meter voor het toegangshek lag. In een paar seconden had hij de plant uit zijn waterdichte verpakking en een minuut later stond hij al in de grond. Hij spreidde de droge, stoffige aarde die hij speciaal daarvoor had meegenomen, over de omgespitte grond. En toen sprintte hij alweer terug naar de bosjes.

Voordat hij in actie kwam had hij gecheckt of zijn duikerpak wel helemaal droog was, zodat hij geen nat spoor achter zou laten. Iemand zou heel goed moeten kijken, wilde hij zien dat die bloemen er net waren geplant. En bovendien kon onkruid soms in één nacht opschieten.

Nu moest hij terugzwemmen naar de sloep en wachten tot Sophie iets van zich liet horen.

'Daar is ons onderzoekscentrum.' Sanborne maakte een gebaar naar een gebouw op het omheinde terrein van de waterzuiveringsinstallatie, dat door een kettingslot aan het hek was afgesloten. 'Misschien niet zo indrukwekkend, maar goed genoeg om ons doel te dienen.'

'Om duizenden mensen te doden?' vroeg Sophie, terwijl ze de auto uitstapte. Ze probeerde nonchalant over te komen en zocht ondertussen snel met haar ogen de omgeving af. Een gele bloem. Verdomme, waar?

'Ik heb je al verteld dat dat onze opzet helemaal niet was. En als jij je werk goed doet, kun je al de mensen om wie je je nu zo druk maakt, daarvoor behoeden. Daardoor moet je je toch wel heel belangrijk voelen.'

Daar! Kleine, miezerige, gele bloemen, vlak voor het hek. Snel keek ze ergens anders naar. 'Ik zal mijn werk echt wel doen, ik moet wel.' Ze liep in de richting van het hek. 'Hoewel ik er geen idee van heb hoe. Ik heb alle geluk nodig dat ik maar kan krijgen, zodat mijn zoon gespaard blijft. Ik moet...' Plotseling bleef ze staan. 'Geluk. Misschien heb ik het geluk uiteindelijk toch aan mijn kant.'

'Wat?'

'Michael is dol op gele bloemen. Toen hij klein was plukte hij altijd boterbloemen voor me.' Ze liep naar de gele bloemen toe. 'Misschien is dit een teken dat alles goed komt voor hem.' Ze knielde neer en plukte de bloem die het dichtste bij haar was en blokkeerde tegelijkertijd met haar lichaam Sanbornes zicht erop. Het zendertje. Een microfoontje zo groot als haar duimnagel. Snel pakte ze het op en liet het in haar mouw verdwijnen. 'Ik kan wel wat geluk gebruiken.'

'Ja, dat is waar. Uiterst opmerkzaam van je. Maar een stuk onkruid zal je er niet bij helpen. Ik ben de enige die dat kan. Het verbaast me dat een wetenschapper zo bijgelovig kan zijn.'

'Maar ik ben ook moeder.' Ze stak de bloem door het knoopsgat van haar bloes. 'En je kunt je toch wel voorstellen hoe wanhopig een moeder kan zijn om haar kind. Natuurlijk weet je dat. Daarom ben ik tenslotte hier. Ik grijp al het geluk, of wat het ook mag zijn wat hem in veiligheid houdt, met beide handen aan.'

Hij glimlachte. 'Hou dat sentimentele souvenir dan maar.' Hij deed het hek voor haar open. 'Het is nogal meelijwekkend en ik vind het idee dat je zo wanhopig bent wel prettig. Het geeft me een machtig gevoel. Weet je, ik heb altijd verlangd naar een meester-slaafverhouding met jou. Toen we in Amsterdam waren en je zo vol blijdschap en vertrouwen was, kon ik duidelijk zien dat je niets om mij of mijn mening gaf. Je wist dat je het bij het rechte eind had en je was alleen maar beleefd tegen me. Dat irriteerde me mateloos.'

'En daarom heb je mijn familie als doelwit uitgekozen?'

'Gedeeltelijk. Je moest je maar eens wat bescheidener op gaan stellen.'

Woede en pijn vlamden door haar heen. 'Mijn vader en moeder waren volkomen onschuldig. Ze verdienden het niet om te sterven.'

'Ach, dat is nou voorbij. Vergeet het. Je moet je concentreren op je werk.'

Vergeet het? Het was niet te geloven dat hij dacht dat ze die avond op de pier, die avond die haar leven had verwoest, zou kunnen vergeten.

Maar ze kon zien dat dat voor Sanborne helemaal niet zo vreemd was. 'Ja, het is nu voorbij.' Ze wendde haar gezicht van hem af. 'En ik verzeker je dat ik me enorm zal concentreren op mijn werk.'

'Mooi.' Hij deed de deur van het gebouw open. 'De vaten liggen achterin.' Hij knikte langs de enorme machines. 'Ik moet nu gaan. Zeg het tegen de bewaker als je klaar bent om weer terug naar het lab te gaan.' Hij keerde zich om en keek over zijn schouder naar haar om. 'Deze installatie wordt uitstekend bewaakt. Dat is je misschien wel opgevallen. Niemand kan erin of er zelfs maar bij in de buurt komen, zonder mijn toestemming. En mocht je besluiten dat je zoon het risico niet waard is, denk dan maar aan jezelf. Je bent veel te jong om te sterven.'

Ze keek hem na toen hij de deur uit liep. Arrogante klootzak. Royd was niet alleen in de buurt van de installatie geweest, hij had er ook nog een zendertje weten te verstoppen. Die gedachte gaf haar een goed gevoel. Voor het eerst sinds ze hier op San Torrano was aangekomen, voelde ze een sprankje hoop, gemengd met vastberadenheid. Royd was door Sanbornes beveiliging heen gekomen. Hij had contact met haar gemaakt.

Dit móést lukken!

'Ze heeft de zender om.' Kelly keek op van de monitor, toen Royd de cabine binnenliep. 'Ze heeft hem ongeveer tien minuten geleden opgepikt.' Hij grijnsde. 'Vlak onder Sanbornes neus. Ze pakte het heel geraffineerd aan. Slimme meid.'

'Is ze in de installatie?'

'Ja, ze checkt de vaten nu. Sanborne is er niet bij. En ze heeft nog niet geprobeerd om contact met ons te leggen.'

'Ze zal wel nauwlettend in de gaten worden gehouden. En inderdaad, ze is heel slim.' Hij liet zich in de stoel naast het bureau vallen. 'Als ze denkt dat het veilig is, neemt ze wel contact op.'

'Heb je nog iets van MacDuff gehoord?'

'Ze zijn onderweg. Over een paar uur zullen ze hier wel arriveren.'

'Royd.'

Hij schrok zich kapot, toen hij Sophies stem opeens uit de monitor hoorde komen.

'Ik heb het gevoel dat ik hier in mezelf zit te praten. Ik hoop verdomme wel dat er iemand luistert.' Ze wachtte even. 'Ik heb het hier gecheckt. Geen camera's en ik denk niet dat er afluisterapparatuur is. Gorshank heeft steeds gewerkt in het laboratorium in het huis. Er was weinig reden om hem hier te bespioneren. Ik hou het kort voor het geval een van de bewakers binnenkomt en ziet dat ik hier in mezelf zit te praten. De REM-4-gegevens liggen in de brandkast van Sanbornes bibliotheek in het huis. Ik zal een manier proberen te bedenken om ze te vernietigen. Ik hoop dat het is gelukt om die explosieven te plaatsen. Zo niet, dan kun je nog proberen om bij de vaten op de *Constanza* te komen. De helft van de vaten ligt nog steeds op het schip. Ik ga proberen Sanborne zover te krijgen dat hij de vaten van het schip hierheen laat brengen. Ik heb een wapen nodig. Leg dat in een van de vaten, als je kunt.' Even was het stil. 'Het kan zijn dat we niet de tijd hebben om tot overmorgen te wachten. Boch zit steeds te pushen dat die vaten gewoon moeten worden leeggegooid en dat ze dan wel zullen zien wat de consequenties daarvan zijn. Sanborne is degene die aarzelt. Maar wel uit puur zakelijk oogpunt. Wanneer Boch hem ervan weet te overtuigen dat ze de deal ook kunnen maken als er veel gewonden zouden vallen, dan maakt hij de deal.'

'Precies,' mompelde Royd.

Weer was ze even stil. 'Ik heb Michael gisteravond gesproken.' Haar stem haperde. 'En de man die ik eerst aan de lijn kreeg was Jock niet. Ik zou zijn stem herkennen, ook als hij een Brooklyn-accent imiteert. Het... beangstigde me. Ik probeer het van me af te zetten. Dat was alles voor nu. Ik neem weer contact op als er ontwikkelingen zijn.'

Royd vloekte zacht en heftig.

'Gaat ze die gegevens vernietigen?' vroeg Kelly. 'Ik dacht dat ze alleen maar te weten moest komen waar ze lagen.'

'Ja, dat had ik zo gepland, maar zíj dus duidelijk niet. Ik had kunnen weten dat ze zich verplicht zou voelen om die gegevens te vernietigen als ze ze vond. Zij vindt dat het haar werk is geweest dat alle schade heeft aangericht en dat het dus ook haar werk is om alles te vernietigen.'

'En ze vertrouwt er niet op dat jij dat doet.'

'Nee, ze vertrouwt me niet.' Hij stond op en liep naar de deur. 'Voor geen meter.'

Boch en Sanborne waren op de veranda toen Sophie die avond terugkwam. Het was duidelijk dat er spanningen tussen hen waren, hoewel Sanborne zijn best deed om die te camoufleren.

'Goedenavond, Sophie,' zei Sanborne met een glimlach. 'Ik hoop dat je goed nieuws voor me hebt. Mijn vriend hier is enorm sceptisch of jij wel in staat bent om de gaten in de theorie te dichten.'

'Zover ben ik nog niet. Ik wil graag dat je de andere vaten van de *Constanza* naar de installatie laat brengen, zodat ik ze kan onderzoeken.'

'Waarom?' vroeg Boch ijzig.

'Ik heb sporen van een onbekend element gevonden in de vaten die op het terrein van de installatie liggen. Ik moet er zeker van zijn dat die van het vat zelf komen en niet door Gorshank aan de vaten zijn toegevoegd.'

'Tijdverspilling,' zei Boch. 'Een vertragingstactiek, Sanborne.'

'Misschien.' Hij keek Sophie aandachtig aan. 'Het zou kunnen dat ik te veel vertrouw op het moederinstinct.'

'Ik heb die vaten gewoon nódig.' De wanhoop in haar stem hoefde ze niet eens te spelen. Die verborgen dreiging in de woorden van Sanborne had een vlaag van paniek door haar heen doen gaan. 'Je beperkt me als ik ze niet kan onderzoeken.'

'O, ik zou niet durven.' Sanborne aarzelde. 'Natuurlijk brengen we je de vaten.' Hij keerde zich naar Boch. 'Vanavond. Dat wilde je toch al, nietwaar?'

Bochs blik vloog naar het gezicht van Sanborne. 'Ga je het doen?'

'Ik ben niet zo'n koppig persoon. We maken een compromis. Zodra ze vanavond haar monsters heeft genomen, storten we de inhoud van die vaten in de watertoevoer. Dan geven we haar nog een paar dagen om met een oplossing voor Gorshanks blunders te komen. Wanneer REM-4 een vervelend aantal doden veroorzaakt in de komende dagen, hebben we Sophie als antwoord op de problemen van onze klant.'

'Nee,' zei Sophie scherp. 'Het is niet nodig om die vaten leeg te gooien. Gun me wat tijd en ik zorg ervoor dat REM-4 veilig is.'

'Boch vindt dat we geen tijd meer hebben,' zei Sanborne. 'Hij heeft helemaal geen geloof in jou. Vind je dat niet gek?'

'Ja, jullie hebben mijn zoon.' Haar handen balden zich tot vuisten. 'Ik kan me niet voorstellen dat iemand denkt dat ik niet tot het uiterste zal gaan voor mijn kind.'

'Luister toch niet naar haar,' zei Boch. 'Het doet er niet meer toe. Je hebt er nu mee ingestemd, Sanborne.'

'Inderdaad.' Hij keerde zich weer naar Sophie. 'Ga maar terug naar de waterzuiveringsinstallatie. Jij krijgt die vaten.'

'Nee,' fluisterde ze. 'Doe het niet.'

'Maar ík doe het helemaal niet, jíj doet het. Jíj hebt me niet de resultaten geleverd die ik nodig heb. Ik had je gezegd dat Boch haast heeft. Dus het is jouw schuld, niet de mijne.'

Haar schuld. Even was ze lamgeslagen, maar al snel nam de woede bezit van haar. 'Absoluut niet. Klootzak. Wat is er zo moeilijk aan om te wachten?'

'Niet zo vervelend doen. Daar hou ik niet van.' Hij keerde zich naar Boch. 'Stuur een paar mannen naar het schip om de vaten te halen. Hoeveel liggen er nog op de *Constanza*?'

'Acht.' Boch haastte zich het pad af. 'Over twee uur zijn ze hier.'

'Uitstekend.' Sanborne keek Boch na en richtte zich toen weer tot Sophie. 'Je kunt maar beter hopen dat Bochs klant bezwaar maakt tegen de kracht van REM-4. Anders heb ik je helemaal niet meer nodig. Ik raak een beetje geïrriteerd door je arrogantie.' Hij liep het huis in. 'En ik zou niet zo'n toon tegen Boch aanslaan als je tegen mij doet, als hij de vaten komt brengen. Hij is een opvliegende man en hij zou wel eens maatregelen kunnen nemen die onplezierig fataal voor je kunnen zijn. En daarna moet ik natuurlijk Franks bellen om te zeggen dat hij die jongen moet doden. Dan heb ik ten slotte niets meer aan hem.'

Ze staarde hem even na, vol woede en frustratie. Waarom kon die klootzak niet één dag langer wachten, voor hij toegaf aan Boch. Twee uur...

Snel draaide ze zich om en rende de trap af, het pad op naar de installatie. Twee uur. Het mocht niet gebeuren. Ze moesten het tegenhouden. Toen ze zo ver mogelijk van de bewaker af was, zette ze het zendertje aan en begon zachtjes te praten.

'Je kunt niet wachten. De vaten worden over twee uur geleegd. Dus we moeten vanavond in actie komen. Ik ben dan op het terrein van de installatie.' De bewaker kwam steeds dichterbij, dus durfde ze verder niets meer te zeggen.

O, mijn god. Twee uur...

19

'Schiet op met die monsters, je hebt twintig minuten.' Boch keek toe hoe de mannen de vaten op de rand van het waterreservoir neerzetten.

'Wat genereus.' Ze pakte het blad met de lege laboratoriumflesjes en liep naar de acht vaten die van het schip daarnaartoe waren gebracht. In welk vat zou het wapen zitten, dat Royd er waarschijnlijk in had verborgen? En wat moest ze als het nergens in zat? Wat moest ze als Royd sinds vanochtend, toen ze hem erom had gevraagd, niet de gelegenheid had gehad om naar het schip te gaan en het wapen te verstoppen? Ze wist verdomme niet eens of dat stomme zendertje wel werkte.

Vertrouw hem. Royd had ervoor gezorgd dat zij dat zendertje in handen kreeg en dat was al zeer onwaarschijnlijk geweest. En hij had vast niet het risico genomen om te wachten met het verbergen van het wapen.

Ik zou voor je sterven.

In vredesnaam, hou ermee op om aan alles van Royd te twijfelen. Haar intuïtie had heel sterk aangegeven dat Michael veilig bij hem was. Anders had ze het toch niet aangedurfd om haar zoon bij hem achter te laten. Royd liet haar heus niet in de steek en zou haar deze waanzin heus niet in haar eentje laten oplossen. Royd zou er zijn, omdat hij had gezégd dat hij er zou zijn.

Vertrouw hem.

Ondertussen was ze bij de vaten aangeland. Ze deed de deksel van het eerste vat open en nam een monster.

Niets.

Ze zette de ampul terug in het rek en maakte het volgende vat open. Langzaamaan, neem de tijd.

Geen wapen.

Het derde vat. Monster nemen. Geen wapen.

Toen ze het vijfde vat opende, zag ze het wapen direct. Het zat in een zwarte waterdichte zak vastgeplakt tegen de zijkant van het vat. Er ging een golf van opluchting door haar heen.

Ze schoof een beetje opzij, zodat ze tussen het vat en Boch in stond. Gelukkig lette hij niet erg op haar. Hij schreeuwde orders naar de mannen over waar de andere vaten moesten staan. Ze vulde de ampul, pakte snel het wapen en liet het op de betonnen vloer tussen de vaten in vallen. Ze zette de houder met ampullen ervoor en ging verder met het volgende vat.

'Opschieten,' riep Boch in haar richting. 'Wij zijn hier klaar om te beginnen.'

'Nog twee vaten.' Snel nam ze de twee laatste monsters en liep terug naar het rek met de ampullen. Daar knielde ze neer, zette de laatste twee erin, pakte daarna snel het wapen en gooide dat onderin het rek. 'Klaar.' Ze stond op en liep naar de deur. 'Ik ga terug naar het lab.'

'Wacht.'

Verstijfd van schrik keek over haar schouder naar Boch.

Boch glimlachte wreed. 'Niet weglopen. Ik wil dat je toekijkt als ik de REM-4 in het waterreservoir giet.'

'Omdat je weet dat ik dat vreselijk vind?'

'Wie weet. Volgens mij loop jij de boel te vertragen. Je hebt ons een hoop moeilijkheden bezorgd. Sanborne is veel te vriendelijk voor je geweest. Hij had het aan mij over moeten laten.'

'Geloof me, Sanborne is sadistisch genoeg geweest om zelfs aan jouw eisen te voldoen.'

'Blijven staan en kijken.' Hij draaide zich weer om naar de mannen die bij de vaten stonden. 'Een voor een. Eerste vat.'

De mannen hielden het vat schuin en de inhoud stroomde in het waterbassin.

Boch riep: 'Tweede vat.'

Voorzichtig stak ze haar hand in de flessenhouder en pakte het pistool uit de plastic zak.

'Derde vat.'

Ze pakte het pistool onder in het rek stevig in haar hand.

'Boch.'

Hij keek haar even aan.
Ze trof hem tussen zijn ogen.
De blik van verbazing bevroor op zijn gezicht, terwijl hij op de grond ineenzakte.
Razendsnel draaide ze zich om en spurtte het gebouw uit.
Er klonk een hoop lawaai achter haar.
En terwijl ze naar het toegangshek rende, was er opeens een bewaker recht voor haar. Hij kwam dreigend op haar af.
Opnieuw hief ze het pistool.
De bewaker viel neer.
Mes. Er zat een mes in zijn rug.
'Kom op.' Royd greep haar arm vast. 'Binnen een paar seconden komen ze er allemaal uitstromen.' Hij sleurde haar zowat het hek door. 'Bochs mannen zijn eerst even in verwarring, maar daarna reageren ze weer zoals ze bij hun training hebben geleerd.'
'Ik heb hem gedood,' hijgde ze, terwijl ze de heuvel oprenden. 'Boch liet de vaten in het waterbassin gieten en ik heb hem neergeschoten. Ik heb hem neergeschoten...'
'Dat weet ik. Ik heb het gezien.' Hij trok haar met zich mee de heuvel af. 'Ik heb de eerste bewaker uitgeschakeld en kon bij het raam aan de verste kant komen. Waarom ben je niet gewoon weggerend? Na het eerste vat was de watervoorraad toch al vergiftigd.'
'Maar misschien nog niet zo erg dat het effect op iemand zou hebben. Ik weet het niet. Maar ik moest ervoor zorgen dat dit stopt.'
'En dat de hel losbrak!'
Er was een hoop geschreeuw achter hen te horen en er ging een vlaag van paniek door haar heen.
'Lopen!' Royd trok haar in de richting van een groepje bomen zo'n honderd meter verderop.
'Ik lóóp toch. En in dat kleine beetje struiken kunnen we ons echt niet verstoppen. Het is veel te...'
'Stil.' Zodra ze bij de bosjes waren, duwde hij haar op de grond. Toen pakte hij iets uit de zak van zijn jas. 'We krijgen een beetje afleiding.'
Afleiding? Wat bedoelde hij dáár nou...

Een enorme explosie deed de aarde schudden.

De nachtelijke hemel achter de heuvel was opeens rood door het vuur.

'De zuiveringsinstallatie,' fluisterde ze. 'Je hebt de installatie opgeblazen.'

'Dat was de enige manier om er zeker van te zijn dat er nergens meer REM-4 is. Je wist toch dat dat waarschijnlijk ging gebeuren.' Hij duwde de afstandsbediening terug in zijn zak. 'Ik zei toch dat ik REM-4 van de aardbodem zou laten verdwijnen.' Hij stond op. 'Kom. Ik moet je op het strand aan de andere kant van het eiland zien te krijgen. MacDuffs mannen zijn nu bij de installatie de boel aan het opruimen als het goed is. Kelly wacht op je om je naar de boot te brengen.'

'Nee.'

'Jawel.' Hij keek haar aan. 'Je hebt al genoeg gedaan. Laat ons de rest nou opknappen.'

'Sanborne is in het huis. Hij heeft mijn formules in zijn kluis. Míjn formules.'

'Die breng ik voor je mee.'

'Mijn formules, mijn werk, mijn verantwoordelijkheid.' Op een drafje begon ze in de richting van het huis op de top van de heuvel te lopen. 'En ik moet snel zijn. Hij moet de explosie hebben gehoord en begrijpen dat er iets aan de hand is en hij zal dus zo snel mogelijk maken dat hij wegkomt. Hij zal wel een ontsnappingsroute hebben gepland.'

'Sophie, vertrouw me.'

'Ik vertrouw je ook. Even niet. Je had gelijk, ik heb echt een probleem met vertrouwen. Maar ik bedacht dat als ik in mezelf en mijn eigen intuïtie geloofde, ik ook in jou geloofde.' Ze begon harder te lopen. 'Maar dit heeft niets met vertrouwen te maken.'

Hij vloekte zachtjes. 'Oké, verdomme, dan doen we het wel samen. Je hoeft echt niet alles in je eentje op te lossen. Boch heb je me al door de neus geboord. Ik hoop dat je onthoudt dat ik een grondige reden heb om de wereld te verlossen van Sanborne.'

Hoe zou ze dat ooit kunnen vergeten?

'En ik bepaal wat er gebeurt. Zo niet, dan zul je me neer

moeten schieten om te voorkomen dat ik je knock-out sla.' Hij keek haar recht in de ogen. 'En je weet dat ik dat meen.'

'Ja.'

Het huis was nog maar een paar honderd meter van hen vandaan. Geen bewaker te zien. Dat betekende natuurlijk nog niet dat er binnen geen bewakers zouden zijn, dacht ze. 'Sanborne heeft twee bodyguards die altijd bij hem zijn. Ik zie ze niet.'

'Kunnen we vanaf de achterkant van het huis in de bibliotheek komen?'

'Ja, er is een veranda die toegang geeft tot de bibliotheek.' Ze liep om de hoek van het huis heen. 'Ik zie helemaal geen bewakers. Waar zitten die in godsnaam?'

'Had hij alleen twee bodyguards?'

'Waarschijnlijk vond hij meer niet nodig, met al die halve slaven hier op het eiland.' Ze knikte naar een paar openslaande deuren. 'Daar is de bibliotheek.'

'Geen lichten aan. Blijf jij hier even, dan check ik de boel.'

'Nee.'

'Verdomme.' Hij sloop naar de deuren. 'Blijf dan achter me.' Hij drukte zich tegen de muur, stak zijn arm uit en gooide de deuren open.

Er werd niet geschoten.

Hij dook naar binnen en rolde naar de zijkant.

Ze dook achter hem aan.

Geen schoten.

Hij deed een zaklamp aan en scheen om zich heen. Leeg. Geen geluid. Geen geluid in het hele huis.

'Misschien is hij wel naar het terrein van de installatie gerend, toen hij die explosie hoorde,' zei ze.

'Ik denk niet dat hij dat zou doen. Hij zou het risico niet nemen met zijn waardevolle leven. Volgens mij rent hij weg en vecht het een andere keer uit.' Hij ging op zijn knieën zitten. 'En dat betekent dat je waarschijnlijk gelijk hebt en hij er vandoor is met de REM-4-disks.'

'Hoe dan?'

'Vliegend of per boot.' Hij liep naar de deur. 'Ik hoor geen helikopter. Ik wed dat hij naar de pier is, naar zijn boot.' Hij rende de kamer uit.

Toen ze de kade bereikten, stapte Sanborne net in zijn boot aan het einde van de pier. Een van zijn bewakers had de motor al gestart.

'Verdomme,' zei Royd, terwijl zijn hand zijn wapen vastgreep. 'Die pier is veel te lang. Hij is nog buiten schootsafstand. We moeten dichterbij zien te komen.' Hij begon nog harder te rennen.

'Hé, Sophie,' riep Sanborne, terwijl ze wegvoeren. 'Ik had gehoopt je gezicht te kunnen zien als ik je vertelde dat je zoon nu een langzame, pijnlijke dood aan het sterven is. Ik heb gebeld toen ik de installatie zag exploderen.'

'Hij is niet dood,' riep Sophie. 'We hebben je belazerd, Sanborne.'

'Daar geloof ik niets van.'

Nu waren ze toch wel bijna dichtbij genoeg.

'Het is de waarheid.'

'Dan zal ik ervoor moeten zorgen dat hij je nooit meer ziet.' Sanborne knikte even naar de bewaker naast hem. 'Dood haar, Kirk.'

De man had een geweer.

O god, een geweer had meer bereik dan hun pistolen.

'Nee!' Opeens was Royd voor haar en duwde haar tegen de grond. Hij trok zijn pistool, dook opzij en vuurde.

Maar op hetzelfde moment ging het geweer af.

Ze hoorde aan het geluid van de kogel dat het raak was.

Royd, besefte ze in paniek.

Zijn knieën begaven het en hij viel.

Bloed. Er stroomde bloed uit zijn borst. Zijn ogen vielen dicht.

'Royd!'

Weer een schot. De kogel versplinterde het hout van de pier, vlakbij. Instinctief wierp ze zichzelf op Royd en bedekte zijn lichaam met het hare. Ze hief haar pistool op en probeerde te richten.

En liet het toen zakken.

Sanborne lag voorover op de boot. De bovenkant van zijn hoofd was helemaal weggeschoten. De man die Sanborne Kirk had genoemd had zijn wapen laten vallen, toen hij zag dat

Sanborne gewond was en boog zich over hem heen.

'Heb ik... hem... geraakt?' Royds ogen waren open en hij keek haar vragend aan.

'Ja.' De tranen stroomden over haar wangen. 'Stil. Niet praten.' Ze scheurde zijn shirt open. 'Waarom heb je dat gedaan?' Haar stem beefde. 'Dat had je niet moeten doen, verdomme.'

'Ja... dat moest... wél.' Zijn ogen vielen weer dicht. 'Ik... móést wel. Zei het... toch.'

Ik zou voor je sterven.

'Waag het niet om dood te gaan. Ik sta het niet toe. Hoor je me? Ik heb je verdomme helemaal niet gevraagd de held te spelen.' Mijn god, de wond zat aan de bovenkant van zijn borstkas. Niet in paniek raken. Je bent arts. Dus handel daarnaar en zorg voor hem. 'En volhouden. Ik accepteer niet anders. Je hebt altijd tegen me gezegd dat ik paranoïde de schuld op me nam. Wil je dat ik de rest van mijn leven aan dit moment moet denken?'

'Ik zou... niet durven.'

'Lig stil dan, dan kan ik het bloeden proberen te stoppen en je weer stabiel zien te krijgen.'

'Ben nooit stabiel geweest. Is niet mijn... gewoonte.'

'Dan gaat dat nu veranderen.' Ze pakte haar telefoon en toetste het nummer van MacDuff in. 'We zijn op de pier en Royd is neergeschoten.'

'Er komt meteen hulp naar je toe.'

'Goed.' Ze hing op. 'Nu ga ik kijken of die kogel nog steeds in je zit of dat hij door je heen is gegaan. Dat doet pijn.'

Hij gaf geen antwoord.

Hij was bewusteloos.

'Sophie.'

Toen ze opkeek, zag ze MacDuff en Campbell over haar heen gebogen staan. 'Je hebt er te lang over gedaan.' Ze sloeg haar armen steviger om Royd heen. 'Hij had wel dood kunnen zijn.'

'Tien minuten.' MacDuff knielde naast haar. 'We zijn zo snel mogelijk gekomen. Hoe gaat het met hem?'

'Shock. Bloedverlies.' Ze schudde haar hoofd. 'En wat er verder met hem is, weet ik niet. Ik heb gedaan wat ik kan. We moeten met hem naar het ziekenhuis.'

Voorzichtig maakte ze haar armen los van Royd en ging rechtop zitten. God, ze wilde hem helemaal niet loslaten. Ze had het totaal onlogische gevoel dat hij van haar weg zou glippen als ze hem losliet. 'Hij is al bewusteloos sinds ik je belde.'

'Ik heb meteen een helikopter besteld. Die moet nu snel hier zijn.' Tegen Campbell zei hij: 'Ga maar op de uitkijk staan. Ik heb gezegd dat hij bij het huis moet landen.'

'Oké.' Campbell draaide zich om en begon de pier af te lopen.

MacDuff richtte zich naar Sophie. 'En jij, is alles goed met jou? Is dat zijn bloed op je?'

'Ja.' Een beetje beduusd keek ze naar beneden, naar de bloedvlekken op haar bloes. 'Ik ben niet gewond. Hij heeft de kogel die voor mij was bestemd opgevangen.'

'Sanborne?'

'Dood. Royd heeft hem neergeschoten. Ik weet niet waar hij nu is. Hij zat op een boot met twee van zijn bodyguards... Haar stem trilde en ze probeerde hem weer onder controle te krijgen. 'Je moet hem zien te vinden. Hij had de REM-4-disks bij zich. Die móét ik hebben. Anders blijven ze altijd een bedreiging...'

'We vinden hem wel.' Hij stak zijn hand uit en kneep even in haar schouder. 'Het komt wel goed, Sophie.'

Nietszeggende woorden, nu Royd hier lag te vechten voor zijn leven. Nee, ze vochten allebei. Ze kon hem niet laten sterven. Hij móést in leven blijven, anders wist ze niet of zíj nog wel wilde leven.

Jezus. Hoe egoïstisch kon je zijn? Hij verdiende het om een lang en gelukkig leven te hebben en zij deed er niet toe. Die ene zin bleef als een mantra door haar hoofd spelen. Hij moet blijven leven. Hij moet blijven leven. Hij moet blijven leven.

'Sophie,' zei MacDuff zachtjes. 'Ik denk dat ik de helikopter hoor.'

Ze deed haar ogen open. Ze hoorde het ook. Er vlamde hoop in haar op. Ze greep Royds hand steviger vast. 'Laten we dan zorgen dat hij hier wegkomt.'

Een uur later kwamen ze aan bij het Santo Domenico Ziekenhuis in Carácas. En een minuut later werd Royd al bij Sophie weggehaald en de operatiekamer ingereden.

'Gaat het een beetje?' MacDuff keek haar aandachtig aan. 'Tot nu toe heeft hij het gered, Sophie. Dat is een goed teken.'

'Het kan twee kanten opgaan nu,' zei Sophie. 'Ik stel het op prijs dat je me probeert gerust te stellen, maar ik weet hoe het kan gaan. Gelukkig heeft hij in de helikopter al een transfusie gehad. Dat verhoogt de kansen.'

'Kom, dan neem ik je mee naar de wachtkamer en regel ik een kop koffie.'

Maar ze wilde niet naar de wachtkamer. Ze wilde die operatiekamer binnenstormen en zien wat ze allemaal met Royd uitspookten. Ze wilde hélpen, verdomme.

Diep ademhalen nu. 'Straks. Ik moet eerst naar buiten om te bellen.' Ze liep naar de deuren van de Spoedeisende Hulp. 'Ik wou Michael toch al bellen en het leidt me misschien af.' Ze wierp een blik achterom. 'Royd zei dat hij bij Jock was. Is dat nog steeds zo?'

Hij knikte. 'In het huisje bij het meer in Atlanta.'

Haar mond vertrok. 'Hij is een geweldig acteur. Ik herkende zijn stem niet en Sanborne dacht echt dat het Franks was. Het beangstigde me een tijdje.'

'Jock is heel goed in alles wat hij doet.' MacDuff hield de glazen deuren voor haar open. 'Maar hij riskeerde het niet om Franks stem te imiteren zonder een beetje technische hulp.'

'Wat?'

'Hij speelde anderhalve dag lang kat en muis met Franks, voor hij hem uitschakelde. Hij liet hem heel dichtbij komen en was dan opeens weer weg.'

Ze fronste haar voorhoofd. 'Ik begrijp niet wat je bedoelt.'

'Jock had een goede geluidsopname nodig van Franks als hij tegen zijn mannen praatte, met Sanborne aan de telefoon was, of gewoon maar wat praatte. Vervolgens hebben Joe Quinn en hij de opnames naar een geluidsexpert gebracht van de FBI. Quinn heeft bij de FBI gezeten en heeft daar nog veel contacten. Zij fabriceerden een apparaatje dat gemonteerd kon worden op de telefoon die Jock van Franks had afgepakt.' Hij glimlachte.

'En voilà, Jocks stem veranderde in die van Franks. Hij had Sanborne goed te pakken.'

'En beangstigde mij.'

MacDuffs glimlach verdween. 'Het verbaast me dat Royd je niet precies heeft verteld wat er zou gebeuren.'

'Dat heeft hij wel gedaan, maar niet echt in details. En toen ik die zogenaamde stem van Franks hoorde, zat ik al op het eiland.' Ze haalde haar schouders op. 'Toen was het te laat om nog iets te vragen. Het enige wat ik kon doen was bedenken of ik hem kon vertrouwen of niet.'

'En, kon je dat?'

'Na een heleboel getwijfel en gepeins, ja. Maar het was niet makkelijk.' Een beetje moedeloos leunde ze tegen de muur. 'Maar er is niets makkelijk aan Royd.' Maar, lieve god, ze wilde met heel haar hart dat die moeilijke, rauwe klootzak bleef leven. 'Ik moest op mijn intuïtie afgaan.'

'En misschien op nog iets anders?' MacDuff wachtte haar antwoord niet af. 'Pleeg je telefoontje. Dan ga ik een kop koffie halen. Zwart?'

Ze knikte en hij verdween het ziekenhuis in.

Nog iets anders? Iemand mogen? Misschien... houden van? Haar hand klemde zich vaster om de telefoon. Passie, bewondering, intimiteit; ze wist dat ze al die dingen voor Royd voelde. En nu kwamen daar dat afschuwelijk lege gevoel bij en de paniek die haar was overvallen toen ze dacht dat ze hem kwijt was.

En misschien zou ze hem alsnog kwijtraken. De tranen prikten achter haar ogen. Ze moest volhouden. Bezig blijven. Ze toetste het nummer van Jock in.

Jock nam op toen de telefoon voor de derde keer overging. 'Ik denk niet dat je mij wil spreken, Sophie. Ik heb hier een jongeman zitten die dadelijk gewoon de telefoon uit mijn handen rukt.'

'Deed ik het niet goed, mam?' Michael kwam enthousiast aan de lijn. 'Jock zei dat ik net moest doen of het echt was, voor jouw veiligheid.'

'Ongelofelijk goed, schat. Hoe gaat het?'

'Goed. Het is hier mooi bij het water. En Jane heeft een

hond. Hij heet Toby en hij is half wolf, half hond en hij is echt super. En Jane leert me pokeren.'

'En heb je nog nachtmerries gehad?'

'Een.' Hij vertelde haastig verder. 'Jock zei dat je nu veilig bent, omdat je de slechteriken hebt verslagen. Wanneer kom je me halen?'

'Zodra ik kan. Ik moet hier nog één dingetje doen. Geef me nu Jock maar even. Ik hou van je.'

'Ik van jou.'

'Het gaat prima met hem, Sophie,' zei Jock toen hij aan de lijn kwam. 'Eén nachtmerrie en dat was een milde. Het gaat echt prima met hem.'

'Hoe kwam hij aan die blauwe plekken?'

'Jane.'

'Wát?'

'Oogschaduw.' Hij was even stil. 'Hoe is het met Royd?'

'Dat is nog niet bekend. We zijn nu in het ziekenhuis en wachten tot we wat horen.' Ze moest even flink slikken. 'Zodra het kan kom ik Michael daar ophalen, maar ik wil Royd hier niet achterlaten.'

'Geen probleem. Jane en hij kunnen het heel goed vinden met elkaar. En nu hij weet dat jij in veiligheid bent, zal hij zich nog een stuk beter voelen.'

'Hij klinkt nu al heel tevreden. Poker?'

'Elke jongen moet handig zijn in dat soort kansspelen.' Jocks stem werd ernstig. 'Ik wou dat ik bij je was geweest op San Torrano. Dan had ik misschien iets voor Royd kunnen doen.'

'Ik denk het niet.'

'Nou heb je mijn gevoelens ernstig gekwetst. Bedoel je dat je er niet in gelooft dat ik een man ben die bergen kan verzetten?'

'Ik geloof dat jij mijn vriend bent, die ervoor heeft gezorgd dat mijn zoon veilig is en dat vind ik een enorm waardevolle berg om te verzetten.'

'Waardevol, ja. Maar niet opwindend of wereldschokkend.' Hij slaakte een overdreven zucht. 'Maar ik zal wel doorgaan met waardevol en betrouwbaar zijn, totdat je me hier komt verlossen. Bel me als je nieuws hebt. Dag, Sophie.' Hij hing op.

Ze verbrak de verbinding en haalde diep adem. Gelukkig was alles met Michael tenminste goed.

'Hoe gaat het met je zoon?'

Ze draaide zich om. MacDuff stond een paar meter verderop. 'Goed. Hij leert pokeren en is helemaal gek op de hond van Jane.'

'Toby?' Hij gaf haar een kop koffie aan. 'Ik hoor dat dat nogal een portret is. Ze is echt dol op hem.'

'Ik had gedacht dat je Toby wel zou kennen. Jullie zijn zulke goede vrienden.'

'Onze relatie is een beetje... gecompliceerd. Ik ben nog nooit uitgenodigd in dat huisje aan het meer.'

'En ik zou het liefste hebben dat Michael daar nooit heen had gehoeven.' Plotseling kwam er een gedachte in haar op. 'Misschien is het wel een probleem voor mij om daar te komen. Het feit dat Boch en Sanborne dood zijn, betekent natuurlijk niet dat alles ineens is opgelost. Ik word nog steeds gezocht door de politie, wegens de dood van Dave.'

'Misschien niet lang meer. Ik heb de CIA ervan weten te overtuigen dat zij de plaats delict met een eigen forensisch team moeten onderzoeken. Zelfs al heeft Devlin jouw DNA daar geplant, er kan ook nog iets van het zijne zijn achtergebleven. Het kost tijd om het te doen, maar de CIA zal volhouden. Ze zijn uitermate dankbaar dat wij hen hebben verlost van een potentiële dreiging als REM-4.' Hij pakte haar bij de arm. 'Kom, laten we naar binnen gaan. Het wordt hier een beetje fris.'

De scherpe, koude lucht, zonder antiseptische geuren, vond ze juist heerlijk. Maar ze moest natuurlijk naar de wachtkamer om bereikbaar te zijn, als de artsen klaar waren met de operatie. Iemand zou haar komen vertellen dat...

Even moest ze stil blijven staan, omdat de paniek plotseling als een mes door haar heen ging. Hij ging niet dood. Hij kwam door die operatie heen. Als de artsen naar de wachtkamer kwamen, zouden ze haar komen vertellen dat Royd weer beter zou worden.

Ze knikte aarzelend en liep naar de glazen deuren. 'Je hebt gelijk. We gaan naar binnen. We moeten nu snel iets te horen krijgen...'

'Zit je... op mijn... laatste woorden... te wachten?' hoorde ze Royd met schorre stem vragen.

Hij was bij!

Sophie was opeens helemaal gespannen en schoot overeind in de stoel naast het bed. 'Je mag helemaal niet praten. Kan ik iets voor je doen?'

'O, ja. Ik heb een heel lijstje.' Hij deed zijn ogen weer dicht. 'Maar als ik doodga moet ik... eerst doen wat... het belangrijkste is.'

'Je gaat helemaal niet dood. Niet nu, tenminste.' Ze hield een glas met gemalen ijs tegen zijn lippen. 'Hier, neem maar een beetje en laat het in je mond smelten.'

Hij deed wat ze vroeg. 'REM-4, heb je... de dossiers terug?'

Ze knikte. 'MacDuff heeft de boot met een helikopter kunnen vinden. En al het REM-4-materiaal zat in Sanbornes koffertje.'

'Wat heb je ermee gedaan?'

'Verbrand. Tot op de laatste snipper.'

'Goed zo. Wanneer kan ik hier... weg?'

'Over een maand, misschien iets langer.'

'Hoe lang ben ik al hier?'

'Twee dagen.' Twee lange, afschuwelijke dagen had ze hier naar hem zitten kijken en er elke minuut aan getwijfeld of hij wakker zou worden uit die onnatuurlijke slaap. 'Maar vannacht ging het opeens een stuk beter met je en wist ik dat je zou blijven leven.'

'Michael?'

'Prima. Hij zit nog in Atlanta.'

Zijn ogen gingen open. 'Waarom... ben je dan hier?'

Omdat ze in die vreselijke uren die nu achter haar lagen niet had geweten of ze wel kon overleven als hij stierf. Omdat al haar twijfels omtrent haar gevoelens voor hem omgeslagen waren in absolute zekerheid. 'Ik heb je toch gezegd dat het prima met hem gaat. Ik was daar niet nodig.'

Zijn mond vertrok. 'En je moest je plicht doen.'

'Hou je mond.' Haar stem trilde. 'Ik probeer meelevend te zijn en ik kan je in deze toestand moeilijk een klap verkopen. Maar ik spaar het wel allemaal op voor als je weer kunt lopen en hier de deur uit mag.'

'Zeg eens, waarom ben je tegen iedereen aardig, behalve tegen mij?'

'Ik was heel aardig voor je... toen je nog niet bij bewustzijn was.'

'En je dacht dat ik doodging. De volgende keer kun je me misschien laten genieten van die kant van je, als ik wákker ben.' Zijn ogen vielen dicht. 'Ik ga nu slapen. Ik moet zo snel mogelijk beter worden. Wij hebben nog een hoop uit te zoeken met elkaar en ik zal... al mijn kracht... nodig hebben.'

'Ja, ga slapen. Dat is goed voor je.'

Het was even stil. 'Waarom ben je hier gebleven, in plaats van naar Michael toe te gaan?'

'Jij had me nodig.'

'En?'

'En je hebt mijn leven gered.'

'En?'

'Ga slapen,' zei ze met onvaste stem. 'Meer krijg je niet van me te horen.'

'Jawel, dat krijg ik heus wel. Wacht maar af...'

Zijn adem werd regelmatig en hij viel in slaap.

Een hoop met elkaar uit te zoeken, had hij gezegd. Royd had zitten dwingen, zitten proberen, zelfs nu hij bijna geen kracht had. Wat moesten ze allemaal uitzoeken met elkaar? Ze waren allebei gewonden, overlevenden van de afschuwelijke dingen die hen door Sanborne en Boch waren aangedaan. Op het moment kon ze niet helder en logisch denken. Ze was zó moe dat ze zo ongeveer niets meer kon.

Behalve voelen. Mijn hemel, voelen kon ze maar al te veel nu.

Ze stak haar hand uit en streek zachtjes het haar uit Royds gezicht. Het was fijn om hem aan te kunnen raken en zijn kracht te voelen terugkomen. Hij was zo dicht bij de...

Opeens gingen zijn ogen open. 'Betrapt,' fluisterde hij.

Ze moest met haar ogen knipperen om de tranen tegen te houden. 'Je hebt me voor de gek gehouden.'

'Een man moet nou eenmaal doen wat hij moet doen.' Hij draaide zijn gezicht, zodat zijn wang haar hand raakte. En deed zijn ogen weer dicht. 'Niet ophouden...'

'Doe ik ook niet.' Haar hand streelde zijn wang. 'Dat zou je nooit lukken...'

Epiloog

MacDuffs Run
Een halfjaar later

'Sophie.'

Daar was hij!

Ze draaide de zee de rug toe en zag Royd met grote stappen het pad afkomen. Hij liep snel, ongeduldig, en had een intense uitdrukking op zijn gezicht. Haar hart ging zó tekeer dat ze even niets kon uitbrengen. 'Je ziet er goed uit.' Ze moest haar stem onder controle zien te krijgen. 'Hoe voel je je?'

'Hartstikke kwaad. Ik werd de volgende morgen wakker in dat kloteziekenhuis en kreeg te horen dat jij het land had verlaten. Wat was dat voor onzin?'

'Ik besefte gewoon dat ik niet kon blijven.'

'Michael.'

'Onder andere. Hij had me harder nodig dan jij.'

'Om de dooie dood niet.' Hij hield even zijn mond dicht. 'Hoe is het met hem?'

'Goed. Hij heeft de laatste maand maar twee aanvallen gehad. Ik denk dat hij echt vooruitgang boekt.'

'Goed zo. En wat was de andere reden dat je vertrok?'

'De andere reden was persoonlijker. Ik voelde me verward en had tijd nodig om eruit te komen.'

'Zonder mij.'

'Zonder jou. Ik heb moeite om helder te denken als jij in m'n buurt bent.'

'Mooi.'

Ze keek hem aan. 'En jij had ook tijd nodig. Je verdiende tijd om op adem te komen en je verdiende een kans om uit mijn leven te verdwijnen en te vergeten dat ik besta. Om iedere afschuwelijke gebeurtenis die je door mijn schuld hebt meegemaakt te vergeten.'

'Maar je hebt ook een heleboel goede dingen in mijn leven gebracht. Hoe lang gaat het duren voordat ik je er eindelijk van kan overtuigen dat je je schuld hebt ingelost?' Hij wachtte niet op een antwoord. 'Dus heb je MacDuff zover gekregen dat je met Michael hierheen mocht komen en mij te vertellen dat ik uit je buurt moest blijven.'

'Tot ik er klaar voor was.' Ze glimlachte. 'Ik moest nog een paar dingen doen, toen mijn naam eenmaal gezuiverd was. Het is Jane MacGuire en mij gelukt om een groot gedeelte van het geld dat nodig is om de waterzuiveringsinstallatie op San Torrano weer op te bouwen, bij elkaar te verzamelen. Jane is echt een heel bijzondere vrouw.'

'Ja, dat heb ik gehoord.' Het was even stil. 'Wist je dat ik bijna een commando-eenheid had georganiseerd om het hier te bombarderen?'

'Maar uiteindelijk deed je dat niet.'

'Ik had je nog één maand gegeven om me hier uit te nodigen.' Hij maakte een grimas. 'Misschien word ik uiteindelijk toch nog beschaafd.'

'Daar geloof ik niets van. Maar je bent slim en je weet dat het goed was om het zo te doen.'

'Misschien goed voor jóú. Ik had die tijd helemaal niet nodig. Ik wist wel wat ik wilde.' Hij deed een stap naar haar toe. 'Maak ik een kans, denk je?'

'En wat wil je dan? Seks?'

'Ja. En dat je tegen me praat en dat ik je mag leren kennen. En dat we bij elkaar gaan wonen en van die dingen doen als naar de film gaan en samen naar de supermarkt of naar een voetbalwedstrijd van Michael.'

'Michael. Je begrijpt dat hij bij de deal inzit?'

'Ja, natuurlijk, ik ben niet gek. We komen er wel uit. Hij is een deel van jou.' Ondertussen was hij echt vlak bij haar. 'Net zoals ik een deel van je wil zijn. Bij alles wat je doet. Beangstigt dat je?'

'Beangstigt het jóú?'

'Toen ik begon te beseffen wat ik voor je voel: ja. Nu ben ik eraan gewend.' Hij haalde heel diep adem. 'Ik... hou... van... je.' Hij schudde zijn hoofd. 'Jezus, dat was moeilijk om te zeggen. Ik hoop dat het het waard was.'

Er ging een schok van blijdschap door haar heen. 'O ja, het was het zeker waard.'

'Je hoeft het echt niet terug te zeggen. Liefde betekent verschillende dingen voor verschillende mensen. Je zult aan mij moeten wennen. Als we er samen een jaar op hebben zitten, moeten we er eens over praten.'

'Wat ruimhartig van je.' Ze legde haar handen liefdevol om zijn gezicht en keek stralend naar hem op. 'Maar ik geloof dat we er nu meteen over gaan praten.'